AF175137

ACCESO GRATIS a la Lectura en la Nube

Para visualizar el libro electrónico en la nube de lectura envíe junto a su nombre y apellidos una fotografía del código de barras situado en la contraportada del libro y otra del ticket de compra a la dirección:

ebooktirant@tirant.com

En un máximo de 72 horas laborales le enviaremos el código de acceso con sus instrucciones.

ADMINISTRACIÓN, HACIENDA Y JUSTICIA EN EL ESTADO SOCIAL II

ADMINISTRACIÓN, HACIENDA Y JUSTICIA EN EL ESTADO SOCIAL II

LORENZO M. BUJOSA VADELL
Director

IRENE GONZÁLEZ PULIDO
WALTER REIFARTH MUÑOZ
EDÉRSON DOS SANTOS ALVES
Coordinadores

tirant lo blanch
Valencia, 2023

© Lorenzo Bujosa

© TIRANT LO BLANCH
EDITA: TIRANT LO BLANCH
C/ Artes Gráficas, 14 - 46010 - Valencia
TELFS.: 96/361 00 48 - 50
FAX: 96/369 41 51
Email:tlb@tirant.com
www.tirant.com
Librería virtual: www.tirant.es
DEPÓSITO LEGAL: V-3550-2022
ISBN: 978-84-1147-494-8
MAQUETA: Disset Ediciones

Si tiene alguna queja o sugerencia, envíenos un mail a: atencioncliente@tirant.com. En caso de no ser atendida su sugerencia, por favor, lea en www.tirant.net/index.php/empresa/politicas-de-empresa nuestro procedimiento de quejas.

Responsabilidad Social Corporativa: http://www.tirant.net/Docs/RSCTirant.pdf

ÍNDICE

Parte II.
INNOVACIONES EN DERECHO FINANCIERO Y TRIBUTARIO

Parte III.
INNOVACIONES EN DERECHO PROCESAL

PRESENTACIÓN

Una de las mayores satisfacciones para el profesor mínimamente preocupado por el futuro de nuestra venerable institución universitaria y, en particular, por la calidad de la formación de los jóvenes docentes e investigadores que se van a hacer cargo de su continuidad, está en la respuesta masiva ante iniciativas que pretenden mostrar los primeros resultados de una reflexión de calidad, que reflejan gratamente la solidez de estos pasos iniciales.

Como coordinador de un Programa de Doctorado en el que se encuentran matriculados numerosos estudiantes, de procedencias tan diversas como las que se pueden constatar en la Universidad de Salamanca, recibo periódicamente el ruego de convocar nuevos encuentros, algunos en cooperación con otras instituciones nacionales y extranjeras, en los que, ávidamente, los jóvenes investigadores exponen y debaten sus logros paulatinos, con el loable atrevimiento de quien sabe que tiene novedades que contar.

Una de las principales características de estos encuentros es la interdisciplinariedad, rasgo que me parece elemental para entender cualquier rama del Derecho en la actualidad. Bien está que los juristas seamos conscientes de la imposibilidad de ser todólogos, y ya es suficientemente compleja cada una de nuestras disciplinas como para querer abarcar varias, pero la fortaleza del estudio de los conceptos, principios e instituciones de cada una de ellas resulta insuficiente si nos ponemos las orejeras de la exclusividad.

Como llevo diciendo desde hace tiempo, estoy convencido de que no es posible entender bien todo lo que implica el Derecho Procesal, por poner un ejemplo, sin contar con la ayuda de otras especialidades ancilares, tanto jurídicas como extrajurídicas. No es que debamos convertirnos en filósofos, psicólogos, economistas o ingenieros informáticos, sino que el diálogo cotidiano con los estudiosos de las otras materias nos permite una mirada más profunda de los variados objetos de nuestros propios estudios, siempre que hagamos el esfuerzo de adaptar el lenguaje para contar con canales de comunicación eficaces.

Así pues, la construcción del conocimiento y la adaptación de los conceptos a la realidad plural y cambiante implica un considerable esfuerzo que los jóvenes juristas están dispuestos a afrontar, como se pone de manifiesto en las páginas que siguen. Ayuda a ella la diversidad de perspectivas complementarias, en este caso todas ellas en el ámbito del Derecho Público, pero atentas, por supuesto, a las implicaciones politológicas, constitucionales, económicas, entre otras, en las que se apoyan las diferentes argumentaciones. Cada autor trata de ofrecer los mejores avances de su investigación, como teselas de un sustancioso mosaico.

Como verá el lector, el volumen está dividido en tres grandes secciones, la primera de las cuales versa sobre diversos aspectos de las políticas públicas, trufadas de exigencias constitucionales y de encargos específicos a las autoridades administrativas. Desde valiosas consideraciones generales de un ilustre jurista dominicano a preocupaciones más concretas sobre los retos demográficos en territorios tan despoblados como la región en la que se sitúa Salamanca, formuladas con precisión por otro administrativista que hace tiempo dejó de ser una promesa en nuestra Facultad. Entre una y otra colaboración, se desmenuzan distintos aspectos específicos de gran relevancia, que ilustran con rigor los afanes de estos investigadores en formación.

Las consecuencias de la aplicación de los derechos humanos al sistema de protección integral de niño, niñas y adolescentes; la migración por motivo de asilo vista desde la perspectiva del desarrollo sostenible; la libertad religiosa y de culto; las dificultades de equilibrar los intereses encontrados en el ámbito laboral, con la tensión entre los principios de igualdad y libertad de empresa, la proliferación del trabajo tecnoautónomo y sus delicadas consecuencias, o, ya en el ámbito propiamente de la función pública, las reformas que traen precariedades evitables; la necesidad de controlar el uso y aplicación de fondos públicos y las sinuosidades de la corrupción, son todos ellos elementos singulares que contribuyen a esta panorámica variada sobre los retos de la actualidad, a las que deben dar respuesta pronta y efectiva los juristas mejor preparados.

Como fácilmente puede comprobarse, hay otro elemento que destacar que atraviesa transversalmente la mayoría de los capítulos mencionados. La procedencia diversa de los estudiosos facilita —y yo añadiría que, además, obliga a— una consideración comparativa de los problemas sociales, económicos y jurídicos que se tratan. En unos casos de manera más clara que otros, pero en todos ellos el diálogo enriquecedor se basa en las distintas experiencias y en la pluralidad de conocimientos, haciendo realidad una vez más ese diálogo transatlántico que forma parte proverbial ya de la savia del *alma mater* salmantina.

La segunda parte contiene cuatro interesantes aportaciones que, centrándose en el Derecho Financiero y Tributario, se alimentan de consideraciones filosóficas, económicas y contables, sin dejar de estar en la sombra de las relevantes exigencias constitucionales. Desde análisis históricos sobre un municipio concreto a valoraciones sobre los efectos tributarios de la digitalización de la mayor parte del tráfico jurídico, pasando por valoraciones de reformas tributarias complejas, en la tensión entre las diferentes administraciones implicadas, todas necesitadas de fondos con los que financiar su gasto público.

El último tercio de esta obra colectiva refleja las innovaciones en el campo jurídico-procesal. Las reformas normativas dan pie a numerosas reflexiones, que atañen al recurso de apelación penal, a las implicaciones procesales del derecho de retención o a la generalización de la oralidad que ha caracterizado los más importantes cambios en los ordenamientos de nuestro ámbito cultural. Pero son asimismo de gran interés las reflexiones que tratan de encontrar soluciones en el enjuiciamiento por violencia de género o a los retos de las innovaciones tecnológicas, en particular por lo que se refiere a lo que se ha dado en llamar la "justicia algorítmica", que lejos de situarnos en planteamientos de ciencia ficción, ya nos confronta con problemas actuales, que también reclaman fundadas respuestas.

En definitiva, poder presentar este conjunto de cuidadas colaboraciones, como primeros aperitivos de publicaciones mucho más completas, constituye un inmerecido privilegio para el que escribe estas líneas. La tarea, no siempre grata, de coordinar un título oficial como es un programa de doctorado, adquiere de este modo una dimensión imprevista: la de hallar la satisfacción de ofrecer al público interesado los avances de esas construcciones jurídicas que justifican al fin y al cabo nuestra dedicación. Con ello se engrandece el diálogo que empezó entre simples compañeros de fatigas, preocupados por los trámites reglamentarios, para permitir la participación de la comunidad jurídica en su conjunto. Enhorabuena a todos.

En Salamanca, 12 de julio de 2022
LORENZO M. BUJOSA VADELL
Presidente del Instituto Iberoamericano de Derecho Procesal
Catedrático de Derecho Procesal de la Universidad de Salamanca

Parte I.
POLÍTICAS PÚBLICAS, DERECHOS Y ADMINISTRACIÓN PÚBLICA

LA ADMINISTRACIÓN Y EL ESTADO DE DERECHO: ¿HACIA DÓNDE VAN LAS POLÍTICAS PÚBLICAS EN EUROPA?

OMAR RAMOS CAMACHO

Profesor Adscrito en Derecho Constitucional y Administrativo
Universidad Autónoma de Santo Domingo (República Dominicana)

Sumario: I. Contextualización del problema. II. Fundamento teórico. III. Método. IV. Resultados: *1. Compromiso para la gestión eficiente de las políticas públicas. 2. Constitucionalismo en crisis. 3. La pandemia del COVID-19 y el multilateralismo.* V. Conclusiones. VI. Recomendaciones.

I. CONTEXTUALIZACIÓN DEL PROBLEMA

El poder político es uno de los instrumentos que promueve el desarrollo de políticas públicas dentro de la administración de un Estado de Derecho. La concepción de una propuesta, que permita la alianza entre los distintos Estados de la Unión Europea encuentra como punto focal el Tratado de la Unión Europea (TFUE) establecido entre sus miembros. Hoy el principal dilema es si se mantiene la alianza e integración, o se promueve otra estrategia de multilateralismo que abarque a Estados de otras latitudes[1].

En este marco, ya no es previsible el avance de las políticas públicas, porque responde al potencial del Estado para satisfacer las

---

[1] ARENILLA SÁEZ, M. (2017). "Cuatro décadas de modernización vs. reforma de la Administración pública en España". *Methaodos. Revista de Ciencias Sociales*, 5(2). Recuperado el 9 de noviembre de 2021 de https://www.methaodos.org/revista-methaodos/index.php/methaodos/article/view/190

necesidades básicas de calidad de vida[2]. De allí que el problema es, si efectivamente las políticas públicas cumplen la normativa jurídica, que un Estado debe garantizar para el ejercicio del derecho, o si esas políticas públicas son el resultado de una administración eficiente, que responda con el Estado de Derecho.

En la vertiente expuesta, se sitúa la posición privilegiada que guía la rectoría de un principio de legalidad para la administración pública eficiente de los recursos humanos, materiales, institucionales, tecnológicos, ambientales y económicos. La expresión contemporánea, que se menciona con frecuencia es el constitucionalismo en el imperio del derecho[3]. La fragilidad de las normas para desarrollar una lesión a los derechos humanos de los administrados, así como las circunstancias políticas del globo, para impulsar un desarrollo sustentable propuesto por las Naciones Unidas es un factor de estudio, y al mismo tiempo evaluar el escenario de la participación ciudadana para definir una propuesta alternativa.

El derecho, según el Diccionario de la Lengua Española (2014), es un cuerpo de doctrina metódicamente formado y ordenado, que constituye un ramo particular del saber humano[4]. En este contexto destaca la Constitución, que es un modelo general con validez universal, aunque emergió como un concepto abstracto, hoy cobra mayor validez y relevancia, ya que influye en el desarrollo de las políticas públicas, y otorga un significado constitucional en la mayoría de los Estados democráticos[5]. Para ello, hay una historia de conceptos, fuentes doctrinales, jurisprudencia con una amplia aceptación en el ámbito internacional. La aplicación de los operadores jurídicos forma parte

---

[2]   MATILLA CORREA, A. (2020). "La buena administración como noción jurídico-administrativa". *La buena administración como noción jurídico-administrativa*, Dykinson, pp. 1-327. Recuperado el 9 de noviembre de 2021 de https://www.torrossa.com/it/resources/an/4700520

[3]   GARRIDO MAYOL, V. (2020). "El principio de buena administración y la gobernanza en la contratación pública". *Estudios de Deusto: revista de la Universidad de Deusto*, 68(2), pp. 115-140.

[4]   Diccionario de la Lengua Española (2014). [Fecha de consulta: 2 de noviembre de 2021] https://dle.rae.es/

[5]   GARCÍA-ANDRADE GÓMEZ, J. (2019). "El «sector público» como referente actual del derecho administrativo". *Revista de Administración Pública*, núm. 209, pp. 175-208.

del análisis normativo, y un conjunto de enfoques normativos, en la que se tienen en cuenta las fuentes de producción.

II. FUNDAMENTO TEÓRICO

Expresa Vila que el constitucionalismo moderno se configuró a partir del siglo XVI nació en Inglaterra (cuna del constitucionalismo) resultado de un largo y singular proceso histórico, que no tiene paragón con ningún otro Estado de Europa o del mundo[6]. Se desarrollaron circunstancias históricas y geográficas, que explican el hecho de que Inglaterra tomara distancia de las instituciones medievales, que florecieron en Europa continental, y que fue un antecedente del absolutismo monárquico[7].

El desarrollo de procesos organizacionales ha promovido que se implemente medidas para fortalecer los recursos humanos, financieros, materiales, ambientales, tecnológico, político, desarrollo jurídico y mantener los procesos de planificación, que están establecidos en la constitución y demás ordenamientos. Existen resultados positivos para el desarrollo de algunas economías, que se pauta en cada Estado de la Unión Europea. Sin embargo, estos elementos contemplan una necesidad creciente de expansión, y fortalecer la forma de manejar inteligentemente, el emprendimiento y la concepción de alianza a través del multilateralismo[8]. La incursión de este desarrollo ejerce influencia, para el progreso del Estado que impulse el bienestar de los ciudadanos, a través del desarrollo de políticas públicas que se orienten a un potencial sólido de trabajo, de enriquecimiento y calidad de vida.

En esta perspectiva, la unión de esfuerzos contribuye a un crecimiento sostenible y futuro desarrollo económico e inclusivo de alianzas

---

[6] VILA CASADO, I. (2021) "Fundamentos del Derecho Constitucional Contemporáneo". Colección Bicentenaria N.º 1 de la Universidad Libre de Colombia, p.61.

[7] LAGOS FREGOSO, J. A. (2018). "La administración pública como derecho humano en el marco del derecho internacional de los derechos humanos". *Nuevo derecho*, vol. 14(23), pp. 66-73.

[8] CÓRDOVA JAIMES, E.; ÁVILA HERNÁNDEZ, F. (2017). "Democracia y Participación ciudadana en los procesos de la Administración Pública". *Opción: Revista de Ciencias Humanas y Sociales*, núm. 82, pp. 134-159.

y formas de cooperación descentralizada, que permiten establecer una revisión de las políticas públicas, y si estos esfuerzos son llevados a cabo de forma exitosa, que impactan en la economía, la cultura y la tecnología, específicamente la sociedad[9]. Las ventajas que se introducen en estas situaciones de emergencia, y de mejora progresiva es la actuación eficiente de los funcionarios públicos en la administración de los recursos. Sin embargo, hay áreas específicas para generar un conocimiento sobre las acciones globales, que están planteadas en las economías mundiales[10]. Es un intercambio de experiencias y conocimientos que, de acuerdo con el paradigma contemporáneo, revitaliza todo el sistema de teorías, que poseen una base explicativa en el accionar social.

La investigación para el desarrollo de los proyectos económicos es la base y el fundamento de cada Estado Derecho[11]. Es una responsabilidad que se interpreta a la luz de los analistas, y que incide prácticamente en la calidad de vida.

Bunge establece que se presenta un gran desconcierto entre una y otra disciplina para definir una línea de acción, que impulse el dinamismo global[12]. Sin embargo, se reconocen esfuerzos en las instituciones, que aún hoy presentan según Wegerstein un agotamiento porque está definida una incertidumbre, para incorporar efectivamente medidas que propicien un crecimiento autosostenido, y también el trabajo

---

[9]   CHANJAN DOCUMET, R. H. (2017). "El Correcto Funcionamiento de la Administración Pública: Fundamento de Incriminación de los Delitos vinculados a La Corrupción Publica". *Derecho Penal y Criminología*, núm. 38, p. 121.

[10]   MILIONE, C.; CÁRDENAS CORDÓN, A. (2020). Dignidad humana y derechos fundamentales. Consideraciones en torno al concepto de dignidad en la reciente doctrina del Tribunal Europeo de Derechos Humanos y del Tribunal de Justicia de la Unión Europea. *Revista en Filosofía del derecho y derechos humanos* Recuperado el 9 de noviembre de 2021 de https://e-archivo.uc3m.es/handle/10016/32048
        TOSCANO GIL, F. (2019). "Análisis de las transformaciones actuales del derecho administrativo en España". *Revista Digital de Derecho Administrativo*, núm. 22, p. 337.

[11]   FERNÁNDEZ, T. R. (2019). "El derecho a una buena administración en la Sentencia del TJUE de 16 de enero de 2019". *Revista de administración pública*, núm. 209, pp. 247-257.

[12]   BUNGE, Mario. (1999). Buscar la filosofía de las Ciencias Sociales. España: siglo XXI

como base del desarrollo global. Uno de los organismos que se han encargado de visualizar este escenario desde un punto de vista más estratégico, ha sido el Banco Mundial, el Fondo Monetario Internacional de las Naciones Unidas, el Banco Interamericano de Desarrollo, que muestran cifras alarmantes a raíz del fracaso de las políticas públicas en países de la región occidental, entre ellos América Latina[13].

Europa ha encontrado un desarrollo que se ha minimizado, específicamente porque las empresas privadas han presentado una regulación económica promovida por el gobierno, encontrándose endeudamiento externo e interno, y se ha debilitado el crecimiento económico a niveles históricos. Un estudio realizado por Empresa Actual en el año 2019, entre las empresas en crecimiento arrojó que Alemania avanzó con el 18,9%, en España el 19% y Portugal con el 51,6%[14].

Esta economía se ha promovido de forma lenta, y ha reportado un bajo crecimiento en los últimos meses, en los sectores de la minería, petróleo, electricidad. Ciertamente con la desaceleración de la economía mundial producto del COVID-19, el escenario es aún más puntual. El Producto Interno Bruto (PIB) experimenta un tránsito histórico, que se ha caracterizado por altos y bajos. Inclusive, los factores de innovación que se han gestionado en los Estados de la Unión europea tienen como punto de coincidencia una solidez en la política pública, pero que enfrentadas unas con otras generan desconcierto y una tendencia de baja en su Producto Interno Bruto[15].

Esto significa que el estudio del promedio del crecimiento de la economía en cada Estado en particular responde a las alianzas de integración y a la cohesión en el factor riesgo-beneficio. Significa que una gestión pública eficiente ahora mismo se basará única y exclusivamente en la modernización de la Constitución para insertar el derecho al Estado de Derecho, que garantice a cada ciudadano su estabilidad, y que proponga un adelanto en cada una de las áreas específicas en la

---

13 TOSCANO GIL, F. (2019), *ibid.*
14 Empresa Actual (2021). Estudios de demografía empresarial. Recuperado el 9 de noviembre de 2021 de https://www.empresaactual.com/demografia-empresarial-en-espana-y-europa/
15 LARA ORTIZ, M. L. (2019). "El derecho a la buena administración en el marco de la protección de los derechos humanos". *Cuadernos electrónicos de Filosofía del Derecho*, núm. 39, pp. 340-355.

cual la sociedad establezca su dinámica y la promoción de desarrollo multifactorial y dinámico.

III. MÉTODO

La metodología correspondió con el establecimiento de pasos y procedimientos desarrollados a través del análisis e interpretación de los elementos de la temática. Esta investigación contempla "la explicación de los mecanismos utilizados para el análisis de la problemática de investigación"[16]. La metodología fue cualitativa apoyada en el análisis de la documentación encontrada en fuentes informáticas y documentales.

IV. RESULTADOS

1. *Compromiso para la gestión eficiente de las políticas públicas*

En este particular, la normativa avanza hacia la multidisciplinariedad, que significa un compromiso entre una y otra disciplina para ampliar o desarrollar un conocimiento. En este punto vale mencionar cuán efectiva ha resultado en tiempos actuales, la aplicación de este derecho normativo para el desarrollo o promulgación de políticas públicas, y que al mismo tiempo genere bienestar en el ser humano y la sociedad. Esto es un compromiso que se plasma en la Constitución y es el elemento base para el Estado de Derecho.

La realidad para el establecimiento de un auténtico compromiso, explica Sánchez, se ajusta al poder, que se encuentra desarrollado en cada una de las instancias del Estado, así como el alto desempeño de grupos, que se han encargado de concentrar una hegemonía colectiva,

---

[16]   American Psychological Association (2020). *Publication manual of the American Psychological Association* (7a ed.). Recuperado el 9 de noviembre de 2021 de https://doi.org/10.1037/0000165-000

y que se amplía a un marco coyuntural complejo[17]. Esto significa, que existe una línea discontinua para desarrollar acciones más duraderas en el tiempo, y que la sociedad demanda de forma imperiosa, sugiere Vila Casado[18], por tanto, se analiza que existe una visión incompleta y falsa, de lo que las instituciones políticas han desarrollado en el transcurso de los años, ya que se ha distribuido el poder de una forma tal, que encuentra significados desde el punto de vista politológico o jurídico. En otras obedece a un mandamiento de manipulación o de desarrollo antiético, para la adecuada formalización y cumplimiento de las decisiones administrativas generadas en cada una de las constituciones de los Estados[19].

2. Constitucionalismo en crisis

Explica Vila Casado (2021) que es "la negación, y se haya justificada cuando la Constitución jurídica, no es más que la expresión de la efectiva constelación de fuerza en un momento dado" (p. 50). Se analiza que en la actualidad existe una lucha de poderes entre los Estados para desempeñar un papel amplio en el sistema internacional donde participan. Esto pudiera obedecer a una política de tipo revisionista o de estatus quo. Sin embargo, la polémica que se genera es la obtención de los máximos intereses y objetivos, y seguir una regla de juego internacional o regional, en la que no se lesionen los derechos de otros Estados[20]. Esta visión es un poco más globalista por los acercamientos, que se han desarrollado últimamente entre cada Estado miembro de la Unión europea.

---

[17]   SÁNCHEZ RAMOS, M. A. (2007). "Tendencia hacia el isomorfismo en la administración pública municipal del Estado de México". *Espacios Públicos*, vol. (10)20, pp. 107-161 [Fecha de consulta: 2 de noviembre de 2021]. Disponible en: https://www.redalyc.org/articulo.oa?id=67602007

[18]   VILA CASADO, I. (2021). *Op. Cit.*

[19]   MONTES FRANCESCHINI, M. (2017). El efecto directo horizontal de la Carta de los Derechos Fundamentales de la Unión Europea. [Fecha de consulta: 2 de noviembre de 2021] https://www.recercat.cat/handle/2072/290848

[20]   GARCÍA SEGURA, C. (1993). La evolución del concepto de actor en la Teoría de las Relaciones Internacionales». *Papers: Revista de Sociología*, núm. 41, pp. 13-31 [Fecha de consulta: 2 de noviembre de 2021] https://raco.cat/index.php/Papers/article/view/25159

En particular, se han promovido acuerdos para un desarrollo pleno, pero predomina el incumplimiento de ciertas normativas, especialmente las relacionadas con las políticas públicas, el beneficio de los trabajadores y los servidores públicos, así como el ente encargado de promover un desarrollo[21]. Desde el punto de vista interno queda en una posición inerte. Esto significa que la función del Estado, más allá de favorecer el principio universal de no injerencia, se ha constituido en una especie de amenaza avasalladora de lo que significa el bien común para el desempeño eficiente de la normativa jurídica en Europa.

3. La pandemia del COVID-19 y el multilateralismo

Particularmente, algunas de las organizaciones en el ámbito internacional han estudiado con creciente interés cómo se ha desarrollado algún tipo de políticas públicas en cada uno de los Estados. Sin embargo, el hecho no queda allí, puesto que, en otros ámbitos del hemisferio, también existen potencias que aplican un poder de tipo multilateral y bilateral. Específicamente esto genera competencia entre los Estados más poderosos del mundo en los que se sitúan China, Estados Unidos Rusia e Inglaterra[22]. El poder militar se acrecienta de forma vertiginosa y se maneja este tipo de relaciones internacionales con base en el proteccionismo y la eliminación de la competencia enfocada en una política exterior multilateral o bilateral[23].

El hecho es que cada Estado ha promovido una influencia global para difundir un poder, y mantenerse a la palestra de dominio internacional. Es una lucha férrea y que se erige de forma autoritaria para vencer lo netamente conocido, entre ellos el capitalismo y el socialismo. Esta lucha de capitalización social ha dominado el mundo por centurias y ha prevalecido un Estado, que ha aplicado una fórmula

[21] SÁNCHEZ RAMOS, M. A. (2007), *ibid.*
[22] Naciones Unidas (2021). 76° reunión de la Asamblea General de las Naciones Unidas. Recuperado el 9 de noviembre de 2021 de https://www.diplomatie.gouv.fr/es/politica-exterior/francia-en-naciones-unidas/la-asamblea-general-de-las-naciones-unidas/article/la-76%C2%AA-sesion-de-la-asamblea-general-de-las-naciones-unidas
[23] SÁNCHEZ, E. (2019). "El estudio de las Relaciones Internacionales. Marco teórico", *Introducción a las Relaciones Internacionales*. Ediuoc.

que más le convenga[24]. Es una exposición de acciones en la que se aprovechan ventajas para desarrollar el poder de los Estados, con criterio de bienestar más que de destrucción. Este poder se mueve, según los analistas desde el Occidente hasta el Oriente, con actores inestables con cambios de tipo social, político, económico y tecnológico.

Cabe señalar el criterio del secretario general de la Organización de las Naciones Unidas, António Guterres (2021, 26 de septiembre), quien puntualiza que la política mundial después de la pandemia, específicamente el COVID-19 tiene repercusiones importantes en la gobernanza internacional y en el abanico de la actuación de los diferentes actores. El sistema internacional ha profundizado en el tema de la cooperación e integración para proporcionar a los ciudadanos de Europa la oportunidad de recuperarse después de la crisis de la pandemia. Esto significa crear un marco de integración a través de una política blanda, que, de origen a un profundo proceso de reestructuración de la economía del Estado de poder, aun cuando la mayor crisis se ha generado en la salud y la economía por los esfuerzos incontables realizados para erradicarla y que más de un millón de vidas se han perdido. Estos esfuerzos continúan y se retoma el tema de la ciencia y la tecnología para fortalecer un amplio despliegue operativo en el ámbito global.

V. CONCLUSIONES

Las diferencias están marcadas por las crisis y las competencias de mantener una estabilidad en cada Estado de la Unión Europea. Sin embargo, es posible desarrollar aciertos y desaciertos con la temática de promover la política pública específica en la localidad. Desde allí que un desarrollo pleno a nivel más amplio y un abanico normativo que sea el punto de partida para alinear las reglamentaciones, que la sociedad moderna reclama, y así como el componente tecnológico

---

[24] ROMEU GRANADOS, J. (2018). *El principio de transparencia en la actividad contractual de la administración pública. Especial referencia a la administración local.* Tesis de la Universidad Complutense de Madrid, Facultad de Ciencias Políticas y Sociología [Fecha de consulta: 2 de noviembre de 2021: https://eprints.ucm.es/id/eprint/49535/]

que se inserta en este siglo XXI, que ha tenido una aceptación en el desarrollo de las prácticas públicas y privadas de los Estados de la Unión Europea.

El derecho blando involucra diseño, implementación de un régimen, que no depende de la potestad reguladora de los Estados. En este punto las decisiones tomadas por los diferentes factores, involucra una ausencia de poder sancionatorio del Estado, y se ha desarrollado una instrumentación que no favorece el acompañamiento para el control y evaluación de la administración de los recursos, que dichas políticas públicas contemplan. Sin embargo, los esfuerzos se están generando. En este sentido debe acogerse a los principios fundamentales de los derechos humanos y de establecer un reconocimiento a la libertad, la efectividad, negociación a la protección y desarrollo ambiental y eliminación de formas de corrupción, como la extorsión y el soborno para que este trabajo sea plenamente aceptado por la sociedad, y se garantice la eficiencia pública en varios proyectos liderados por una acción de la Europa integracionista.

Esta es una transparencia que hace parte de la vida activa de cada campo, y al mismo tiempo favorece la toma de decisiones, los principios de transparencia y la administración efectiva de los recursos para dar cumplimiento, a la responsabilidad social compartida como concepto de valor.

La aplicación de la normativa jurídica por parte del Estado es un proyecto que, a largo plazo, que permite la creación de estrategias para pensarse a un mundo global y considere consolidar un estatus de participación, desde el punto de vista individual al colectivo[25]. Y posteriormente ampliar las alianzas a un cambio significativo que otorgue responsabilidad social y regulación como base del crecimiento y la planificación de estrategias a corto mediano y largo plazo. Es una gestión que implica en el siglo XXI, canales de comunicación, efectividad en el desarrollo de las estrategias y capacidad de inversión, no solo de forma continua, sino que también implica la vigilancia por parte del Estado y la aplicación de las acciones repetidas en los

---

[25]   Buzan Barry [TEDxCentralSaintMartins]. (11 de abril de 2012). No More Superpowers [Archivo de vídeo]. Youtube. [Fecha de consulta: 2 de noviembre de 2021] https://www.youtube.com/watch?v=JC27GMQoM08

casos en que exista la corrupción o desviación de los recursos a otros destinos. Es allí donde se impulsa o se fecunda el verdadero poder, para otorgar la capacidad de transformar el entorno, con sustento en una evaluación de los factores que inciden en la administración de los recursos y eficiencia, con amplio marco en la jurisdicción y el Estado de derecho es un principio de corresponsabilidad necesaria para mantener el trabajo social en curso, así como ofrecer la garantía que la comunidad reclama.

VI. RECOMENDACIONES

Las alianzas en gran parte definen el ámbito de acciones para el desarrollo de las políticas globales. En este sentido, ha sentado base profunda para desarrollar un capitalismo ultraliberal. Europa trata de mantener un esquema de tipo integracionista y participar en el capitalismo de mercado social. Los chinos y rusos establecen un modo más autoritario de capitalismo. Sin embargo, existe una lucha y competencia, además de una gran desigualdad social y económica que crece cada vez más.

Después de la Guerra Fría se ha colocado en el globo un desarrollo de competencias, que en muchos casos pretende el beneficio a costa de otros. Esto es una lucha constante por el poder de dominación, y se reduce a unos pocos. Se ha establecido una alianza entre diversos Estados para la toma de decisiones. Por ejemplo, Estados Unidos y China están en la lucha por el poder político, económico, social, tecnológico del planeta.

Los acuerdos de paz se suceden tras ciertos periodos y, según los analistas, mientras no exista el desarme nuclear mundial, siempre habrá una amenaza, ya que el imperio del poder militar, económico es el que define el régimen político internacional. A esto se destaca los flujos migratorios, que avanzan con mayor proporción en las últimas décadas, específicamente en el año 2015, señala la Organización Internacional del Medio Oriente[26], que se detectó un flujo migratorio

---

[26]   Bouncing back. World politics after the pandemic [VOSE]. (22 de marzo de 2021) [Archivo de video]. Youtube [Fecha de consulta: 2 de noviembre de 2021] https://www.youtube.com/watch?v=mhHxGXb_kMs&t=852s

considerable, desde el medio oriente y hasta el norte de África, se
mantuvo incesante. Hay un conflicto actual, un estancamiento económico y agitación política que fueron los principales impulsores de la
migración. Este hecho ha desplegado el desarrollar una política más
agresiva, específicamente para eliminar o disminuir la crisis económica, política y social existente.

En una de las últimas reuniones promovidas por la Organización
de las Naciones Unidas (2021), los líderes mundiales se desarrollaron
temáticas de ampliación, en cuanto a la reorientación de los esfuerzos para pensar el multilateralismo e invertir en ciencia y tecnología
para implantar un mejor soporte a la salud, y promover una relación
favorable entre el hombre y la naturaleza para detener el avance del
cambio climático, fortalecer las relaciones de apoyo económico en los
países subdesarrollados y fomentar acuerdos transnacionales, que no
violenten los derechos humanos de los países. Atender a los principios
del derecho internacional para normar la relación entre ellos y crear
un desarrollo humano sostenible con inversión e innovación.

POLÍTICAS PÚBLICAS CON ENFOQUE DE DERECHOS HUMANOS. SU IMPACTO EN EL SISTEMA DE PROTECCIÓN INTEGRAL DE DERECHOS DE NIÑAS NIÑOS Y ADOLESCENTES

ALEJANDRA FLAVIA PORTAPILA
Abogada, Profesora Adjunta de la Residencia en el Instituto de Minoridad y Familia Universidad Nacional de Rosario (Argentina)

Sumario: 1. Introducción. 2. De las políticas públicas de las infancias y adolescencias. 3. Políticas sociales en relación a las infancias y adolescencias con enfoque de derechos humanos: de derechos y de realidades. 4. Retos para la inclusión social: reflexiones finales.

I. INTRODUCCIÓN

Las adecuaciones legislativas operadas en las sociedades democráticas, resultado de la internacionalización de los Derechos Humanos durante el siglo XX, no ha impactado en igual medida en el efectivo acceso a derechos económicos, sociales y culturales —en adelante DESC— de los grupos sociales más vulnerables como, por ejemplo, niños, ancianos, inmigrantes o pertenecientes a minorías religiosas o culturales, o por carecer de recursos económicos, o personas con limitaciones mentales o físicas. En relación con el colectivo de niños/as y adolescentes, y luego de treinta y dos años de vigencia de la Convención Internacional sobre los Derechos del niño —en adelante CDN—, aún

existe una brecha entre los derechos proclamados y el acceso igualita-
rio a los DESC de dicho grupo etario. En el caso argentino[1], aquella
fecha se suma a otros hitos de normativas vigentes sobre las que se
configura la garantía de los derechos de dicha población infantojuve-
nil; dieciséis años de la sanción a nivel nacional de la ley 26.061 de
Protección Integral de Derechos de Niños, Niñas y Adolescentes, que
marca a nivel nacional el proceso de conformación de un sistema de
protección integral de derechos en relación a las infancias y adolescencias y a nivel de la Provincia de Santa Fe; doce años de la sanción
de la Ley 12.967 de Promoción y Protección Integral de los derechos
de las niñas, niños y adolescentes, que adhiere al sistema de protección integral de derechos creado por la ley nacional. Pero dichas con-
memoraciones, se constituyen en anuncio de las distancias aún existentes entre los derechos y garantías reconocidos constitucionalmente
a dicho grupo poblacional y su efectivo cumplimiento, condiciones
que interpela también al panorama social de gran parte de América
Latina. Ante este escenario, el presente trabajo pretende abordar los
retos de una política pública con enfoque de derechos humanos para
incidir en la reducción de las desigualdades estructurales de grupos
etarios históricamente vulnerados.

II. DE LAS POLÍTICAS PÚBLICAS DE LAS INFANCIAS Y ADOLESCENCIAS

Habiendo los Estados alcanzado durante el siglo XX —plena vigencia del Estado Constitucional de Derecho— en la temática de los
Derechos Humanos el proceso de positivización, coexiste todavía una

---

[1]   En América Latina, al final de los años ochenta del siglo XX y coincidiendo con
       el proceso de democratización en el continente, la CDN fue ratificada por la
       mayoría de los países de la región. En el año 1990 la Rep. Argentina ratifica la
       CDN por ley 23.849 y en 1994 la incorpora a la Constitución Nacional (art. 75,
       inc. 22). Pero recién con la sanción de la ley Nacional Nª 26061 de Protección
       Integral de Derechos de Niños, Niñas y Adolescentes en septiembre del 2005 se
       sustituye el marco ideológico de la situación irregular vigente hasta ese momen-
       to, por la constitución de un sistema de protección integral de derechos de la in-
       fancia y adolescencia en consonancia con el paradigma de la protección integral
       de derechos.

grieta entre el Derecho —plano normativo— y la realidad, que concierne al cumplimiento efectivo[2] de los derechos fundamentales reconocidos a todos los ciudadanos.

En materia de derechos humanos de niños, niñas y adolescentes, con la aprobación de la Convención Internacional sobre los Derechos del Niño, en el año 1989 a nivel de Naciones Unidas, dicho convenio abarcó el catálogo de los derechos civiles y políticos como los económicos, sociales y culturales, en aparente adscripción al posicionamiento por la interdependencia e integralidad de los derechos humanos, si bien legislando con una menor protección a los derechos sociales incorporados al Tratado internacional por asumirlos como dependientes de los recursos disponibles de los Estados[3]. El enfoque de derechos humanos aplicado a la infancia-adolescencia importa una nueva concepción del niño y sus relaciones con la familia, con la comunidad y con el Estado. Por ser el eje de reflexión de esta presentación, voy a detenerme, en la función asignada al Estado bajo esa perspectiva, ya que los otros tópicos exceden el objeto de este trabajo.

El Estado atento el rol asignado por la CDN asume el modelo del Estado social derivando obligaciones jurídicas para los poderes públicos no solo conducentes a no entorpecer sino a la promoción de los derechos de la ciudadanía[4]. Desde esa perspectiva el Estado

---

[2]   Se entiende por principio de efectividad aquel que establece que los Derechos Humanos, explícita o implícitamente reconocidos, deben ser materialmente gozados, a través de su pleno acceso y ejercicio, por toda persona humana. Dicho principio tiene expresa consagración normativa, de rango constitucional en la Argentina. En primer término, a partir de lo expresado por *el art. 28 de la Declaración Universal de Derechos Humanos* que afirma: "Toda persona tiene derecho a que se establezca un orden social internacional en el que los derechos y libertades proclamados en esta Declaración se hagan plenamente efectivos". WLASIC, J.C:, "Manual crítico de Derechos Humanos", La Ley, Buenos Aires, 2006, p. 392.

[3]   Ver artículo 4° de la Convención sobre los Derechos del Niño: "[L]os Estados Parte *adoptarán todas las medidas administrativas, legislativas, y de otra índole para dar efectividad a los derechos reconocidos en la presente Convención. En lo que respecta a los derechos económicos, sociales y culturales, los Estados Partes adoptarán esas medidas hasta el máximo de los recursos de que dispongan y, cuando sea necesario, dentro del marco de la cooperación internacional*".

[4]   Sobre la función de los poderes públicos en el Estado Social y su relación con los derechos fundamentales puede verse CARBONELL, M., "Eficacia de la Constitución

se constituye en el principal garante de las políticas básicas de carácter universal (vivienda, alimentación, salud y educación), como de las de protección especial de derechos que aseguren el acceso y disfrute efectivo de los derechos de la infancia y adolescencia en situación de vulnerabilidad.

En ese sentido, y como lo señala Luigi Ferrajoli, en el Estado social (*Social State*) se genera "un cambio en los factores de legitimidad del Estado pues mientras el estado de derecho liberal debe sólo no empeorar las condiciones de vida de los ciudadanos, el estado de derecho social debe también mejorarlas, debe no sólo no representar para ellos inconveniente, sino ser también una ventaja. Esta diferencia va unida a la diferente naturaleza de los bienes asegurados por los dos tipos de garantías. Las garantías liberales o negativas basadas en prohibiciones sirven para defender o conservar las condiciones naturales o pre políticas de existencia: la vida, las libertades, las inmunidades frente a los abusos de poder, y hoy hay que añadir, la no nocividad del aire, del agua y en general del ambiente natural; las garantías sociales o positivas basadas en obligaciones permiten por el contrario pretender o adquirir condiciones sociales de vida: la subsistencia, el trabajo, la salud, la vivienda, la educación, etc. Las primeras están dirigidas hacia el pasado y tienen como tales una función conservadora, las segundas miran al futuro y tienen un alcance innovador"[5].

En relación con la infancia y adolescencia podemos afirmar que los derechos económicos, sociales y culturales, juegan un rol esencial ya que afecta directamente las condiciones de vida y supervivencia de niños, niñas y adolescentes, incidiendo a la hora de superar las diferencias de hecho existentes dentro de dicho grupo etario en tanto resultan la materialización de la aplicación de los principios de igualdad y no discriminación [6].

---

y Derechos Sociales: Esbozo de Algunos Problemas." en *Estudios Constitucionales*, Centro de Estudios Constitucionales de Chile, Universidad de Talca, Año 6, N°2, pp. 43-71.

[5]   Id., p. 50.

[6]   En relación a como los Derechos sociales se constituyen y formulan como derechos de igualdad en el sentido de igualdad material o sustancial ver CRUZ PARCERO, J. A.: "Los derechos sociales como técnica de protección jurídica" en CARBONEL, M.; CRUZ PARCERO, J. A.; VÁZQUEZ, R. (comp.): *Derechos*

III. POLÍTICAS SOCIALES EN RELACIÓN A LAS INFANCIAS Y ADOLESCENCIAS CON ENFOQUE DE DERECHOS HUMANOS: DE DERECHOS Y DE REALIDADES

Ahora bien, luego de 32 años de vigencia de la CDN, resulta aún para el Estado Argentino un desafío pendiente, la inclusión social para el universo de los menores de 18 años de edad. De los últimos datos publicados por INDEC en Argentina en agosto de 2019 revelan que un 49,6% de menores de 14 años —5 millones de niños— se encuentran en situación de pobreza, mientras que la indigencia se eleva al 11,3% —1 millón de niños—.

Así me interrogo cómo fortalecer una institucionalidad pública en relación a la infancia y adolescencia, que superando la retórica de la proclamación, y reconociendo las privaciones y demandas de los sujetos involucrados, garantice en un sentido universal, el acceso y disfrute efectivo de los DESC.

Como retos para cerrar brechas en el campo social, una política social en relación a la niñez y adolescencia con perspectiva de derechos humanos, sustituiría la idea de personas con necesidades que deben ser asistidas, por el reconocimiento como sujetos titulares "activos" de derechos, que obligan a los poderes públicos, en base a compromisos jurídicos impuestos por los tratados de derechos humanos y asumidos por el Estado. La formulación e implementación de una política pública asociada a dicho enfoque otorgaría poder a los sectores sociales excluidos por la vía del reconocimiento de derechos, y rechazaría las visiones tradicionales de una política social de baja calidad institucionalidad caracterizada por intervenciones de la administración pública vinculada a prácticas clientelares para el acceso a los beneficios y prestaciones, y consecuentemente a una ausencia de transparencia, de mecanismos de participación, de responsabilidad y de rendición de cuentas de la gestión pública[7].

Sociales y Derechos de las Minorías. Universidad Nacional Autónoma de México, México, 2000, pp. 91-92.

[7]   Ver ABRAMOVICH, V., "Los estándares interamericanos de derechos humanos como marco para la formulación y el control de las políticas sociales" artículo elaborado sobre la base del documento "Una Aproximación al Enfoque de Derechos

Asimismo la proyección del enfoque de derechos humanos en el ámbito de la política pública, en especial en la política social, al considerar el derecho internacional de los derechos humanos como marco conceptual-normativo y con los aportes del constitucionalismo, como modelo de Estado, refuerza el posicionamiento hacia la interdependencia e integralidad de los derechos humanos, desalentando posturas doctrinarias de fragmentación entre categorías de derechos fundamentales. Desde el enfoque de derechos, la pretendida división entre los derechos humanos no puede sostenerse ni en la naturaleza de los derechos ni en las estipulaciones relevantes de la Convención, como lo expresara el Comité de Derechos Económicos Sociales y Culturales en su Observación General N° 9 en relación a la aplicación interna del Pacto Internacional de Derechos Económicos, Sociales y Culturales[8].

---

en las Estrategias y Políticas de Desarrollo en América Latina", presentado en el seminario "Derechos y Desarrollo en América Latina: un Seminario de Trabajo", organizado por el BID y la CEPAL. Santiago de Chile, diciembre de 2004.

[8]   El Comité ha sostenido: "En relación a los derechos civiles y políticos, se afirma generalmente que para ser garantizados, frente a su violación, el requerimiento de remedios judiciales es esencial. Lamentablemente, la acepción contraria generalmente se formula en relación con los derechos económicos, sociales y culturales. Esta discrepancia no puede sostenerse ni en la naturaleza de los derechos ni en las estipulaciones relevantes de la Convención. El Comité ya ha dejado claro que considera que muchas de las estipulaciones de la Convención son capaces de implementación inmediata (Comentario General N ° 3) *Así, en la Observación General N° 3 se citaba, a título de ejemplo, el artículo 3°, el inciso i) del apartado a) del artículo 7°, el artículo 8°, el párrafo 3 del artículo 10°, el apartado a) del párrafo 2 del artículo 13, los párrafos 3 y 4 del artículo 13 y el párrafo 3 del artículo 15. A este respecto, es importante distinguir entre justiciabilidad (que se refiere a las cuestiones que pueden o deben resolver los tribunales) y las normas de aplicación inmediata (que permiten su aplicación por los tribunales sin más disquisiciones). Aunque sea necesario tener en cuenta el planteamiento general de cada uno de los sistemas jurídicos, no hay ningún derecho reconocido en el Pacto que no se pueda considerar que posee en la gran mayoría de los sistemas algunas dimensiones significativas, por lo menos, de justiciabilidad"*... La adopción de una rígida clasificación de los Derechos Económicos, Sociales y Culturales, que los pongan fuera del alcance de los tribunales es arbitraria, e incompatible con los principios de que ambos tipos de derechos son indivisibles e interdependientes. También cercenaría drásticamente la capacidad de los tribunales de proteger los derechos de los más vulnerables y desaventajados grupos en la sociedad".

Si bien en los textos internacionales predomina la concepción política que postula por la interdependencia e indivisibilidad de los derechos humanos, que ya estaba presente en la Declaración Universal como lo reflejan diversos documentos internacionales[9], la tensión existe con una fuerte incidencia en el derecho contemporáneo[10].

En perspectiva histórica la cuestión financiera/presupuestaria sustentó la distancia conceptual entre ambas categorías de derechos, como lo refleja la separación en dos Pactos que a su vez condujo

---

[9]   ONU, *Proclamación de Teherán*, aprobada por la Conferencia Internacional de Derechos Humanos, Teherán, 13 de mayo de 1968, párr. 13; *Distintos criterios y medios posibles dentro del sistema de las Naciones Unidas para mejorar el goce efectivo de los derechos humanos y las libertades fundamentales*, Resolución 32/130, Asamblea General 1977; *Declaración sobre el Derecho al Desarrollo*, Resolución 41/128 de la Asamblea General de las Naciones Unidas, 4 de diciembre de 1986; *Declaración y programa de acción de Viena, aprobada por la Conferencia Mundial de Derechos Humanos, Viena*, 14 a 25 de junio de 1993, párr. 5; A/Res/60/1 Resolución 60/1 de la Asamblea General de las Naciones Unidas, octubre de 2005, párr. 13. Preámbulo del *Protocolo de San Salvador*.

[10]   …"Así lo muestra el desarrollo, paralelo al Derecho Internacional de los Derechos Humanos, del Derecho Internacional Económico. Los tratados de protección recíproca de inversiones, los tratados de libre comercio, la solución de controversias a través de órganos arbitrales como el Ciadi, la desregulación de los mercados financieros, el endeudamiento de los Estados periféricos y las políticas de reformas estructurales que son el eje de las condicionalidades de los planes del Fondo Monetario Internacional son algunos aspectos de esta área del derecho internacional. Ambos ordenamientos jurídicos, sin embargo, van teniendo diversos y polémicos puntos de contacto. Así, la tendencia a concretizar las obligaciones de las empresas transnacionales en términos de derechos humanos; la colisión entre los derechos de los pueblos indígenas y los derechos de los inversores transnacionales; las reglas internacionales sobre reestructuraciones de deudas soberanas; o la pretensión de sujetar las decisiones de los órganos arbitrales a un control de convencionalidad por parte de los tribunales nacionales, de lo contrario completamente desplazados de estas controversias (donde incluso es innecesario agotar los recursos internos para acudir a la instancia arbitral). Por ahora son intentos dispersos, y defensivos, frente a un derecho internacional económico que es la base jurídica de la globalización y que, a partir de los años 70 del siglo pasado, ha venido a reemplazar, con éxito y para cumplir análogas funciones, al sistema internacional imperial/colonial, que formalmente sucumbió ante el auge del derecho a la autodeterminación y los procesos políticos de descolonización. CORTI, H., "La política fiscal en el derecho internacional de los derechos humanos: presupuestos públicos, tributos y los máximos recursos disponibles.", en Revista Institucional De La Defensa Pública, febrero 2019, p. 166.

a las diferentes redacciones del art. 2.2 del Pacto Internacional de Derechos Civiles y Políticos —PIDCP— y la cláusula homóloga del Pacto Internacional de Derechos Económicos, Sociales y Culturales —PIDESC—[11] y de la cual derivó una actitud depreciada acerca del resguardo y desarrollo a nivel jurisdiccional como político de los DESC en relación a los derechos civiles y políticos. Bajo esa mirada, resabios de una concepción subyacente liberal-individualista del derecho y propias del Estado de Derecho Liberal, los derechos civiles

---

[11] Artículo 2.2 del PIDCP: *"cada Estado Parte se compromete a adoptar, con arreglo a sus procedimientos constitucionales y a las disposiciones del presente Pacto, las medidas oportunas para dictar las disposiciones legislativas o de otro carácter que fueran necesarias para hacer efectivos los derechos reconocidos en el presente Pacto y que no estuviesen ya garantizados por disposiciones legislativas o de otro carácter"*. No hay ninguna referencia a los recursos disponibles. En cambio en la cláusula homóloga del PIDESC, su artículo 2.1., establece *"cada uno de los Estados Partes en el presente Pacto se compromete a adoptar medidas, tanto por separado como mediante la asistencia y la cooperación internacionales, especialmente económicas y técnicas, hasta el máximo de los recursos de que disponga, para lograr progresivamente, por todos los medios apropiados, inclusive en particular la adopción de medidas legislativas, la plena efectividad de los derechos aquí reconocidos"*. Y de forma afín se han redactado las cláusulas análogas de otras convenciones internacionales de derechos humanos, como, por ejemplo, el artículo 4º de la Convención de los Derechos del Niño: *"[L]os Estados Parte adoptarán todas las medidas administrativas, legislativas, y de otra índole para dar efectividad a los derechos reconocidos en la presente Convención. En lo que respecta a los derechos económicos, sociales y culturales, los Estados Partes adoptarán esas medidas hasta el máximo de los recursos de que dispongan y, cuando sea necesario, dentro del marco de la cooperación internacional"*. El art. 26 de la Declaración americana, por su parte, dispone que *"los Estados Partes se comprometen a adoptar providencias, tanto a nivel interno como mediante la cooperación internacional, especialmente económica y técnica, para lograr progresivamente la plena efectividad de los derechos que se derivan de las normas económicas, sociales y sobre educación, ciencia y cultura, contenidas en la Carta de la Organización de los Estados Americanos, reformada por el Protocolo de Buenos Aires, en la medida de los recursos disponibles, por vía legislativa u otros medios apropiados"*, mientras que el Protocolo de San Salvador establece, en su art. 1º, que *"los Estados Partes en el presente Protocolo Adicional a la Convención Americana sobre Derechos Humanos se comprometen a adoptar las medidas necesarias tanto de orden interno como mediante la cooperación entre los Estados, especialmente económica y técnica, hasta el máximo de los recursos disponibles y tomando en cuenta su grado de desarrollo, a fin de lograr progresivamente, y de conformidad con la legislación interna, la plena efectividad de los derechos que se reconocen en el presente Protocolo"*.

y políticos se configurarían como derechos negativos que demandan mecanismos simples de protección y escasa o nula intervención estatal mientras que los derechos sociales serían siempre derechos positivos y costosos, condicionados de antemano por la reserva de lo económicamente posible y condenados a generar un desmesurado crecimiento en las vías de intervención burocrática"[12].

A nivel doctrinario, dicho posicionamiento ha sido objeto de críticas con fundamento en que tanto los DESC como los derechos políticos y civiles configuran variadas obligaciones positivas y negativas por parte del Estado, es decir que no existen derechos fundamentales cualquiera fuere su categoría, que a la hora de su efectivización/realización no se viere "condicionado o dependiente económicamente" por los recursos estatales, como se expondrá a continuación.

Así cuando se habla de derechos integrantes de la categoría de derechos civiles y políticos, como "la prohibición de detención arbitraria, la prohibición del establecimiento de censura previa a la prensa, conllevan una intensa actividad estatal destinada a que particulares no interfieran esa libertad, de modo tal que la contracara del ejercicio de estos derechos está dada por el cumplimiento de funciones de policía, seguridad, defensa y justicia por parte del Estado"[13]. Evidentemente el cumplimiento de estas funciones requiere de la protección del Estado para que otros no impidan ese ejercicio, con lo cual no basta la mera abstención del Estado. Asimismo se requeriría de garantías judiciales/procesales para hacer cesar los impedimentos que pueda hacer el propio Estado, todo requerimiento es costoso y demanda de obligaciones positivas, caracterizadas por la erogación de recursos del Estado[14].

---

[12] PISARELLO G., Los Derechos Sociales en el Constitucionalismo moderno: por una articulación compleja de las relaciones entre política y derecho, en CARBONEL, M.; CRUZ PARCERO, J.A.; VÁZQUEZ R. (comp.): Derechos Sociales y Derechos de las Minorías. Universidad Nacional Autónoma de México. México, 2000, p. 114.
[13] NINO, C., Los derechos sociales, cit., pp. 11-17.
[14] Para un relato crítico sobre la separación de ambas categorías de derechos ver CRAVEN, MATTHEW, The international covenant on Economic, Social, and Cultural rights, Oxford, 1995, p. 15. En igual sentido, ALSTON, P. y GODDMAN, R. International Human Rights, the successor to International Human Rights in Context: Law, Politics and Morals, Oxford, 2013, p. 317, quienes también remiten, en la

Si bien, la cara perceptible de los derechos económicos, sociales y culturales resultan las obligaciones de hacer, cuando se indaga en su estructura se visibiliza la coexistencia con obligaciones de no hacer, así se puede observar que el derecho a la salud comporta la carga estatal de no dañarla, el derecho a la educación entraña el deber estatal de no degradarla. En resumen los derechos económicos, sociales y culturales también se determinan por un combinado de obligaciones positivas y negativas por parte del Estado, aunque las obligaciones positivas sean las más representativas al momento de reconocerlos[15].

Cabe mencionar, sin profundizar en su desarrollo ya que excede al objeto de investigación de este trabajo, que a nivel del sistema regional de derechos humanos, la Comisión Interamericana de Derechos Humanos en su informe sobre pobreza y derechos humanos de 2017, ha considerado que el enfoque de derechos humanos proyectado a la política fiscal y tributaria, se constituye en un marco para consolidar los siguientes principios y obligaciones en relación a los DESC: aseguramiento de los niveles mínimos, esenciales; movilización del máximo de recursos disponibles para la realización progresiva de los DESC; realización progresiva y no regresiva de estos derechos; y el principio de igualdad y no discriminación[16].

IV. RETOS PARA LA INCLUSIÓN SOCIAL: REFLEXIONES FINALES.

En el caso argentino, la igualdad entre los derechos civiles y políticos y los derechos económicos, sociales y culturales se vio reforzada

---

misma línea argumental, a ROTH, K. "Defending Economic, Social and Cultural Rights: Practical Issues Faced by an International Human Rights Organization", Human Rights Quaterlym 63, 2004, p. 65.

[15]   ABRAMOVICH, V.; COURTIS, C., Hacia la exigibilidad de los derechos económicos, sociales y culturales. Estándares internacionales y criterios de aplicación ante los tribunales locales en ABREGÚ, M.; COURTIS, C. (comp.): La aplicación de los tratados sobre derechos humanos por los tribunales locales. Buenos Aires, Centro de Estudios Legales y Sociales, Ed. del Puerto, 2004, pp. 284 y ss.

[16]   Comisión IDH, OEA/Ser.L/V/II.164 Doc. 147, Informe sobre pobreza y derechos humanos en las Américas, 2017, párr. 503.

con la constitucionalización de los derechos humanos[17], ya que ambos grupos de derechos participan de una común fuente normativa, como es la Constitución, con el reconocimiento de la plena fuerza jurídica que le es propia, gozando la Convención Internacional sobre los derechos del niño, como ya se manifestara anteriormente de dicha jerarquía.

No obstante el camino hacia la efectivización de los DESC de la infancia y adolescencia —identificadas prioritariamente las obligaciones del Estado con el cumplimiento de obligaciones positivas, es decir obligaciones de realizar acciones, o tomar medidas en el sentido de la protección, aseguramiento y promoción de los derechos en cuestión— sigue siendo una asignatura pendiente para la política pública, ante el accionar fragmentado de los actores estratégicos del

---

[17]   Con la reforma de la Constitución nacional en 1994 el nuevo art. 75 inc.22 dio *jerarquía constitucional*, a una catálogo de declaraciones, convenciones y tratados internacionales sobre derechos humanos: La Declaración Americana de los Derechos y Deberes del Hombre; la Declaración Universal de Derechos Humanos; la Convención Americana sobre Derechos Humanos; el Pacto Internacional de Derechos Económicos, Sociales y Culturales; el Pacto Internacional de Derechos Civiles y Políticos y su Protocolo Facultativo; la Convención sobre la Prevención y la Sanción del Delito de Genocidio; la Convención Internacional sobre la Eliminación de todas las Formas de Discriminación Racial; la Convención sobre la Eliminación de todas las Formas de Discriminación contra la Mujer; la Convención contra la Tortura y otros Tratos o Penas Crueles, Inhumanos o Degradantes; la Convención sobre los Derechos del Niño: en las condiciones de su vigencia, tienen jerarquía constitucional, no derogan artículo alguno de la primera parte de esta Constitución y deben entenderse complementarios de los derechos y garantías por ella reconocidos. Solo podrán ser denunciados, en su caso, por el Poder Ejecutivo nacional, previa aprobación de las dos terceras partes de la totalidad de los miembros de cada Cámara. El referido art. estableció que el Congreso podía dar rango constitucional a otros tratados sobre derechos humanos, luego de ser aprobados por el Congreso con el voto de las dos terceras partes de la totalidad de los miembros de Cada Cámara. Por dicho procedimiento, la Convención Interamericana Sobre Desaparición Forzada De Personas, y la Convención Sobre La Imprescriptibilidad De Los Crímenes De Guerra Y De Los Crímenes De Lesa Humanidad, alcanzaron con posterioridad jerarquía constitucional. Así pues a partir de la Reforma de 1994, el Estado argentino no sólo reconoce la superioridad jerárquica de los Tratados frente a las leyes, sino que además equipara a ciertos Tratados internacionales de derechos humanos con la Constitución, conformando con ello lo que en la doctrina y jurisprudencia se ha denominado un "Bloque de Constitucionalidad".

Alejandra Flavia Portapila

sistema de protección integral de derechos para la efectivización de los DESC; por la discrecionalidad en la asignación de los recursos en distanciamiento a los estándares internacionales[18]; ante los deficientes mecanismos de exigibilidad de los derechos, tanto los vinculados a la administración de justicia, como a los procedimientos administrativos

---

[18] EN relación a los recursos disponibles ver Obligación general N° 3 del PIDESC OBSERVACIÓN GENERAL 3 (1990) *La índole de las obligaciones de los Estados Partes (Articulo 11[2] del Pacto Internacional de Derechos Económicos, Sociales y Culturales) 10.* "Sobre la base de la extensa experiencia adquirida por el Comité, así como por el organismo que lo precedió durante un período de más de un decenio, al examinar los informes de los Estados Partes, el Comité es de la opinión de que corresponde a cada Estado Parte una obligación mínima de asegurar la satisfacción de por lo menos niveles esenciales de cada uno de los derechos. Así, por ejemplo, un Estado Parte en el que un número importante de individuos está privado de alimentos esenciales, de atención primaria de salud esencial, de abrigo y vivienda básicos o de las formas más básicas de enseñanza, *prima facie* no está cumpliendo sus obligaciones en virtud del Pacto. Si el Pacto se ha de interpretar de tal manera que no establezca una obligación mínima, carecería en gran medida de su razón de ser. Análogamente, se ha de advertir que toda evaluación en cuanto a si un Estado ha cumplido su obligación mínima debe tener en cuenta también las limitaciones de recursos que se aplican al país de que se trata. El párrafo 1 del art. 2 obliga a cada Estado Parte a tomar las medidas necesarias 'hasta el máximo de los recursos de que disponga'. Para que cada Estado Parte pueda atribuir su falta de cumplimiento de las obligaciones mínimas a una falta de recursos disponibles, debe demostrar que ha realizado todo esfuerzo para utilizar todos los recursos que están a su disposición en un esfuerzo por satisfacer, con carácter prioritario, esas obligaciones mínimas". (cf. OG3, punto 10). "El Comité desea poner de relieve, empero, que, aunque se demuestre que los recursos disponibles son insuficientes, sigue en pie la obligación de que el Estado Parte se empeñe en asegurar el disfrute más amplio posible de los derechos pertinentes dadas las circunstancias reinantes. Más aún, de ninguna manera se eliminan, como resultado de las limitaciones de recursos, las obligaciones de vigilar la medida de la realización, o más especialmente de la no realización, de los derechos económicos, sociales y culturales y de elaborar estrategias y programas para su promoción." (cf. OG3, punto 11)." Y Observación General N° 19 del Comité de los Derechos del Niño sobre presupuestos públicos para la realización de los derechos de los niños, Así el Comité señala, por un lado, que los presupuestos públicos afectan a todos los derechos del Tratado y los considera uno de los elementos del concepto "medidas generales de implementación" de la Convención (artículo 4°), ONU, CRC/C/GC/19, 2016, párr. 2, 6. También el Comité resalta que los Estados no cuentan con la discrecionalidad de satisfacer o no con la obligación de adoptar medidas (legislativas, administrativas o cualquier otra necesaria, incluidos los presupuestos) para realizar los derechos de los niños. (artículo 4°), ONU, CRC/C/GC/19, 2016, párr. 18.

de revisión de decisiones y de fiscalización y control ciudadano de las políticas públicas.

Deteniéndome en la exigibilidad/justiciabilidad de los DESC, según la doctrina los mayores cuestionamientos, radican cuando la omisión del Estado en el cumplimiento de sus obligaciones es general o total argumentándose que el Poder Judicial carece de medios compulsivos para la ejecución forzada de una supuesta sentencia que condene al Estado a cumplir con la prestación omitida para todos los casos involucrados, por estar vinculadas las acciones con el carácter colectivo de los reclamos o bien para dictar la reglamentación omitida[19]. En aquellos supuestos en los que el cumplimiento de la sentencia judicial sea dependiente de los recursos a proveer por parte de los poderes políticos, el valor de una acción judicial en la que el Poder Judicial declare que el Estado está en mora o ha incumplido con obligaciones asumidas en materia de derechos económicos, sociales y culturales pueden constituir importantes vehículos para comunicar a los poderes políticos las necesidades de la agenda pública, asimismo se vincula con que el Estado tenga la posibilidad de reconocer y reparar la violación invocada antes de concurrir a la esfera internacional a denunciar el incumplimiento[20]. En cambio el planteo judicial difícilmente pueda ser resistido, ante la ejecución parcial o discriminatoria

---

[19]   "Un componente esencial de la exigibilidad de los derechos en la justicia es la posibilidad de contar con este tipo de acciones de representación de intereses públicos o colectivos, cualquiera sea su diseño procesal. Es indudable que este derecho está comprendido en el artículo 25 de la Convención Americana, y se encuentra vinculado íntimamente con el derecho de asociación y de participación en los asuntos públicos, en tanto se trata del tipo de recursos judiciales idóneos y efectivos para la tutela de este tipo de derechos. Es común que este tipo de remedios judiciales se encuentren limitados o condicionados por normas procesales reglamentarias o por una jurisprudencia restrictiva en cuanto a la legitimación activa, los medios de prueba, el régimen de costas y los costos del proceso, y las vías de ejecución de decisiones. Encuadrar estas acciones en el ámbito del derecho a la tutela judicial efectiva de los derechos humanos en su dimensión colectiva podría brindar algunas líneas más claras sobre el tipo de reglamentación que los Estados pueden o no realizar. ABRAMOVICH, V. "Los estándares interamericanos de derechos humanos como marco para la formulación y el control de las políticas sociales", ob. cit., p 27

[20]   ABRAMOVICH, V.; COURTIS, C., "Hacia la exigibilidad de los derechos económicos, sociales y culturales. Estándares internacionales y criterios de aplicación ante los tribunales locales", op. cit.

de una obligación positiva del Estado. Así a través de la acción de
Amparo y/o Acción Declarativa de Inconstitucionalidad se han dado
viabilidad a reclamos judiciales exigiendo al Estado que cese en su
omisión y garantice el acceso a la educación inicial, ante situaciones
en donde un menor de edad quedó excluido por falta de vacantes, o a
la adjudicación de vivienda para la preservación de la salud apreciada
desde una perspectiva amplia, en tanto remite a un concepto integral
de bienestar sicofísico de la persona, que tiene a su vez una directa
vinculación con el principio de dignidad humana, soporte y fin de
todos los derechos[21].

Los caminos a transitar son complejos, pero no existiendo otra vía
que la jurisdiccional en condiciones de garantizar la tutela efectiva
de los derechos sociales, con la sustanciación de algún mecanismo/
herramienta procesal de protección, en sintonía con los estándares
fijados por Sistema Interamericano de Derechos Humanos[22] (las nuevas perspectivas de la acción de amparo, las posibilidades de planteo

---

[21] Casos. N° 6529/09 "Asociación Civil por la Igualdad y la Justicia c/GCBA s/
Amparo (art. 14 CCABA)" n° 6153/08 "Ministerio Público – Asesoría General
Tutelar de la Ciudad Autónoma de Buenos Aires c/ GCBA s/ acción declarativa
de inconstitucionalidad" Buenos Aires, 12 de mayo de 2010.

[22] "Los Estados deben habilitar mecanismos judiciales idóneos y efectivos para la
tutela judicial efectiva de los derechos sociales, tanto en su dimensión individual
como colectiva ya que tradicionalmente las acciones judiciales tipificadas por
el ordenamiento jurídico han sido pensadas, para la protección de los derechos
civiles y políticos clásicos por lo que es frecuente que estas acciones judiciales
no funcionen de manera adecuada para tutelar derechos sociales. En ocasiones,
ello sucede por la limitación en la posibilidad de accionar de grupos o colectivos
de víctimas afectadas por las violaciones, o por las demoras burocráticas en
los procedimientos judiciales que les hacen perder efectividad. Así el SIDH ha
postulado que debe tratarse de recursos sencillos, urgentes, informales, accesibles y tramitados por órganos independientes; que deben poder tramitarse como
recursos individuales y como acciones cautelares colectivas a fin de resguardar
los derechos de un grupo determinado o determinable; que debe garantizarse
una legitimación activa amplia a su respecto; que deben ostentar la posibilidad
de acceder a instancias judiciales nacionales ante el temor de parcialidad en el
actuar de la justicia local y, por último, que debe preverse la aplicación de estas
medidas de protección en consulta con los afectados" "El Acceso A La Justicia
Como Garantía De Los Derechos Económicos, Sociales Y Culturales", Estudio
De Los Estándares Fijados Por El Sistema Interamericano De Derechos Humanos, 2007.

de acciones de inconstitucionalidad[23], el desarrollo de las *class actions*, la legitimación del ministerio Público o del defensor del pueblo para representar intereses colectivos[24], por ejemplo) desde el enfoque de derechos humanos, debería cobrar protagonismo el poder judicial que como garante de las obligaciones convencionales asumidas en nuestras constituciones, no puede permanecer pasivo ante la negación de derechos. Por lo que un poder judicial activo, conllevaría incuestionablemente en el contexto de un sistema democrático, garantizar

---

[23] En Colombia, por ejemplo, la Corte constitucional desarrolló una audaz jurisprudencia garantista en materia de derechos sociales básicos, dotando de un respetable grado de eficacia a la acción de tutela establecida por la Constitución de 1991. En aquellos ordenamientos que, como el español, reservan el recurso de amparo a los derechos fundamentales de libertad, una solución similar no sería descartable si se demandara, por ejemplo, la protección de la faceta prestacional de un derecho de libertad en conexión con algún principio rector de la política económica y social. Por otra parte, en caso de incumplimiento de aquellas tareas sociales consagradas como normas, fines o mandatos programáticos, algunos ordenamientos, como el portugués o el brasileño, prevén la interposición de una acción de inconstitucionalidad por omisión, en razón de la cual los jueces comunican a los legisladores que han incurrido en la misma. Frente a esta advertencia, se ha sugerido la posibilidad de que las comisiones parlamentarias respectivas expidan algún informe, dando cuenta de las razones de su inacción. Esta explicación, incluso, podría remitirse no sólo a los jueces sino a la propia opinión pública, propiciando así el juicio crítico de la moral social sobre la moral positivizada". PISARELLO, G. "Los Derechos Sociales En El Constitucionalismo Democrático", en *Boletín Mexicano de Derecho Comparado*, núm. 145, enero-abril de 2016, pp. 7-8.

[24] En materia de derechos sociales es necesario instaurar mecanismos que aseguren de forma efectiva su justiciabilidad, es decir, el acceso, ya que las mismas desigualdades sociales que impiden gozar de los derechos son las que, de forma simultánea, obstaculizan la posibilidad real de plantear un caso ante la Justicia. En este punto es particularmente fructífera la experiencia latinoamericana de establecer defensorías públicas, órganos autónomos encargados de brindar asistencia jurídica gratuita a toda persona que carezca de recursos económicos a fin de que pueda acudir a la Justicia en defensa de sus derechos, incluidos los derechos sociales. Tal circunstancia fue destacada por la OEA en varias resoluciones: OEA. AG/RES. 2656 (XLI-O/11) 1. "Garantías para el acceso a la justica. El rol de los de los defensores públicos oficiales", 2011. Ver de forma concordante: OEA. AG/RES. 2714 (XLII-O/12); OEA. AG/RES. 2821 (XLIV-O/14); OEA. AG/RES. 2887 (XLVI-O/16). CORTI, H. "La política fiscal en el derecho internacional de los derechos humanos: presupuestos públicos, tributos y los máximos recursos disponibles.", en Revista Institucional De La Defensa Pública, febrero de 2019, p. 182.

la satisfacción de los derechos fundamentales, en relación a sujetos en situación de vulnerabilidad social, representando así la voz de los "sin voz" frente a las omisiones e incumplimientos de los poderes/ autoridades públicas.

Aquí más que nunca se hacen vigentes las palabras que Italo Calvino pone en boca de Marco Polo en su libro "Las ciudades invisibles", en ocasión del dialogo sostenido con Kublai Jan, emperador de los tártaros: "El infierno de los vivos no es algo por venir: hay uno, el que ya existe aquí, el infierno que habitamos todos los días... Hay dos maneras de no sufrirlo. La primera es fácil para muchos; aceptar el infierno y volverse parte de él hasta el punto de dejar de verlo. La segunda es riesgosa y exige atención y aprendizaje continuos: buscar y saber quién y qué, en medio del infierno, no es infierno, y hacer que dure, dejarle espacio"[25].

---

[25]   CALVINO, I., "Las ciudades invisibles" (2.ª reimpresión), de la traducción de Aurora Bernárdez. Ed. Minotauro, Barcelona, 1998.

EL DESARROLLO SOSTENIBLE COMO CONCEPTO FUNDAMENTAL PARA LA CORRECTA GESTIÓN Y LA COMPRENSIÓN DE LA MIGRACIÓN POR MOTIVO DE ASILO

ANDRÉS MORALES ARIAS
Doctorando en Derecho
Universidad de Salamanca (España)

Sumario: I. El concepto de la migración por motivo de asilo y el desarrollo sostenible. II. Naturaleza del desarrollo sostenible. III. El desarrollo sostenible y su relación con los cinco fundamentos filosóficos por motivo de asilo y los principios y los valores del ordenamiento jurídico. IV. Esbozo de una tesis para la acción pública. V. Notas conclusivas

I. EL CONCEPTO DE LA MIGRACIÓN POR MOTIVO DE ASILO Y EL DESARROLLO SOSTENIBLE

1. Definición del desarrollo sostenible

De acuerdo con el diccionario panhispánico del español jurídico, el desarrollo sostenible consiste en el uso y disfrute de los recursos naturales que consiga el desarrollo económico y social de las poblaciones humanas, asegurando el mantenimiento y la preservación de aquellos para las generaciones futuras[1].

---

[1] DICCIONARIO PANHISPÁNICO DEL ESPAÑOL JURÍDICO. Desarrollo sostenible. https://dpej.rae.es/lema/desarrollo-sostenible. https://dpej.rae.es/lema/desarrollo-sostenible (fecha de ultima consulta: 8 de febrero 2022)

2. Definición de la migración por motivo de asilo

De acuerdo con el diccionario panhispánico, se entiende por asilo, la protección que el Estado puede brindar a determinados individuos, extranjeros o apátridas quienes en sus Estados de origen son objeto de persecución individualizada por motivos ideológicos o políticos[2]. Estas dos son definiciones genéricas que nos sirven de punto de partida para llegar a entendimientos más comprehensivas en el desarrollo del este ensayo.

II. NATURALEZA DEL DESARROLLO SOSTENIBLE

Origen: Conferencia de las Naciones Unidas sobre el Medio Humano, 5 a 16 de junio de 1972, Estocolmo y la Comisión mundial sobre el medio ambiente y el desarrollo sostenible, Nuestro futuro Común- Informe Brundtland de 1987.

El concepto del desarrollo sostenible surge en el marco de las peculiaridades sociales políticas y económicas de nuestro tiempo y del impacto de la actividad del hombre como consecuencia de estas. Una aproximación inicial al concepto de desarrollo sostenible se encuentra en la Conferencia de las Naciones Unidas sobre el Medio Humano celebrada del 5 al 16 de junio de 1972 en Estocolmo. Los miembros participantes en esta conferencia adoptaron una serie de principios para la gestión racional del medio ambiente incluida la Declaración y el Plan de Acción de Estocolmo para el medio humano[3]. La declaración incluye 26 principios y pone las cuestiones de medio ambiente como prioridad de las preocupaciones internacionales. La Conferencia marca el inicio del dialogo entre países industrializados, y en desarrollo sobre los vínculos entre crecimiento económico, la contaminación del aire, el agua y los océanos y el bienestar de las personas de todo el

---

2   DICCIONARIO PANHISPÁNICO DEL ESPAÑOL JURÍDICO. https://dpej.rae. es/lema/asilo (fecha de última consulta: 16 de febrero 2022)
3   NACIONES UNIDAS. Conferencias Medio Ambiente y Desarrollo Sostenible. "Conferencia de las Naciones Unidas sobre el Medio Humano" 5 a 16 de junio de 1972. Estocolmo, https://www.un.org/es/conferences/environment/stockholm197 (fecha de última consulta: 27 de febrero 2022)

mundo[4]. El plan de acción presente en la declaración contiene tres tipos generales de acción: a) El programa global de evaluación del medio ambiente humano (vigilancia mundial); b) las actividades de ordenación del medio humano; y, c) las medidas internacionales auxiliares de la acción nacional e internacional de evaluación y ordenación. Este marco terminó desglosándose en 109 recomendaciones[5].

Otro documento de relevancia inicial en materia de desarrollo fue el informe Brundtland de las Naciones Unidas. Dicho informe parte de los nuevos retos de las naciones sobre todo en materia medio ambiental y de la urgencia de atender a las mismas teniendo presente las circunstancias sociales, políticas y culturales de los dos últimos siglos.

De acuerdo al informe, para llevar a cabo los compromisos presentes y para lograr un desarrollo sostenible es necesario contar con la solidaridad y la participación conjunta de las naciones y y tener presente los intereses y las necesidades no solo de las generaciones presentes sino también los de las generaciones futuras. En este sentido, en el informe se define el desarrollo sostenible como *'la satisfacción de las necesidades de las generaciones presentes sin comprometer la capacidad de las generaciones futuras para satisfacer sus propias necesidades'*[6].

Fruto de esta noción, el desarrollo sostenible ha emergido como el principio rector para el desarrollo mundial a largo plazo. El desarrollo sostenible trata de lograr, de manera equilibrada, el desarrollo económico, el desarrollo social y la protección del medio ambiente[7]. Considera la Comisión que la noción de desarrollo sostenible acarrea limites no absolutos impuestos por la tecnología y la organización social en el medio ambiente y por la habilidad de la biosfera de absorber los efectos de las actividades del ser humano[8]. No obstante, estos

---

[4]   Ibid.

[5]   Ibid.

[6]   NACIONES UNIDAS. Asamblea General. Presidente del 65 periodo de Sesiones *"Desarrollo sostenible"*, Antecedentes.https://www.un.org/es/ga/president/65/issues/sustdev.shtml. (fecha de última consulta: diciembre 12 de 2021).

[7]   Ibid.

[8]   NACIONES UNIDAS. Asamblea General. Comisión Mundial sobre el Medio Ambiente y el Desarrollo sostenible. *"Informe de la Comisión Mundial sobre el Medio Ambiente y el Desarrollo"*, pp. 9-50, A /42/427. 4 agosto 1987.

límites pueden ser manejados de manera que pueda llegarse a una nueva era de crecimiento económico, una era en el cual el crecimiento de la pobreza ya no sea inevitable[9].

La noción del desarrollo sostenible no solo se encuentra relacionada con el objetivo de salvaguardar el ecosistema. El desarrollo sostenible también abarca una serie de esferas que se ve directa o indirectamente afectadas por la actividad del hombre en la tierra. De esta forma, el desarrollo sostenible tiene como misión el de velar por el bienestar general de los pueblos en el presente y de las generaciones futuras. En este sentido, el desarrollo sostenible se encuentra relacionado con la reducción de la pobreza, las desigualdades en el planeta y la defensa de los derechos humanos. El desarrollo sostenible también incluye el fomentar la paz, la cooperación entre las naciones y la eliminación de los conflictos bélicos. Asimismo, el desarrollo sostenible tiene en consideración la protección a la vida marítima y a la vida animal. En definitiva, este concepto se relaciona con objetivos de favorecer el bienestar económico, social, cultural y ecológico de las generaciones presentes y futuras.

La concreción del contenido del concepto de desarrollo sostenible se observa en la Declaración de Rio sobre el Medio Ambiente y de desarrollo de la ONU de 1992 y, también en la adopción el 25 de septiembre de 2015 de un conjunto de objetivos globales que forman parte de una nueva agenda de desarrollo sostenible para el 2030. A continuación, se hace una breve descripción de estos instrumentos y su relación con el concepto de desarrollo sostenible.

1. *La conferencia de las Naciones Unidas sobre Medio Ambiente y Desarrollo, Río de Janeiro, Brasil, 3 a 14 de junio de 1992.*

Esta conferencia se conoce como la "Cumbre de la Tierra". En esta cumbre los asistentes recalcaron la interdependencia de los diferentes factores sociales, económicos y ambientales y su conjunta evolución y como el éxito de un sector requiere que la acción en otros sectores se

---

[9]   Ibid.

mantenga en el tiempo[10]. El objetivo principal de la Cumbre para la Tierra de Rio fue producir una agenda amplia y un nuevo plan para la acción internacional sobre cuestiones ambientales y de desarrollo que ayudaría a orientar la cooperación internacional y la política de desarrollo en el siglo XXI[11].

Uno de los principales resultados de la Conferencia fue el Programa 21, un programa de acción que pide nuevas estrategias para invertir en el futuro y para conseguir un desarrollo sostenible en el siglo XXI.

Conforme a las Naciones Unidas, en la Cumbre de la Tierra se concluyó que la noción del desarrollo sostenible era un objetivo al alcance de todas las personas del mundo con independencia de que fuesen a nivel local, nacional, regional o internacional[12]. Los otros resultados de esta cumbre relacionados con desarrollo sostenible fueron: la declaración de Río y sus 27 principios universales, la Convención Marco de las Naciones Unidas sobre el Cambio Climático (CMNUCC), el Convenio sobre la Diversidad Biológica, y el desarrollo sostenible de los bosques de todo tipo.

2. Delimitación del contenido del desarrollo sostenible: la declaración de Rio sobre el Medio Ambiente y el Desarrollo acordada por las Naciones Unidas En Rio de Janeiro de 1992.

Entre los instrumentos jurídicos que resultaron de la Cumbre de la Tierra, quizá el más importante es la declaración de Rio sobre el Medio Ambiente y el Desarrollo de 1992. En la declaración no se define lo que se entiende por desarrollo sostenible, pero se establecen los 27 principios universales del desarrollo sostenible, es decir se determina

---

[10]   NACIONES UNIDAS. Conferencias. Medio ambiente y desarrollo sostenible. Conferencia de las Naciones Unidas sobre Medio Ambiente y Desarrollo, Rio de Janeiro, Brasil (3 a 14 de junio de 1992) Un nuevo plan de acción internacional sobre el medio ambiente, https://www.un.org/es/conferences/environment/rio1992. (fecha de última consulta: diciembre 12 de 2021).
[11]   Ibid.
[12]   Ibid.

su contenido. Además, en la declaración de los principios se determina a quienes van dirigidos y como se logran.

La expresamente, el principio 1 del informe establece que los seres humanos constituyen el centro de las preocupaciones relacionadas con el desarrollo sostenible. De acuerdo con este principio, todos los seres humanos tienen derecho a una vida saludable y productiva en armonía con la naturaleza[13]. De conformidad con el principio de desarrollo sostenible, el ámbito de aplicación en su vertiente subjetiva la constituyen todos los seres humanos.

Los principios también determinan "cuáles" son los bienes relacionados con el desarrollo sostenible o la vertiente objetiva. En este ámbito la declaración aporta una novedad pues, si bien incluye al medio ambiente (principios 10,11,20,22,23), hace referencia a otros bienes que deben atenderse como son la igualdad entre las naciones, (principios 5 y 6) y la búsqueda de la paz entre las naciones (principios 24 y 25).

Otro aspecto relevante de los principios se refiere al "cómo se logran" los mismos. En este ámbito juega un papel primordial la inclusión de los conceptos de la cooperación y de la solidaridad y la acción conjunta como piezas clave para la adopción de medidas en materia de asilo (principios 7,8,9,27). Dentro de este marco también se encuentra la idea de ejercer el desarrollo sostenible de manera que responda equitativamente a las necesidades de desarrollo y ambientales de las generaciones presentes y futuras (principio 3).

3. *Extensión del concepto del desarrollo sostenible*

Inicialmente, la noción del desarrollo sostenible daba mayor énfasis a los problemas medioambientales generadas por la actividad del hombre. Ello puede observarse en los textos señalados (Conferencia de Estocolmo, informe Brundtland,). No obstante, la

---

[13]   NACIONES UNIDAS. "*Declaración de Rio de Janeiro sobre el Medio Ambiente y el Desarrollo*", junio de 1992. Principio 1, p. 8, https://transparencia. info.jalisco.gob.mx/sites/default/files/DECLARACI%C3%93N%20DE%20 R%C3%8DO%20DE%20JANEIRO.pdf (fecha de última consulta: 24 de enero de 2022).

propia naturaleza del desarrollo sostenible favoreció el desarrollo de otras dimensiones de este concepto. De esta manera, surgiría una preocupación por entender e incluir la necesidad del bienestar de las sociedades, la reducción de la pobreza, los derechos humanos, la solidaridad o el fin de los conflictos bélicos entre los países.

Esta evolución del concepto de desarrollo sostenible se observa en un principio en la declaración de Rio y con más claridad tras la adopción de los 17 objetivos concretos de desarrollo sostenible. En este pacto, los miembros de las Naciones Unidas aprobaron 17 objetivos como parte de la Agenda de 2030 para el Desarrollo Sostenible y se establece un plan para alcanzar los objetivos en 15 años[14]. Los objetivos de desarrollo sostenible pactan acciones concretas para poner fin de la pobreza, a las hambrunas, salud y bienestar, educación de calidad, igualdad de género, agua limpia y saneamiento, energía asequible y no contaminante, trabajo decente y crecimiento económico, industria innovación e infraestructura, reducción de las desigualdades, ciudades y comunidades sostenibles, producción y consumo responsables, la acción por el clima, la vida submarina, la vida de ecosistemas terrestres, paz, justicia e instituciones sólidas y la alianza para lograr los objetivos.

4. Los objetivos de desarrollo sostenible y la migración por motivo de asilo

Como se ha expuesto a lo largo del presente texto, la migración por motivo de asilo es un fenómeno multifacético pues comprende aspectos sociales, económicos y jurídicos. Por otro lado, es un fenómeno global ya que concierne a todas las naciones de la tierra. Además, el correcto entendimiento y la buena gestión de la migración por motivo de asilo tiene una relación directa con la adopción de soluciones acordes a los objetivos de desarrollo sostenible anteriormente citados. Si bien no existe una alusión expresa al fenómeno del asilo como objetivo de desarrollo concreto, los

---

[14]   NACIONES UNIDAS. "*Objetivos de desarrollo sostenible*", www.un.org/sustainabledevelopment/es/objetivos-de-desarrollo-sostenible (fecha de última consulta: 24 de enero de 2022).

objetivos guardan una relación directa para lograr un manejo del asilo de manera sostenible.

En primer lugar, el crecimiento económico, la reducción de la pobreza y el fin de las desigualdades y de género y la salud y el bienestar son objetivos de desarrollo sostenible directamente relacionados con la compresión y el análisis del fenómeno de la migración por motivo de asilo. La cooperación con los Estados en vías de desarrollo a través de medidas que reduzcan la pobreza, fomente la protección de los derechos humanos y promueva la existencia de servicios básicos en los países de origen son medidas claves para disminuir la migración por motivo de asilo, realizar políticas de asilo que tengan en consideración estos elementos y gestionar adecuadamente la llegada de estas personas.

Asimismo, el objetivo de desarrollo relativo a la educación ostenta una estrecha relación con la migración por motivo de asilo. Asegurando una educación de calidad en los países emisores de personas asiladas se proporciona medidas esenciales para que la gente cuente con la formación necesaria para defender sus derechos frente a situaciones que propicien la huida de sus países. De especial importancia es la educación en materia de principios y valores democráticos para poder desarrollar sus objetivos, realizar sus derechos y manifestarse oportunamente. Por otro lado, los objetivos relacionados con la protección al medio ambiente y la vida de los ecosistemas terrestres guardan también una estrecha relación con una correcta gestión en materia de asilo. En el presente, se ha logrado establecer una estrecha relación entre cambio climático y migración por motivo de asilo[15]. Los cambios climáticos y el menoscabo a la fauna, afecta en la calidad de vida de las poblaciones, en sus trabajos, su empleo y su fuente de alimentación. Si bien este es un fenómeno presente a lo largo de la historia del ser humano, la enorme discrepancia económica entre los países, la explotación de países en vías de desarrollo, la industrialización desmesurada

---

[15] SÁNCHEZ, B.; REY MARCOS, F. (coord.), *La migración en el contexto de cambio climático y desastres: Reflexiones para la cooperación española*, Instituto de Estudios sobre Conflictos y Acción Humanitaria, 2019, p. 5. https://www.aecid.es/Centro-Documentacion/Documentos/Migraciones_ambientales_IECAH_Final_abril_2019.pdf (Fecha de última consulta: 24 de enero de 2022)

son factores que han acelerado en la última década este fenómeno. Es pues necesario que las autoridades correspondientes tengan presente esta relación con la misión de proteger no solo a las generaciones presentes sino también a las generaciones del futuro.

Las naciones deben comprometerse para gestionar el asunto de la migración por motivo de asilo de manera conjunta y solidaria. Para ello, es preciso que existan alianzas permanentes a nivel regional, local nacional e internacional, en donde se afiancen los objetivos de desarrollo sostenible en la gestión del asilo y se asuman compromisos a largo plazo basados en valores y principios comunes.

III. EL DESARROLLO SOSTENIBLE Y SU RELACIÓN CON LOS CINCO FUNDAMENTOS FILOSÓFICOS POR MOTIVO DE ASILO Y LOS PRINCIPIOS Y LOS VALORES DEL ORDENAMIENTO JURÍDICO

El concepto relativo al desarrollo sostenible representado por los objetivos de desarrollo proporciona es un elemento fundamental de equilibrio respecto a las relaciones complejas que se dan entre los cinco fundamentos filosóficos por motivo de asilo. Veamos a continuación con algún detalle las relaciones de las que hablamos.

1. La Soberanía del Estado

Como se indicó previamente, la soberanía del Estado es uno de los principales fundamentos en materia de migración por motivo de asilo. La comunidad internacional reconoce la soberanía de los países para el manejo de sus asuntos internos, incluidas el de la migración por motivo de asilo. Por este motivo pensar que un país pueda exigir a otro, sin más, una determinada política en materia de asilo seria contrario al principio consolidado a nivel internacional y que prohíbe que los países interfieran en los asuntos internos de otros (Capitulo 1 de la Carta de las Naciones Unidas artículo 2, párrafo 7).

No obstante, de conformidad con el objetivo de desarrollo sostenible relativo a la creación de alianzas, acuerdos y que lleva a una llamada de solidaridad y cooperación entre las naciones, se han establecido pactos, acuerdos en todos los niveles en materia de migración por motivo de asilo. Estos acuerdos ponen límites al poder soberano de cada país en materia de asilo y producen un efecto positivo puesto que conllevan a un entendimiento y a una gestión en materia de asilo de manera sostenible, esto es, teniendo presente las desigualdades entre los países, los conflictos internos de los países en desarrollo y la necesidad de promover el bienestar de los habitantes de hoy y de las generaciones futuras.

2. La Ciudadanía

El punto relativo a la ciudadanía conlleva reconocer que los asilados son ciudadanos de otros países y que, si bien llegan a otro país en concepto de extranjeros, ostentan una serie de derechos y de obligaciones al igual que las administraciones públicas en su actuación frente a los mismos. El desarrollo sostenible en materia de asilo y el fundamento de la ciudadanía lleva a que a los asilados se les brinde una serie de servicios básicos para su subsistencia. También conlleva brindarles la oportunidad de estudiar y formarse en el Estado receptor, siempre respetando las instituciones de los mismos. Por otro lado, el desarrollo sostenible y la ciudadanía implica que en la gestión administrativa se lleve a cabo de conformidad con el principio de legalidad y de un Estado social y democrático de derecho.

3. La Globalización

El fundamento relativo a la globalización también advierte una estrecha relación con el concepto del desarrollo sostenible y la migración por motivo de asilo. Es posible observar un efecto positivo y otro negativo de la globalización. Desde un punto de vista positivo, la globalización ha fomentado el comercio entre distintos países, el intercambio cultural y el establecimiento de acuerdos y de pactos de cooperación. No obstante, la globalización ha sido un factor desencadenante del aumento de desigualdad entre distintos países, lo cual es enteramente negativo. La migración por motivo de asilo tiene como trasfondo la inestabilidad política, social y económica de los países de los que provienen los asilados. El comercio internacional y el crecimiento económico de los países tiene que llevarse a cabo teniendo en cuenta el bienestar de las naciones y las desigualdades que existen entre las mismas. Lo mismo puede indicarse respecto a la actividad de las empresas multinacionales. Tener presente el factor del desarrollo sostenible en el análisis y comprensión de la globalización lleva a que en la toma de decisiones relativas a la migración por motivo de asilo (un fenómeno igualmente global) se tenga en cuenta la necesidad de promover el desarrollo y el bienestar de los países de los que provienen los asilados.

4. La multiculturalidad

El principio filosófico relativo a la multiculturalidad también guarda una estrecha relación con el concepto del desarrollo sostenible y el entendimiento de la migración por motivo de asilo. Entender la multiculturalidad y su relación con el asilo parte de la base de entender el fenómeno del asilo en un contexto donde predomine el dialogo y el respeto entre los ciudadanos de diversos países. También conlleva a respetar a las personas que se encuentran en esta situación dándoles la posibilidad de manifestar sus opiniones bajo un régimen de derechos y de obligaciones, evitando también que vivan de forma precaria y en condiciones de marginación social. La integración de las personas asiladas en la sociedad receptora es también un factor clave en materia de desarrollo sostenible pues favorece al crecimiento económico del país receptor, evita situaciones de extrema pobreza y marginación y se corresponde con el principio relativo a la dignidad de la persona.

5. Los Derechos Humanos

Finalmente, los derechos humanos son obviamente necesarios para el desarrollo sostenible de las decisiones en materia de asilo. La protección de los derechos de las personas más vulnerables, la promoción de la igualdad, en especial el de las mujeres y el fomento de los principios y los valores de un Estado Social y Democrático de Derecho son elementos necesarios para una gestión y análisis en materia de asilo que sea sostenible.

IV. ESBOZO DE UNA TESIS PARA LA ACCIÓN PÚBLICA

1. Dimensión Internacional: Un Pacto Mundial

En materia de asilo y desarrollo sostenible a nivel internacional se destaca el pacto mundial sobre refugiados adoptado el 17 de diciembre de 2018 por la Asamblea General de las Naciones Unidas. Se trata de un marco jurídico que establece una distribución determinada y equitativa de carga y de responsabilidad, ofreciendo a su vez una solución sostenible a la situación de refugiados mediante la solidaridad[16]. El pacto establece un plan para que los gobiernos, las organizaciones internacionales y demás partes interesadas proporcionen a las comunidades locales un apoyo para que los refugiados puedan llevar vidas dignas y productivas.

Los cuatro objetivos del pacto que están relacionados estrechamente con los principios de desarrollo sostenible son los siguientes:

- Aliviar las presiones sobre los países que acogen refugiados.
- Desarrollar la autosuficiencia de los refugiados.
- Ampliar el acceso al reasentamiento en terceros países y otras vías complementarias.
- Fomentar condiciones que permitan a los refugiados regresar voluntariamente a sus países de origen con condiciones de seguridad y dignidad[17].

2. Dimensión europea: Hacia una visión europeísta del asilo y conforme a la misión de los objetivos de desarrollo sostenible

La tradición europea se distingue por el reconocimiento y la defensa de los derechos y libertades fundamentales[18]. En este sentido, las

---

[16]   ACNUR. Pacto Mundial sobre los Refugiados. https://www.acnur.org/pacto-mundial-sobre-refugiados.html
[17]   Ibid.
[18]   SÁNCHEZ SÁNCHEZ, Z., "Un sistema Europeo Común de asilo: ¿Desdibujando la competencia de los Estados?", *en Revista Española de Derecho Europeo*, núm. 64, octubre-diciembre de 2017, p. 86.

normas y las políticas europeas en materia de asilo deberían favorecer los derechos y las garantías de los asilados. Dicha tradición se observa en la configuración del derecho de asilo como un derecho público subjetivo, opción contenida tanto en la Agenda Europea de migración del 13 de mayo de 2015 como en la Directiva 2013/32/UE de 26 de junio de 2013 sobre procedimientos comunes para la concesión o la retirada de la protección internacional. A través de esta normativa se busca aprobar un Reglamento europeo para establecer un procedimiento común en materia de protección, que derogaría la Directiva de 2013. En dicho caso hay un procedimiento más garantista e implica mayor posibilidad de control de la legalidad y de discrecionalidad de las resoluciones y desdibujaría las competencias de los países en la tramitación de procedimientos[19].

Al lado de la normativa en materia de asilo tendiente a favorecer los derechos fundamentales y las obligaciones de los asilados se encuentra el elenco de normas de carácter internacional. Aquí cabe destacar la ya citada Convención de Ginebra de 28 de julio de 1951, reforzada posteriormente por el Protocolo de Nueva York de 31 de enero de 1967[20]. Tanto la tradición europea como la legislación internacional en materia de asilo se corresponde con una visión "sostenible" del asilo, en la cual las garantías y los derechos de los asilados y buscadores de asilo son reconocidos o protegidos.

Esta tendencia encuentra oposición con la visión soberanista de los países europeos en materia de asilo. Los países de la Unión le dan preferencia a los intereses sociales y económicos de sus ciudadanos y ello se refleja tanto en la legislación que adoptan en materia de asilo como en las políticas que surgen en esta materia. Por otro lado, la tradición europea y la normativa internacional encuentran oposición en ciertas ocasiones por parte de la normativa y de la política de la Unión, la cual, por su propio origen de facilitar la circulación interna, ha favorecido al principio de la seguridad del Estado. Ello ha llevado a un descuido en la atención a los solicitantes de asilo en materia de

---

[19]	Ibid., p. 79.
[20]	Ibid.

información sobre el procedimiento y que el rechazo o inadmisión de solicitudes sea elevado[21].

Una aproximación sostenible al fenómeno de la migración por motivo de asilo no excluye los intereses soberanos en esta materia. La protección de los derechos y la seguridad de los habitantes de una nación son vitales para el desarrollo adecuado de una sociedad. Ello forma parte intrínseca de la protección adecuada de un Estado social y democrático de Derecho. No obstante, el Estado Social y democrático de derecho aceptado por todas las naciones europeas también tiene un papel fundamental en la garantía, promoción y defensa de los derechos de los asilados desde la vertiente de la solidaridad. La sostenibilidad en materia de asilo exige que haya un balance entre ambos intereses, ya que su defensa no necesariamente juega en detrimento del otro. La buena gestión migratoria por parte de Alemania, al legalizar a un millón de asilados, su inserción en el país y su aporte para la economía del país son muestra de un exitoso balance entre los intereses de un Estado y la respuesta a las necesidades de personas en una situación de vulnerabilidad extrema.

El 23 de septiembre de 2020, la Comisión Europea dio a conocer el nuevo Pacto Europeo sobre Migración y Asilo. En líneas generales, este pacto es un acercamiento hacia un manejo del fenómeno migratorio cercano a establecer un balance entre los intereses soberanos y los derechos y libertades de los asilados.

Algunas de las metas plasmadas en el Pacto sirven de ejemplo de la búsqueda entre el objetivo de solidaridad y por otra el de proporcionar seguridad al Estado. Así lo establece el apartado 1.1 del texto del pacto al señalar que la Unión Europea necesita encontrar el equilibrio entre una gestión eficaz y realista de las migraciones que sea humana y sostenible, garantizando al mismo tiempo la seguridad y el control de sus fronteras exteriores. Además, la UE debe enviar un mensaje claro a los europeos en el sentido de que la migración puede gestionarse mejor de forma colectiva[22].

---

[21] . Ibid., p. 63.
[22] COMITÉ ECONOMICO y SOCIAL EUROPEO. "Comunicación de la Comisión al Parlamento Europeo al consejo, al Comité Económico y Social Europeo y al Comité de las Regiones relativa al Nuevo Pacto sobre Migración y Asilo" Bruselas, 23 de septiembre de 2020, p. 6, COM (2020) 609, https://www.ccoo.es/

El deseado balance entre solidaridad y seguridad se evidencia en los tres ejes en los que se articula el Pacto Sobre Migraciones: 1) Mejorar la cooperación con países terceros de origen y tránsito para mejorar la gestión migratoria; 2) Mejorar la gestión de las fronteras exteriores, intensificar la cooperación técnica y los mecanismos de identificación y corregir y modernizar los procedimientos para garantizar mayor claridad en la adjudicación de responsabilidades, 3) Establecer un nuevo mecanismo de solidaridad constante[23].

3. Dimensión española: Las administraciones públicas y la gestión sostenible del asilo en el Estado Social y Democrático de Derecho.

Las administraciones públicas ostentan un papel fundamental en la gestión sostenible del asilo. En materia de gestión de asilo y el desarrollo sostenible consiste en la búsqueda de un equilibrio entre los cinco fundamentos filosóficos por motivo de asilo. Este propósito se ve especialmente necesario ante la demanda por establecer medidas de seguridad de conformidad con el principio de soberanía del Estado y el reconocimiento de los derechos y de las necesidades de las personas que inmigran por motivo de asilo. La normativa europea en materia de asilo se caracteriza por ir evolucionando de un enfoque policial hacia un procedimiento más flexible acorde con los derechos de las personas que migran por motivo de asilo[24]. La actuación de la administración pública ciertamente obedece a un patrón legislativo. En principio la administración pública representa y vela por los intereses soberanos. Por este motivo en el ámbito de su actuación en materia de asilo es imprescindible observar una serie de condicionantes presentes en un Estado Social y Democrático de Derecho. La cláusula del Estado Social y Democrático de Derecho proporciona un medio excelente para la gestión de la migración por motivo de forma sostenible.

---

abdc75ab6d5c9377e539db143e2b12ec000001.pdf. (fecha de última consulta: 24 de enero de 2022.

[23] Ibid., p. 3.

[24] GOIG MARTINEZ, J. "¿Una política común de inmigración en la Unión Europea?", Evolución, retos y realidades en *Revista de Derecho de la Unión Europea*, núm. 29-julio-diciembre 2015, pp. 191-222.

En materia de la administración pública, el Estado de Derecho se entiende como límites a la naturaleza de la actuación de este poder, presente con normas que se dirigen a evitar los abusos y los excesos que dañan a las libertades, nunca omnipotente ni plenamente capaz sino acotada en su ámbito de actuación posible y siempre sujeta a la exigencia de rendir cuentas y asumir responsabilidades por sus actos[25].

El Estado de Derecho conduce consecuentemente a la necesidad de interdicción de la arbitrariedad de la administración, reconocimiento que lleva a determinadas exigencias procedimentales sustantivas: procedimiento, motivación de los actos, transparencia o respeto del principio de proporcionalidad[26]. Otro de los elementos claves es la seguridad jurídica o saber a qué atenerse, exige que las personas tengan la oportunidad de conocer lo permitido y lo prohibido[27]. Vista de esta manera, la formula del Estado de Derecho guarda una relación con el concepto relativo al desarrollo sostenible. El objetivo de desarrollo sostenible relativo a la justicia, paz e instituciones sólidas busca promover la estabilidad, los derechos humanos y la gobernabilidad basada en el Estado de Derecho. En materia de asilo ello acarrea la creación de políticas que fomenten el desarrollo, la paz y la estabilidad en los países de los que provienen los asilados. También lleva a que el procedimiento administrativo de asilo se lleve de conformidad con la legalidad y que las autoridades se sometan plenamente al imperio de la ley.

El aspecto o cláusula relativa a la democracia también juega un papel importante en cuanto a objetivo concreto de la sostenibilidad y la consecución de un equilibrio entre los cinco factores filosóficos. En materia de asilo y de desarrollo sostenible juega un papel central la calidad y el respeto a las libertades públicas (prensa, reunión, asociación, manifestación) los frenos y los contrapesos (poder judicial independiente) y rendición de cuentas de los políticos (control de decisiones y exigencia de responsabilidades por las mismas)[28]. Esta

---

[25]   RIVERO ORTEGA, R: *Derecho administrativo. Administración pública y Estado de Derecho*. Ratio Legis, Salamanca, 2016, p. 33.
[26]   Ibid., p. 34.
[27]   Ibid.
[28]   Ibid., p. 36.

cláusula se encuentra relacionada también con el objetivo relativo al desarrollo sostenible de afianzar instituciones públicas que promuevan la gobernabilidad y los derechos humanos. Las personas a las que se les atribuya la condición de asiladas deben contar con la posibilidad de asociarse y manifestarse de manera pacífica para defender sus derechos y demostrar sus necesidades. Por otro lado, la cláusula democrática y el objetivo de desarrollo señalado lleva a que los asilados cuenten con la posibilidad de reunirse con entidades de gobierno, con entidades no gubernamentales, académicos y otras partes interesadas.

En cuanto a la cláusula social, el deseado equilibrio entre los fundamentos filosóficos por asilo obliga a que la administración promueva las condiciones para que la libertad y la igualdad de las personas y los grupos en los que se integran sean reales y efectivas[29]. Al igual que la cláusula relativa al Estado de Derecho y a la democracia, la cláusula social ostenta una relación directa con el concepto de desarrollo sostenible. Los objetivos de desarrollo relacionados con esta clausulan son el de poner fin a la pobreza, establecer el objetivo de hambre cero, promover una buena salud, una educación de calidad, la igualdad de género, agua limpia y saneamiento, energía asequible y sostenible, trabajo decente y crecimiento económico, industria innovación e infraestructura, reducir inequidades, adoptar medidas para combatir el cambio climático y de protección a la tierra y a la fauna. En cumplimiento de este deber, las administraciones públicas deben promover el alcance de estos objetivos no solo en los países de origen de los asilados sino también en los países receptores de los mismos. Ello contribuye al crecimiento económico y el bienestar social de las naciones.

V. NOTAS CONCLUSIVAS

El concepto del desarrollo sostenible ha ido evolucionando desde la década de los 70 como respuesta a desafíos económicos y sociales que, si bien existentes a lo largo de la historia del hombre, se han incrementado aceleradamente a lo largo de los últimos años. La evolución de la normativa existente en materia de desarrollo sostenible

---

[29]   Ibid., p. 38.

demuestra como su planteamiento inicial se limitaba a la protección del medio ambiente hasta plasmarse finalmente en una serie de objetivos concretos y muy comprehensivos de la vida humana y natural.

El fenómeno de la migración por motivo de asilo es uno de los asuntos contemporáneos más complejos pues abarca aspectos jurídicos, económicos, políticos, sociales y medioambientales. En este escrito se han discutido cinco fundamentos filosóficos por motivo de asilo: la soberanía, la ciudadanía, la globalización. la multiculturalidad y los derechos humanos. Para una adecuada gestión y practica en materia de asilo es necesario que haya un equilibrio entre estos fundamentos. En la práctica se observa que en la gestión y la interpretación de los asuntos en materia de asilo prevalecen los interesen soberanos de los países por encima del resto de los principios. En la vida real esto se traduce en políticas, y prácticas que menoscaban los derechos y las libertades de los asilados.

En este artículo se argumenta que el concepto del desarrollo sostenible juega un papel fundamental en la obtención de este equilibrio puesto que permite entender el problema del asilo dentro de los desafíos de nuestra era (definición del desarrollo sostenible), presenta un marco concreto de actuación para conseguir este balance (objetivos de desarrollo) y facilita que la aplicación se realice de conformidad con los valores y principios consagrados en los Estados democráticos. Si bien hasta el presente no hay un objetivo de desarrollo concreto en materia de asilo, los objetivos en su conjunto proporcionan una marco de referencia ideal para una gestión en materia de asilo conforme a los valores y sociales y democráticos de un Estado de Derecho, así como también a las compromisos supranacionales e internacionales asumidos por el mismo.

Entendiendo el origen y los objetivos que se trata de obtener a través del desarrollo sostenible es posible llegar a una visión de este fenómeno que tenga en cuenta un equilibrio entre los diversos factores. En el presente trabajo se ha delimitado las esferas de actuación de los poderes públicos en el ámbito del asilo incluyendo la noción de la sostenibilidad tanto a nivel internacional, supranacional y nacional. Podemos concluir que el marco para lograr una visión sostenible en materia del asilo ya está presente en estos tres niveles y que hay una tendencia mayor respecto a la necesidad de conseguir un balance entre los factores por motivo de asilo. No obstante, para lograr mejores resultados es preciso que se mejoren los cauces para la coordinación de este problema tanto a nivel internacional supranacional como nacional y local. También es necesario que haya las prácticas y las regulaciones provenientes sobre todo a nivel supranacional y nacional de modo que sean congruentes con el concepto de la sostenibilidad. Finalmente, se requiere un esfuerzo por parte de los ciudadanos y los protagonistas económicos, de manera que entiendan que una visión sostenible en materia de asilo juega a favor de las necesidades presentes y de sus generaciones venideras.

ENFOQUE JURISPRUDENCIAL DE LA LIBERTAD RELIGIOSA Y DEL CULTO EN EL ORDENAMIENTO JURÍDICO COLOMBIANO

JAIME CAMILO BERMEJO GALÁN
Doctorando en Derecho
Universidad de Salamanca (España)

Sumario: I. Introducción. II. La libertad religiosa y de culto en el Derecho internacional. III. La libertad religiosa en el ordenamiento jurídico colombiano.

I. INTRODUCCIÓN

En el análisis, se desarrollará un enfoque jurídico donde se analizará el desarrollo jurisprudencial de la libertad religiosa y de culto en el ordenamiento jurídico colombiano, el objetivo principal es determinar los avances normativos y jurisprudenciales desde el punto de partida supranacional y en el ordenamiento jurídico interno; es importante analizar los enfoques de la temática que contemplaba la Constitución de 1886, artículo 38, que señala a la "La Religión Católica, Apostólica, Romana, es la de la Nación; los Poderes públicos la protegerán y harán que sea respetada como esencial elemento del orden social. Se entiende que la Iglesia Católica no es ni será oficial, y conservará su independencia".

Suma manifestar que ese cambio da un paso importante en el ordenamiento jurídico Asamblea Nacional Constituyente 1991. La libertad de conciencia representa uno de los aspectos fundamentales: cada persona tiene derecho a profesar libremente su religión (individual o colectivamente).

Por último, se analizará la libertad de religión y la diferencia que existe entre la libertad de creencias o de conciencia y libertad de culto.

II. LA LIBERTAD RELIGIOSA Y DE CULTO EN EL DERECHO INTERNACIONAL

El concepto de libertad religiosa está necesariamente conectado con el de religión. Pues bien, no resulta fácil proporcionar una definición de religión que abarque todos los posibles aspectos que entraña. En efecto, la religión, por antonomasia, implica una dimensión sobrenatural (y por tanto metajurídica), pero muestra también una vertiente humana y social con múltiples perfiles, de tal forma que resulta imposible agotar el concepto en una sola definición. En muchos casos la aproximación al concepto de religión por parte de las ciencias sociales es puramente fenomenológica[1].

Desde otro punto de vista señala Souto Paz, que la de libertad religiosa aparece primariamente como un concepto impreciso y difícil de determinar, habida cuenta que el mismo conlleva la pluralidad existente a nivel universal de lo que es en sí "la religión" y "lo religioso". A nivel cultural e histórico es claro que tales conceptos pueden significar y contener elementos variables de una época a otra, y de una civilización a otra[2], desde ese análisis toca tener presente la evolución que tuvo el poder político en la edad media, la iglesia cristiana, con sus diferentes cruzadas, al observar ese punto podemos ampliar el impacto que ha tenido la religión en cambios estructurales de los Estados, y más de los latinoamericanos.

Señala la catedrática Carazo que el derecho a la libertad religiosa cuenta con una doble vertiente, objetiva y subjetiva. En su vertiente objetiva, demanda de los poderes públicos una neutralidad ideológi-

---

[1]   SANCHO, J. *El derecho fundamental de libertad religiosa. Textos, comentarios y bibliografía*, Eunsa, Pamplona, 1996, p. 33.

[2]   SOUTO PAZ, J. A., *Comunidad política y libertad de creencias. Introducción a las Libertades Públicas en el Derecho Comparado.* 2ª ed. Marcial Pons, Madrid, 2003. p. 254.

ca y religiosa que no podrá oponerse a una relación de cooperación de los poderes públicos con las Iglesias, confesiones y comunidades religiosas. En cuanto a la subjetiva, se concreta en una autodeterminación religiosa que habrá de conllevar una consecuente opción de exteriorización de esas creencias religiosas con el único límite constitucional derivado de la observancia del orden público[3], de esta manera podemos ir observando una línea diferenciadora entre las dos vertientes señalada por la doctrina planteada.

En los parámetros establecidos por la globalización del derecho, sus cambios sustanciales que denotan una evolución estructural a las fuentes de los ordenamientos jurídicos, es para este caso la reglamentación por parte de normas supranacionales, cabe mencionar los señalado en el Pacto Internacional de Derechos Civiles y Políticos (ONU 1966) en su artículo 18, con algunos matices en los incisos 2, 3 y 4, que:

> Nadie puede ser objeto de medidas restrictivas que puedan menoscabar la libertad de conservar su religión o sus creencias o de cambiar de religión o de creencias; La libertad de manifestar la propia religión o las propias creencias estará sujeta , únicamente a las limitaciones prescritas por la ley que sean necesarias para proteger la seguridad, el orden, la salud o la moral públicos, o los derechos y libertades fundamentales de los demás, Los Estados Partes en el presente Pacto se comprometen a respetar la libertad de los padres y, en su caso, de los tutores legales, para garantizar que los hijos reciban la educación religiosa y moral que esté de acuerdo con su propias convicciones.

Dentro de este marco internacional el Estado colombiano mediante la ley 16 de 1972, ratificó lo expresado en el párrafo anterior, aprobando la Convención Americana sobre Derechos Humanos "Pacto de San José de Costa Rica", firmado en San José, Costa Rica, el 22 de noviembre de 1969.

Por otro lado, resaltamos lo referenciado en el Pacto Internacional de Derechos Económicos, Sociales y Culturales en la Parte II, donde señala el artículo 21:

> Cada uno de los Estados Partes en el presente Pacto se compromete a adoptar medidas, tanto por separado como mediante la asistencia y la

---

3   CARAZO, M. J., *El derecho a la libertad religiosa como derecho fundamental*, 2011.

cooperación internacionales, especialmente económicas y técnicas, hasta
el máximo de los recursos de que disponga, para lograr progresivamente,
por todos los medios apropiados, inclusive en particular la adopción de
medidas legislativas, la plena efectividad de los derechos aquí reconocidos. 2. Los Estados Partes en el presente Pacto se comprometen a garantizar el ejercicio de los derechos que en él se enuncian, sin discriminación
alguna por motivos de raza, color, sexo, idioma, religión, opinión política
o de otra índole, origen nacional o social, posición económica, nacimiento
o cualquier otra condición social (...).

Estas garantías, tienen un control supranacional, que se le ha otor-
gado el nombre de control de Convencionalidad, enfocado a sustentar
el ya establecido y aceptado por las cartas constitucionales, como lo
es el bloque de constitucionalidad; como lo establece de manera explícita la Constitución de 1991 en su artículo 93:

Los tratados y convenios internacionales ratificados por el Congreso,
que reconocen los derechos humanos y que prohíben su limitación en los
estados de excepción, prevalecen en el orden interno. Los derechos y deberes consagrados en esta Carta, se interpretarán de conformidad con los
tratados internacionales sobre derechos humanos ratificados por Colombia.
El Estado Colombiano puede reconocer la jurisdicción de la Corte Penal
Internacional en los términos previstos en el Estatuto de Roma adoptado el
17 de julio de 1998 por la Conferencia de Plenipotenciarios de las Naciones
Unidas y, consecuentemente, ratificar este tratado de conformidad con el
procedimiento establecido en esta Constitución. La admisión de un tratamiento diferente en materias sustanciales por parte del Estatuto de Roma
con respecto a las garantías contenidas en la Constitución tendrá efectos
exclusivamente dentro del ámbito de la materia regulada en él.

De la misma forma y mencionado a la jurisprudencia el sistema europeo establece una primera protección especial en el artículo noveno
del Convenio de Roma, al definir que:

"1. Toda persona tiene derecho a la libertad de pensamiento, de conciencia y de religión; este derecho implica la libertad de cambiar de religión o de convicciones, así como la libertad de manifestar su religión o
sus convicciones individual o colectivamente, en público o en privado, por
medio del culto, la enseñanza, las prácticas y la observación de los ritos. 2.
La libertad de manifestar su religión o sus convicciones no puede ser objeto de más restricciones que las que, previstas por la ley, constituyen medidas necesarias, en una sociedad democrática, para la seguridad pública,
la protección del orden, la salud o la moral públicas o para la protección
de los derechos y libertades de los demás".

Esto obedece a la globalización enmarcada desde caída del muro de Berlín, y que la protección de los derechos humanos desde la segunda guerra mundial, lo que se manifiesta en la nueva fuente del derecho, donde juegan un papel importante las instancias supranacionales.

III. LA LIBERTAD RELIGIOSA EN EL ORDENAMIENTO JURÍDICO COLOMBIANO

En el dinamismo jurídico colombiano se avanzó fundamentalmente en la constitucionalizarían de los Derechos humanos, dando paso a un enfoque laico de Estado; como lo afirma, Sanabria en su trabajo de grado, manifestando que El derecho a la libertad religiosa y a la libertad de cultos es un postulado que en el ordenamiento jurídico colombiano se estableció por parte del constituyente derivado como un derecho de categoría fundamental, es un derecho que por su contenido posee una estrecha relación con la libertad de expresión, la libertad de conciencia, con la dignidad humana e incluso con el derecho de asociación, que a lo largo del desarrollo paulatino de la historia ha tenido especial trascendencia con el desarrollo de los seres humanos en la sociedad[4]. Como se puede analizar, el derecho a la libertad religiosa desde un enfoque subjetivo, y la libertad de culto desde un enfoque más exteriorizado, fue un cambio pragmático que se dio en la nueva norma superior en el ordenamiento jurídico colombiano.

El Estado colombiano abandero la responsabilidad de garantizar la protección de las creencias profesadas por los ciudadanos y las diferentes organizaciones religiosas existentes y por existir en el territorio nacional, promoviendo la participación de estas en la consecución del bien común, manteniendo relaciones armónicas y de entendimiento con las Iglesias y confesiones religiosas de la sociedad colombiana[5].

---

[4]   SANABRIA FRANCO, J. S., *El derecho a la libertad religiosa y de cultos en el ordenamiento constitucional colombiano y su relación con el acto aprobatorio del proceso de paz* Investigación de grado. Universidad Católica de Colombia. Disponible en: https://repository.ucatolica.edu.co/bitstream/10983/14955/1/Trabajo%20de%20grado%20final.pdf (consultado 4 de enero 2022).

[5]   ESCOBAR, R. A., "El derecho a la libertad religiosa y de cultos en Colombia: evolución en la jurisprudencia constitucional 1991-2015", en *Revista Prolegómenos*

Es decir que la libertad de religión y de culto se elevó a una categoría, llamada de primera generación, a que a la vista es referencia como derecho fundamental, como señala Ferrajoli, que los derechos fundamentales son normas téticas constituidas como derechos singulares que adquiere cada individuo con exclusión de los demás, son universales, indispensables, inalienables atribuidos por normas jurídicas a todos en cuanto personas, ciudadanos o capaces de obrar dentro de un Estado.

Al respecto del ámbito de aplicación práctica desde la jurisprudencia de la Corte Constitucional, conviene decir que el constituyente derivado, mediante la concretización de una ley estatuaria[6], reguló la libertad religiosa y de culto, donde desarrolla lo establecido por el ya mencionado artículo 19; en esta base normativa el Estado se compromete a garantizar el derecho fundamental a la libertad religiosa y de culto y aclara que ninguna iglesia o confesión religiosa será oficial o estatal.

Respecto a esta libertad se han desatado diferentes problemas jurídicos respecto de la materia y a la educación religiosa que se exigía en la Constitución de 1886 (artículo 38):

> La Religión Católica, Apostólica, Romana, es la de la Nación; los Poderes públicos la protegerán y harán que sea respetada como esencial elemento del orden social. Se entiende que la Iglesia Católica no es ni será oficial, y conservará su independencia.

En relación con la libertad de cultos, la Corte Constitucional, como máximo tribunal de interpretación constitucional del ordenamiento jurídico interno y creada por la nueva norma fundamental de 1991 para tal fin, mediante sentencia:

> es fácil apreciar que ésta no es más que un aspecto de la libertad religiosa, el aspecto externo que se comprende en ella. No es, por tanto, un derecho autónomo. En efecto, como se ha dicho, la religión consiste en una relación personal con Dios, la cual se expresa exteriormente a través del culto público o privado; el culto, por su parte, es el conjunto de demos-

---

Derechos y Valores, 2017. Disponible en https://revistas.unimilitar.edu.co/index.php/dere/article/view/2727 (consultado el 10 de diciembre 2021).

6   Ley 133 de 1994, por la cual se desarrolla el derecho de libertad religiosa y de cultos, reconocido en el artículo 19 de la Constitución Política.

traciones exteriores presentados a Dios; luego, sin la relación con Dios, esto es sin religión, no se da un culto[7].

Es de analizar la diferencia profunda que hace la corporación en diferenciar una parte interna y la externa; la cual la primera hace parte de la parte religiosa y la segunda en libertad de culto. Es de argumentar que la libertad de culto a que hace referencia la Corte Constitucional no es no es absoluta pues encuentra sus propios límites en el imperio del orden jurídico, el interés público y los derechos de los demás. Su ejercicio, si se torna desmedido, exagerado o arbitrario como el de cualquier otro derecho, está explícitamente establecido por el numeral 1º del artículo 95, según el cual "es deber de la persona y del ciudadano respetar los derechos ajenos y no abusar de los propios". Al observar este enfoque, la Corte estableció:

> El artículo 19 de la Constitución no señala cuáles son los límites externos del ejercicio del derecho a la libertad religiosa. Este silencio del constituyente no debe llevarnos a creer que el derecho a profesar y difundir libremente la religión es absoluto e incondicional. En el Estado de Derecho, hay tres principios que rigen la libertad de las personas, dentro de los cuales debe encuadrarse siempre el ejercicio de la libertad religiosa:
>
> El de sujeción al ordenamiento jurídico, que el artículo 4o. de la Constitución consagra al estatuir que "es deber de los nacionales y de los extranjeros en Colombia acatar la Constitución y las leyes".

El de la buena fe, que el artículo 83 de la Constitución consagra, al establecer que "las actuaciones de los particulares y de las autoridades públicas deberán ceñirse a los postulados de la buena fe, la cual se presumirá en todas las gestiones que aquellos adelanten ante éstas"; y el de responsabilidad, que el artículo 6 de la Constitución recoge al disponer que "los particulares solo son responsables ante las autoridades por infringir la Constitución y las leyes"[8].

Como se venía reiterando con la Constitución de 1991, se hace un tránsito de un Estado confesional a un Estado laico y pluralista

---

[7]   Corte Constitucional. Sentencia C-617 de 1.997, M.P. Dr. Vladimiro Naranjo Mesa.

[8]   Corte Constitucional. Sentencia T-430/93, M.P. Hernando Herrera Vergara. Disponible en https://www.corteconstitucional.gov.co/relatoria/1993/T-430- (consultado el 10 de diciembre 2021).

Jaime Camilo Bermejo Galán

en materia de confesiones religiosas, que consagraba la Constitución
de 1886. El Estado se vio obligado a evitar cualquier tipo de reconocimiento cuyo efecto fuera dar a una confesión religiosa cierta posición preferente o privilegiada sobre las otras, y por el contrario, debió
reconocer su deber de respetar y garantizar a todas las personas que
se encuentran dentro de su territorio el goce y ejercicio pleno de su
derecho a la libertad religiosa[9]. Este es un enfoque planteado por la
Corte Constitucional en sentencia del año 92, un año después de la
entrada en vigencia de la constitución de 1991.

Cabe mencionar la potestad que tienen los padres sobre sus hijos
para escoger el tipo de educación para sus hijos menores, como lo señala el artículo 68 de la norma superior, pero dejando que los padres
tomen la decisión sobre los menores en centros de educación para
recibir la enseñanza que se base en la religión estipulada por los estatutos del centro de educación, así lo ha reiterado en varias sentencias
la Corte Constitucional.

De tal importancia Corte aclaró que uno de los rasgos caracte-
rísticos del Estado es, por tanto, su apertura al pluralismo. Tal apertura se conecta al menos con tres dimensiones: ser el reflejo de una
sociedad que (i) admite y promueve de manera expresa el hecho de
la diversidad (artículo 7); (ii) aprecia de modo positivo las distintas
aspiraciones y valoraciones existentes hasta el punto de proteger de
modo especial la libertad religiosa, de conciencia y pensamiento así
como la libertad de expresión y (iii) establece los cauces jurídicos,
políticos y sociales que servirán para dirimir los posibles conflictos
que se presenten en virtud de la diferencias vigentes en un momento
determinado[10]. Una de las principales características del Estado Social
de Derecho que se empezaba a gestar en la Asamblea Nacional constituyente es la inclusión social, y uno de los puntos importantes es la
aceptación y libertad de cada individuo de profesar su propia religión
o apartarse de cualquiera de estas, que empezaban a ser aceptadas
por la sociedad políticamente estructurada con los reflejos que se ges-

---

[9]   Corte Constitucional. Sentencia T-412/92.Magisrado ponente: Alejandro Martí-
       nez Caballero
[10]   Corte Constitucional. Sentencia T-388/2009.

taban en el mundo, desde el punto de partida de la globalización del Derecho. Esto obedeció a la apertura al Estado laico.

IV. CONCLUSIÓN

Desde el análisis de este trabajo podemos determinar la amplia argumentación que se tiene para que los Estados y, en especial, el colombiano, garanticen el derecho fundamental de la libertad religiosa y de culto que se vinculó en la constitución de 1991 y da paso al soporte del bloque de constitucionalidad en su artículo 93 superior, para regular supranacionalmente a través de los diferentes convenios y tratados internacionales que versa sobre los derechos humanos respecto de la libertad religiosa. Por otro lado, la carta superior otorga una facultad especial a la Corte Constitucional, como máximo tribunal en materia de derechos humanos, que, desde la vigencia de la Constitución colombiana de 1991, interpreta, pondera y argumenta lo relativo a derechos humanos, realizando un control de constitucionalidad en el ordenamiento jurídico colombiano.

INSEGURIDAD JURÍDICA Y ESTABILIDAD LABORAL REFORZADA POR CONDICIONES DE SALUD. TENSIÓN ENTRE LOS PRINCIPIOS DE IGUALDAD Y LIBERTAD DE EMPRESA

GERMÁN ERNESTO PONCE BRAVO
*Abogado y profesor en las Universidades Externado
y La Sabana (Colombia)
Doctorando en Derecho en la Universidad de Salamanca (España)*

Sumario: I. Introducción. II. Inseguridad jurídica y choque de principios entre altas cortes: *1. La Corte Constitucional. 2. La Corte Suprema de Justicia.* III. Una mirada internacional: Derecho comparado. IV. Conclusiones.

I. INTRODUCCIÓN

La protección del trabajador explica la implementación de sistemas previsionales de seguridad social, y en este sentido, una de sus manifestaciones más importantes es la prohibición de terminar la relación laboral cuando se trate de un trabajador que acredite una discapacidad, protección que en el ordenamiento jurídico colombiano responde al título de estabilidad laboral reforzada o fuero de salud. El alcance de este mecanismo de protección viene siendo objeto de un intenso debate entre la Corte Suprema de Justicia y la Corte Constitucional.

La hipótesis que se plantea en esta oportunidad consiste en que el tratamiento constitucional del fuero de salud, en lugar de funcionar como un mecanismo de protección laboral, materializa un fenómeno de desprotección que se concreta en dos puntos: (i) traslada al empleador la función de la seguridad social, en el sentido de que queda bajo su órbita de responsabilidad suministrar un sustento económico –salario– que garantice la subsistencia digna del trabajador, pese a un ausentismo que impacta la productividad de la empresa, y (ii) dificulta la generación de empleo, pues al incluir rigideces en el mercado laboral, las personas con alguna discapacidad física, o con la sospecha de tenerla, no son vinculadas laboralmente.

En este sentido, la afectación del mercado laboral por excesos regulatorios, producen un efecto contrario al que pretende la Corte Constitucional en materia de protección, es decir, que este tipo de medidas en lugar de proteger, desprotegen. La evolución jurisprudencial, en el periodo 2015-2020 permite identificar una intensa discusión, que se fundamenta en un choque de principios constitucionales, que tiene la posibilidad de impactar la cobertura del Sistema de Seguridad Social, fragmentar y debilitar el mercado laboral.

En este orden de ideas, el análisis sobre esta problemática se realizará en los siguientes bloques, a partir de (i) una introducción, en la que se plantea la importancia y el alcance de esta problemática; para pasar (ii) al segmento que explica el origen de la discusión que existe entre la Corte Constitucional y la Corte Suprema de Justicia; (iii) se hace un ejercicio de derecho comparado, para finalmente culminar con (iv) las conclusiones de esta problemática, anticipando que continúa siendo un problema sin solución.

Para iniciar, es importante presentar de manera descriptiva el comportamiento del ausentismo laboral en Colombia, haciendo énfasis en el sistema que protege los riesgos del trabajo. De esta manera, según las cifras de la ANDI (2021)[1], los casos promedio de ausentismo laboral por trabajador venían presentando una tendencia a la baja desde el año 2015, sin embargo, producto de la

---

[1]   ANDI: "Informe de seguimiento sobre ausentismo laboral e incapacidades médicas", http://www.andi.com.co/Uploads/EALI%202020.pdf (fecha de última consulta: 26 de febrero de 2022).

Covid-19, se experimentó un aumento exponencial registrándose 730.130 casos, especialmente en la categoría de permisos y licencias que representaron el 50% de las ausencias, producto de las medidas de aislamiento y distanciamiento social.

De los 1,78 casos por trabajador, 0,52 fueron por Covid-19, como consecuencia, se presentó una variación del 42% frente al año anterior y en términos de severidad, se duplicaron el número de días promedio de ausentismo a 15,7 al año. Esto no fue una tendencia exclusiva de Colombia, en Estados Unidos para el 2020, el promedio de personas que se ausentaron de sus puestos de trabajo fue de 1.5 millones al mes[2], 45% por encima del promedio de los últimos 20 años[3]. De igual manera, en la Unión Europea, en el primer trimestre de 2020, 4.3 millones de trabajadores más se ausentaron de su trabajo frente al cuarto trimestre de 2019[4].

En la categoría de permisos y licencias, según la ANDI (2021), las más representativas fueron calamidad doméstica con 138.4 casos por cada 1.000 trabajadores y las licencias no remuneradas con 250 casos, esta última como consecuencia de los periodos de aislamiento obligatorio. Cabe destacar que se mantuvo constante el ausentismo asociado a las enfermedades de origen común, no obstante, se encuentra que, de esos 0,82 casos, 0,52 fueron por covid-19.

Así mismo, en 2020 por cada 1.000 trabajadores en Colombia, 4,7 estaban reubicados y 36,4 presentaban restricciones médicas, y de estos trabajadores, el 33,2% no le aportaban una relación productiva a la empresa. Este porcentaje se duplicó en 2020 como consecuencia de las restricciones de movilidades impuestas por el Covid-19. Otro fenómeno que se destaca desde la ANDI (2021),

---

[2]   https://www.usatoday.com/story/money/2021/01/21/covid-19-workplace-absences-surge-2020-due-illness-fears/6585474002/ (fecha de última consulta: 26 de febrero de 2022).

[3]   https://www.cdc.gov/niosh/topics/absences/trends2020-2021.html (fecha de última consulta: 26 de febrero de 2022).

[4]   https://ec.europa.eu/eurostat/documents/2995521/11070754/3-08072020-BP-EN.pdf/6797c084-1792-880f-0039-5bbbca736da1#:~:text=In%20the%20first%20quarter%202020%2C%20a%20total%20of%2022.9%20million,persons%20to%202.3%20million%20persons. (fecha de última consulta: 26 de febrero de 2022).

es que el 90% de los trabajadores con restricciones médicas no cuentan con una pérdida de capacidad laboral, evidenciándose que el concepto de debilidad manifiesta se concreta en el elemento más importante de inseguridad jurídica.

Para Colombia, según cifras de Fasecolda (2021), por año de aviso, para el periodo de 2010 al primer semestre de 2021 se incapacitaron más de 5 millones de trabajadores. Producto de la Covid-19, el sector que presentó el mayor número de casos de incapacidad temporal fue servicios sociales y de salud con el 22% de los casos, seguido por inmobiliario con el 15.5% y la industria de manufactura con el 14%.

Desde el SGRL, se han hecho esfuerzos considerables en las actividades de promoción y prevención, en el periodo de 2015 a 2021 se han destinado $6.2 billones que representa el 21.7% de las cotizaciones, 6,8 p.p. de inversión adicional promedio por encima de lo establecido por Ley. Como resultado de la gestión en promoción y prevención, si se compara las tasas de comportamiento de siniestro, la tasa de accidentes de origen laboral disminuyó durante el periodo de referencia un 38,3% ubicándose en 4,8 por cada 100 trabajadores expuestos, sin embargo, desde 2020 se ha visto un incremento en la enfermedad laboral, al haberse establecido el Covid-19 como enfermedad laboral de reconocimiento directo para el personal de salud. La combinación de estos factores ha contribuido a la reducción que se ha experimentado en los siniestrados con incapacidad temporal, por este rubro, el SGRL destinó en 2021, $62.713 millones de euros.

En conclusión, es viable señalar que (i) desde el año 2015, se observa un descenso de eventos de incapacidad *por origen laboral* frente a los registrados por origen común que, entre otros aspectos, este descenso obedece al esfuerzo del Sistema General de Riesgos Laborales frente a la gestión del riesgo, y a la mayor inversión en los programas de promoción y prevención contra el riesgo laboral; (ii) más del 50% del ausentismo por incapacidad temporal se registra en la gran empresa; (iii) la tasa de 87% de ausentismo por incapacidad de origen común es una señal que alerta el uso abusivo de esta figura. Por estas razones, es un imperativo definir una política clara que establezca la generación de incapacidades, restricciones médicas y reubicaciones.

II. INSEGURIDAD JURÍDICA Y HOQUE DE PRINCIPIOS ENTRE ALTAS CORTES

El fuero de salud busca proteger la estabilidad laboral de los trabajadores que, por causa de una afectación en su salud que les impida o afecte su desempeño laboral, puedan ser víctimas de un trato discriminatorio y, por tanto, la Ley 361 de 1997[5] prohíbe a sus empleadores terminar unilateralmente su relación laboral, a menos que medie una autorización expresa del Ministerio del Trabajo al empleador, es decir, que se trata de una medida que pretende materializar el principio constitucional de igualdad[6]. De otro lado, está el principio de libertad de empresa[7], por el cual, no es posible imponer cargas desproporcionadas a una empresa, de tal manera que desnaturalice su razón de ser: la productividad.

La tensión entre estos dos principios se configura en una rigidez al mercado laboral que se manifiesta en dos caras de una misma moneda. De un lado, los empresarios como actores económicos funcionan bajo una lógica de mercado, por tanto, este tipo de medidas llevadas a un extremo, funcionan como un desincentivo para

---

5   Ley 361 de 1997. Artículo 26: "Artículo 26: "En ningún caso la limitación de una persona, podrá ser motivo para obstaculizar una vinculación laboral, a menos que dicha limitación sea claramente demostrada como incompatible e insuperable en el cargo que se va a desempeñar. Así mismo, ninguna persona limitada podrá ser despedida o su contrato terminado por razón de su limitación, salvo que medie autorización de la oficina de Trabajo. No obstante, quienes fueren despedidos o su contrato terminado por razón de su limitación, sin el cumplimiento del requisito previsto en el inciso anterior, tendrán derecho a una indemnización equivalente a ciento ochenta días del salario, sin perjuicio de las demás prestaciones e indemnizaciones a que hubiere lugar de acuerdo con el Código Sustantivo del Trabajo y demás normas que lo modifiquen, adicionen, complementen o aclaren".

6   Constitución Política de Colombia, artículo 13: "El Estado protegerá especialmente a aquellas personas que por su condición económica, física o mental, se encuentren en circunstancia de debilidad manifiesta y sancionará los abusos o maltratos que contra ellas se cometan".

7   Constitución Política de Colombia, artículo 333: "La actividad económica y la iniciativa privada son libres, dentro de los límites del bien común. Para su ejercicio, nadie podrá exigir permisos previos ni requisitos, son autorización de la ley. La libre competencia económica es un derecho de todos que supone responsabilidades".

la colocación laboral, en la medida que la estabilidad en el trabajo tiene una relación directamente proporcional con el estado de salud del trabajador y no de su nivel de productividad; y de otro, se incrementan los costos no laborales, lo cual afecta la viabilidad de la empresa[8] y, por tanto, compromete su supervivencia, máxime si se considera que el 94% de las empresas en Colombia son micro y pequeña empresa, al emplear menos de 10 trabajadores[9].

Dado que se trata de una medida de discriminación positiva, que busca garantizar un trato igual entre desiguales, el alcance que le han dado la Corte Suprema de Justicia y la Corte Constitucional en Colombia a este fenómeno ha sido diferente, lo cual, ha generado inseguridad jurídica en las relaciones laborales. Esto trae una consecuencia notable: le devuelve la seguridad social al empleador y/o contratista, destruyendo la noción previsional que fundamenta la protección social.

1. La Corte Constitucional

El precedente constitucional de esta figura ha sido consistente y cada vez más amplio[10], especialmente, por las sentencias SU-049 de 2017 y C-200 de 2019 en las que, en esencia, se "evoluciona"

---

[8]   Según la ANDI (2021), un empleador en Colombia para 2020 debió desembolsar en promedio 5,8% adicional sobre el salario por temas asociados al ausentismo. Se estima que, por cada 1.000 trabajadores, las empresas asumieron $39 millones de euros producto del ausentismo y por restricciones médicas y reubicaciones. http://www.andi.com.co/Uploads/EALI%202020.pdf (fecha de última consulta: 26 de febrero de 2022).

[9]   En materia de sostenibilidad de las unidades productivas en el tiempo, según Eurostat, en Europa para el periodo de 2018, el promedio de supervivencia en el primer año es del 82.7%, al tercer año es del 59.7% y al quinto año es tan solo del 45.63% https://ec.europa.eu/eurostat/statistics-explained/index.php?title=Business_demography_statistics#Enterprise_survival_rate (fecha de última consulta: 26 de febrero de 2022). Para Colombia, tomando como referencia al Innpulsa (2021), a los 5 años se mantienen operando el 54.3% de las empresas y al año 10, el 40.5%. https://innpulsacolombia.com/sites/default/files/documentos-recursos-pdf/Entregable%204D%20-%20Documento%20Publicable.pdf (fecha de última consulta: 26 de febrero de 2022).

[10] Ver las sentencias C-531 de 2000, C-824 de 2011, C-606 de 2012, C-458 de 2015.

de una fórmula de estabilidad laboral reforzada a una de estabilidad ocupacional reforzada, en donde (i) la población objetivo de esta previsión normativa que, originalmente, eran los trabajadores, ahora lo son también los contratistas y/o trabajadores independientes; que además (ii) el hecho generador de la protección no es una pérdida de capacidad laboral que oscile entre le 15 y 25%, como lo previó el artículo 26 de la Ley 396 de 1997, sino una afectación a la salud que "impida o dificulte sustancialmente el desempeño de sus labores en las condiciones regulares" y lo lleve a un estado de debilidad manifiesta, y; finalmente, (iii) siempre que el trabajador acredite (a) que la curación no haya sido posible durante ciento ochenta (180) días y (b) que lo incapacite para desempeñar su labor, tampoco es viable terminar el contrato de trabajo.

La evolución del criterio asumido por la Corte Constitucional se concretó, principalmente, con la Sentencia de Unificación SU 049 de 2017. El caso concreto consistió en la terminación de un contrato de prestación de servicios con un trabajador independiente con una afectación lumbar, como consecuencia de un accidente de trabajo. Este trabajador no se encontraba afiliado al Sistema de Seguridad Social y el contratante omitió verificar esta situación, razón por la cual, la terminación del contrato le dejaba expuesto a una situación difícil, máxime que se trataba de una persona mayor de 70 años. Entre otros aspectos que se critican en este espacio, uno de gran importancia es que, precisamente, se trataba de un caso en que el trabajador, en la realidad, no era independiente, luego la solución del problema de cobertura de la seguridad social era determinar al contratante como un empleador que no cumplió con el deber de afiliación y pago al sistema. De esta manera, en lugar de recurrir a la estabilidad laboral reforzada para proteger al trabajador, debió acudir al deber del empleador para con la seguridad social, para que sea la institucionalidad previsional la encargada de solventar sus afecciones de salud y económicas.

De otro lado, la Sentencia C 200 de 2019, determinó la exequibilidad condicionada de la facultad de terminación unilateral del contrato laboral al trabajador por incapacidad superior a 180 días, vulnera el derecho al trabajo, particularmente la garantía de estabilidad laboral reforzada, bajo el entendido de que para ello es preciso (i) agotar el tiempo de incapacidad estipulado —180 días— y que (ii) el empleador debe demostrar que el despido es efectuado por razones distintas a la situación de salud del trabajador o que se habían agotado todas las posibilidades dentro de lo razonable para poder mantenerlo en la empresa. Nuevamente la Corte equivoca su análisis, especialmente, atendiendo a dos criterios: en primer lugar, confunde la garantía de estabilidad laboral reforzada con la protección que ya existe del Sistema General de Seguridad Social, es decir, que un trabajador con una incapacidad, incluso si es prolongada, tiene derecho a la atención en salud y prestaciones económicas, y si supera los 180 días sin contar con un concepto médico favorable de rehabilitación, puede continuar con estas prestaciones, y además calificar la pérdida de capacidad laboral, con el fin de evaluar un eventual situación de invalidez.

Por otra parte, en la sentencia C 079 de 1996 la Corte analizó si la norma demandada afectaba la estabilidad en el empleo, y concluyó que dicha norma brindaba una estabilidad relativa en beneficio del trabajador incapacitado por razones de salud, que a su vez permitía no derivar un perjuicio injustificado al empleador como consecuencia de la falta de prestación personal del servicio, fijando un término razonable de 180 días[11].

Las principales reglas de estas sentencias, que se mantienen en la actualidad[12], pueden resumirse así:

---

[11]   Ver salvamento de voto de la Sentencia C 200 de 2019.
[12]   Ver Corte Constitucional. Sentencia T 020 de 2021, Sentencia T-459/21, entre otras.

Tabla 1. Principales reglas de la Corte Constitucional en el fuero de salud

Sentencia SU 049 de 2017	Sentencia C 200 de 2019
1. El derecho fundamental a la estabilidad ocupacional reforzada es una garantía de la cual son titulares las personas que tengan una afectación en su salud que les impida o dificulte sustancialmente el desempeño de sus labores en las condiciones regulares. 2. Con independencia de si tienen una calificación de pérdida de capacidad laboral moderada, severa o profunda. 3. La estabilidad ocupacional reforzada es aplicable a las relaciones originadas en contratos de prestación de servicios, aun cuando no envuelvan relaciones laborales (subordinadas) en la realidad. 4. La violación a la estabilidad ocupacional reforzada debe dar lugar a una indemnización de 180 días, según lo previsto en el artículo 26 de la Ley 361 de 1997, interpretado conforme a la Constitución, incluso en el contexto de una relación contractual de prestación de servicios, cuyo contratista sea una persona que no tenga calificación de pérdida de capacidad laboral moderada, severa o profunda.	1. El despido atiende sólo a la condición de salud del trabajador y este es un criterio superfluo o irrelevante para el trabajo; 2. El empleador debe agotar las posibilidades de traslados o ajustes razonables al término de los 180 días; 3. El empleador debe considerar los riesgos para el trabajador u otras personas de las opciones que considere; 4. Todo nuevo cargo o modificación en las condiciones del empleo implica capacitación adecuada; y 5. Si objetivamente el trabajador no puede prestar el servicio, es posible terminar el contrato.

La conclusión más plausible de la tesis de la Corte Constitucional es la de asimilar la incapacidad y la discapacidad, con el impacto de un calificador fundamental: que esta situación exponga al trabajador (a) a una situación de debilidad manifiesta; a lo que debe sumarse el hecho de que este criterio jurídico no solo otorga estabilidad laboral, sino también ocupacional, es decir, para trabajadores autónomos y/o independientes. La consecuencia directa de estos elementos, en los dos precedentes judiciales, necesariamente provoca un contundente efecto de inseguridad jurídica en las relaciones laborales y contractuales, pues la objetividad del despido es inocua frente al criterio de debilidad manifiesta. Es en este orden de ideas, este precedente traslada la

84

responsabilidad que está en la seguridad social al empleador, lo cual se evidencia, esencialmente, por tres motivos:

1. Actualmente, en Colombia, está consagrada la continuidad del servicio integral de salud, pues en todo caso se garantiza la atención aun cuando no se acredite capacidad contributiva;

2. Se cuenta además con mecanismos de protección al cesante a través del sistema de subsidio familiar, por el cual incluso se financian las cotizaciones a los subsistemas de salud y pensiones; mecanismo de solidaridad en materia pensional que se concretan en los programas del Fondo de Solidaridad Pensional;

3. A través del Sistema General de Riesgos Laborales, en virtud de la gestión de promoción y prevención de los accidentes de trabajo (empleador, trabajador y ARL) y de la obligación, prevista en el artículo 8 de la Ley 776 de 2002, de rehabilitar y reintegrar al trabajador de acuerdo con sus capacidades y aptitudes.

2. La Corte Suprema de Justicia

Su precedente judicial ha evolucionado de una manera coherente con la necesidad de proteger la estabilidad laboral, sin que ello implique un sacrificio de la viabilidad de la empresa. En este sentido, a partir de la Sentencia SL1360 de 2018, el criterio adoptado para resolver esta tensión se concreta en el ámbito de la compatibilidad de las aptitudes laborales requeridas para el desempeño del trabajo, manteniendo claro el principio de no discriminación, en cuanto que el despido de un trabajador en estado de discapacidad se presume discriminatorio, a menos que el trabajador demuestre en juicio la ocurrencia real de la causa alegada. Las reglas que resumen su criterio actual[13], son las siguientes:

1. Las decisiones motivadas en un principio de razón objetiva son legítimas en orden a dar por concluida la relación de trabajo.

---

[13]   Ver Corte Suprema de Justicia. Sentencia SL4632-2021, SL3144-2021 y SL2841-2020, entre otras.

2. El artículo 26 de la Ley 361 de 1997 no prohíbe el despido del trabajador en situación de discapacidad, lo que se sanciona es que tal acto esté precedido de un criterio discriminatorio.

3. La decisión tomada puede ser controvertida por el trabajador, a quien le bastará demostrar su estado de discapacidad para beneficiarse de la presunción de discriminación, lo que implica que el empresario tendrá el deber de acreditar en el juicio la ocurrencia de la justa causa.

4. La cuestión no es proteger por el afán de hacerlo, sino identificar y comprender los orígenes o causas de los problemas de la población con discapacidad y, sobre esa base, interpretar las normas de un modo tal que las soluciones a aplicar no los desborden.

Es importante señalar que el criterio de esta Corte hasta antes del 2018 fue igualmente más objetivo que el de la Corte Constitucional. En términos prácticos, frente al alcance del artículo 26 de la Ley 361 de 1997, señaló que, en efecto, ninguna persona con discapacidad podrá ser despedida o su contrato terminado por razón de su minusvalía, salvo que medie autorización de la Oficina de Trabajo, y (ii) que su población objetivo eran todas aquellas que tienen un grado de invalidez superior a la limitación moderada, es decir, aquellos trabajadores con una pérdida de capacidad laboral igual o superior al 15%[14].

La diferencia de criterio entre estas dos altas cortes ha generado una tensión que, en apariencia, está tratando de dar un giro a favor del criterio de la Corte Suprema de Justicia, en tanto que, en algunos casos, en sede de revisión de tutela, la Corte Constitucional ha moderado el extremo alcance de esta figura dado a través de las sentencias SU 049 de 2017 y C 200 de 2019. De hecho, es viable señalar que se trata de pronunciamientos contrarios a ellas, al reconocer que el fuero de salud no es ilimitado, y que por el contrario, es excepcional, sobre la base de que (i) estas controversias se deben debatir ante la jurisdicción ordinaria, y (ii) que haber sufrido enfermedades, incluso

---

[14] Ver Corte Suprema de Justicia. Sentencias con este criterio vigente hasta el año 2018 por ej. Rad. 39207 de 2012. SL10538-2016, CSJ SL5163-2017 y CSJ SL11411-2017.

catastróficas, no genera en sí mismo el derecho a gozar de una estabilidad laboral reforzada[15].

Ahora bien, estas sentencias de salas de revisión de la Corte Constitucional no son suficientes para dotar de seguridad jurídica al concepto de "debilidad manifiesta" como elemento central para definir la estabilidad laboral reforzada por situaciones de salud, dado que su consecuencia no es proteger la salud del trabajador, sino la de imputar una responsabilidad de estabilidad laboral a cualquier costo a la empresa como unidad productiva. De hecho, dos argumentos fundamentan esta afirmación: (i) la fundamentación conceptual de la debilidad manifiesta utilizada en la sentencia SU 049 de 2017, remite a sentencias de tutela de la misma corte en las que se resolvieron casos apremiantes de personas que, probablemente, quedaban expuestas a situaciones de alta vulnerabilidad, no obstante, se trata de situaciones que no guardan ningún tipo de relación con la estabilidad laboral reforzada derivadas del fuero de salud, por ejemplo: la protección de la seguridad personal de familiares de actores del conflicto armado, asuntos relativos a procesos de restablecimiento de derechos de menores de edad, entre otros[16].

---

[15] Ver Corte Constitucional. Sentencia T-305 de 2018. En donde concluyó la sala que: "En este caso concreto, siguiendo los parámetros fijados en la sentencia de unificación SU-040 de 2018 debe decirse que la estabilidad laboral reforzada se dirige a proteger a aquellas personas en situación de discapacidad, cuya relación laboral finaliza como consecuencia de esa condición, es decir, por un criterio discriminatorio. Sin embargo, en aquellas vinculaciones que se surten en el marco de una política pública de inclusión social y en consecuencia, su causa se fundamenta en la situación de discapacidad de la persona, no se constata discriminación en la desvinculación por vencimiento del plazo, es decir, no se observa un componente de discriminación negativa en la terminación de la relación laboral. Por el contrario, en estos eventos las contrataciones obedecen a acciones afirmativas por parte de las administraciones locales, que persiguen asegurar el disfrute de los derechos fundamentales en condiciones dignas".

[16] En el siguiente cuadro puede observarse los principales precedentes judiciales utilizados por la Corte Constitucional para conceptuar la debilidad manifiesta:

Precedente utilizado

Tema

1
T-719 de 2003
• La seguridad personal como derecho constitucional fundamental.

En este sentido, la definición de debilidad manifiesta es tan amplia, que cualquier tipo de situación puede adecuarse a ella, luego una regla de tal alcance conlleva a un desequilibrio de cargas al momento de la imputación de la conducta al empleador; y, (ii) se ha documentado que el porcentaje de trabajadores con restricciones médicas que no tienen una pérdida de capacidad laboral, y que es la población objetivo de este mecanismo de protección, es del 90.1%[17]. La consecuencia derivada de la implementación de este concepto consiste en que el ámbito de protección es desproporcionado frente a la lógica del sistema de protección social vigente en Colombia y, específicamente, frente a la fuente normativa que originó este debate: el artículo 26 de la ley 361 de 1997.

- El régimen de responsabilidad por presencia de riesgos excepcionales derivados del conflicto armado, igualdad ante las cargas públicas —que impide obligar a una persona a soportar riesgos desproporcionados—, así como en el deber elemental de las autoridades de proteger la vida e integridad de los ciudadanos.

2
T-1042 de 2010
Proceso de restablecimiento de derechos de menores de edad
3
T-167 de 2011
El elemento de la convivencia para el reconocimiento de la pensión sustitutiva al cónyuge o compañero(a) supérstite
4
T-352 de 2011
Caso en que patrullero sufrió accidente en acto del servicio y no se volvieron a pagar los salarios
5
T-206 de 2013
Prestaciones de salud no incluidas en el POS. Reconocimiento de gastos de traslado de pacientes.
6
T-269 de 2013
Reconocimiento de acreencias laborales

[17]   Informe de seguimiento sobre ausentismo laboral e incapacidades médicas. ANDI. 2021. Pág. 23

III. UNA MIRADA INTERNACIONAL: DERECHO COMPARADO

Es necesario hacer una mención de derecho comparado, especialmente del derecho europeo, en tanto que la prohibición de trato discriminatorio, la protección del trabajador por incapacidades temporales, por discapacidad y enfermedad también ha sido un tema de profundo debate. Lo cierto es que la legislación y las medidas que regulan la terminación del contrato laboral por circunstancias relativas a discapacidad o enfermedad crónica confluyen en un lugar común: debe existir un motivo válido, para configurar un despido objetivo, como es posible observar en la siguiente tabla:

Tabla 2. Criterios objetivos en la legislación europea para configurar el despido objetivo derivado de discapacidad o enfermedad crónica

País	Criterios de calificación
España e Italia	1. las faltas de asistencia al trabajo intermitentes; (iii) incumplimiento de sus obligaciones contractuales, o por (iv) razones inherentes a la actividad productiva, a la organización del trabajo o al regular funcionamiento de la empresa. 2. La enfermedad de larga duración puede justificar el despido por dos causas diferentes, por la ineptitud sobrevenida del trabajador o bien por su falta de rendimiento (Italia). 3. Las ausencias reiteradas habilitan el despido afecta de manera negativa a la producción de la empresa.
Alemania	1. Es viable por (i) circunstancias personales, apreciables de manera objetiva, (ii) por su comportamiento, y (iii) por circunstancias económicas, el despido se deba a la presencia de culpa. 2. La enfermedad determina la extinción del contrato de trabajo siempre y cuando el interés de la empresa sufra un perjuicio relevante: (i) existencia de un pronóstico negativo y (ii) serio perjuicio para la empresa.
Inglaterra	1. Entre las causas que dan lugar a un despido válido (*fair dismissal*) la capacidad del trabajador. (i) la falta de capacidad para cumplir con las tareas de trabajo y (ii) los ajustes razonables.
Francia	1. Circunstancias personales. Pueden concurrir la culpa y situaciones de carácter objetivo (*cause réelle et sérieuse*): (i) objetividad, hechos materialmente verificables, (ii) existencia real, susceptibles de ser probados en juicio y (iii) exactitud, los motivos del empresario deben corresponder exactamente con los motivos de despido. (iv) *insuffisance professionnelle*, escaso rendimiento, y (v) *insuffisance de résultats*, falta de alcance de resultados.

Ahora bien, centrando la atención es España, es necesario señalar que la Directiva 2000/78/CE del Consejo, de 27 de noviembre de 2000, realizó una equiparación entre enfermedad crónica y discapacidad, y que esta directiva ha sido el fundamento de diversos pronunciamientos por parte del Tribunal de Justicia de la Unión Europea-[18]que, a su vez, dieron origen a la denominada Doctrina Daouidi[19]. En este caso, el Tribunal debía resolver si la Directiva 2000/78 debe interpretarse en el sentido de que el hecho de que una persona se halle en situación de incapacidad temporal, con arreglo al Derecho nacional, de duración incierta, a causa de un accidente laboral, conlleva, por sí solo, que la limitación de su capacidad se pueda calificar de «duradera», con arreglo al concepto de «discapacidad» mencionado en esa Directiva, para concluir que "... el hecho de que el interesado se halle en situación de incapacidad temporal de duración incierta (en este supuesto a causa de un accidente laboral pero que podría ser igualmente aplicable a los casos de contingencias comunes) no significa, por sí solo, que la limitación de su capacidad pueda ser calificada de «duradera», con arreglo a la definición de «discapacidad»"[20]. En

---

[18] MORENO GENÉ, J., "La "política empresarial" de despedir a los trabajadores enfermos vulnera el derecho a la integridad física. Comentario a la sentencia del tribunal superior de justicia de Cataluña de 14 de septiembre de 2021 (No REC. 2943/2021)". *IUSLabor* 3/2021, p. 178-179. En este mismo sentido, ver entre otros a: LEGARRETA, R., "El concepto de persona con discapacidad en la Directiva 2000/78/CE y en el RDLeg. 1/2013: la asimilación de la invalidez permanente a la discapacidad", en *Trabajo y Derecho*, núm. 6, p. 2. VELASCO PORTERO, M. T., "Reconsideración sobre la equiparación entre enfermedad y discapacidad", en *Temas Laborales*, núm. 131, 2015, pp. 231-241. FERNÁNDEZ MARTÍNEZ, S., "La aplicación de la doctrina del Tribunal de Justicia de la Unión Europea sobre el concepto de discapacidad. Comentario a las sentencias del Tribunal Supremo de 22 de mayo de 2020 (rec. 2684/2017) y de 15 de septiembre de 2020 (rec. 3387/2017)", *Revista de Estudios Jurídicos y Criminológicos*, núm. 2, 2020, pp. 233-241.

[19] TJUE. Asunto C-395/15 (ECLI:EU:C:2016:917). https://curia.europa.eu/juris/document/document.jsf?text=&docid=185743&pageIndex=0&doclang=ES&mode=lst&dir=&occ=first&part=1&cid=665556 (fecha de última consulta: 26 de febrero de 2022).

[20] HIERRO HIERRO, F. J., "Despido y procesos de incapacidad temporal: una aproximación a la doctrina judicial y jurisprudencial española antes y tras la STJUE de 1 de diciembre de 2016, *Daouidi*, asunto c-395/15", en *Revista Galega de Dereito Social*, núm. 4, 2017, pp. 91-132.

este orden de ideas, lo cierto es que el punto nodal para determinar, lo que en el derecho español se denomina nulidad, o de otro lado, la improcedencia del despido, lo esencial es la determinación de la duración de las deficiencias físicas, mentales, intelectuales o sensoriales, como criterio para determinar si estas pueden entenderse como una discapacidad, de acuerdo con la convención y con la doctrina Daouidi. Distinto es que no exista una definición precisa de "largo plazo", pero esto puede decantarse con una parametrización de duración promedio dependiendo del tipo de lesión o afectación a la salud.

Para finalizar este apartado, pueden extraerse las siguientes conclusiones sobre el abordaje de esta problemática en el derecho europeo: (i) En la UE existe una prohibición absoluta de despedir a trabajadores con enfermedad crónica o discapacidad, y a su vez, no se contempla una obligación total de realizar los ajustes necesarios para permitirles conservar su puesto de trabajo; (ii) debido a que esta situación genera un choque entre la libertad de empresa y el derecho a la igualdad de estos trabajadores, la imposición de una obligación absoluta al empresario de mantener al trabajador que ha perdido su aptitud para desarrollar las tareas propias de la actividad económica empresarial no sería compatible con la libertad de empresa; (iii) en parte la solución a esta problemática implica la adopción de políticas activas de empleo, que sirviesen para potenciar las capacidades que aún conservan los enfermos crónicos y no centrarse en aquellas que han perdido; (iv) la legislación de la UE no prevé la autorización administrativa para la terminación del contrato; y (v) aunque la doctrina Daouidi refuerza la equiparación entre la discapacidad y la enfermedad crónica, el punto de discusión es determinar la durabilidad de la afección para calificar la conducta del empleador.

IV. CONCLUSIONES

Lograr el equilibrio entre los principios de igualdad–no discriminación y el de libertad de empresa es uno de los desafíos más importantes para lograr seguridad jurídica en las relaciones laborales, lo cual se evidencia con algunas conclusiones preliminares de esta problemática, aun sin solución en el ordenamiento jurídico colombiano, y con gran discusión en otros países:

i. La problemática generada por la estabilidad laboral reforzada por razones de salud en Colombia es el punto de inseguridad jurídica más importante en las relaciones laborales, debido a que no existe un precedente judicial unificado.

ii. El precedente sobre este tema de la Corte Constitucional de Colombia no permite un equilibrio entre la no discriminación – principio de igualdad – y la libre empresa, lo cual genera una carga excesiva en el empleador. Este precedente judicial contradice el principio de igualdad porque aplica los mismos postulados a personas en situaciones diferentes: no diferencia las personas discapacitadas de las que presentan alguna afección de salud.

iii. La experiencia internacional muestra que para lograr un equilibrio entre la libertad de empresa y el derecho a la estabilidad del trabajador requiere de precisiones en aspectos, tales como: (a) definir la ineptitud sobrevenida del trabajador por su impacto en la actividad de la empresa; (b) considerar que las ausencias reiteradas habiliten el despido porque afectan de manera negativa a la producción de la empresa; (c) incluir el concepto de escaso rendimiento.

iv. Es necesario eliminar el requisito de autorización administrativa para la terminación del contrato es una necesidad legal urgente.

v. La calificación de la debilidad manifiesta en el precedente de la Corte Constitucional sin recurrir a elementos objetivos se constituye en un incentivo para incurrir en excesos o abuso de esta medida de protección o la arbitrariedad judicial. Es necesario acudir a criterios de calificación objetivos de pérdida de capacidad laboral con el fin de verificar, de manera objetiva, la debilidad manifiesta.

vi. En el caso del procedente constitucional, se debió verificar el cumplimiento de las obligaciones de afiliación y aportes al sistema de seguridad social, que es lo que le otorga al trabajador el derecho a ser reubicado de manera adecuada y de recibir atención en salud laboral, sin necesidad de recurrir a la estabilidad laboral reforzada.

vii. Si la reubicación desborda la capacidad del empleador, o si impide o dificulta excesivamente el desarrollo de su actividad o la prestación del servicio a su cargo, el derecho a ser reubicado debe ceder ante el interés legítimo del empleador.

UN DESAFÍO AXIOLÓGICO DE SIGLO XXI: DEL TRABAJO HUMANO AL TRABAJO TECNOAUTÓNOMO Y SU PROBLEMÁTICA EN LA EXTENSIÓN TUTELAR DEL DERECHO LABORAL

GABRIEL D. RUIZ
*Abogado y Profesor en la Universidad Nacional
de la Patagonia Austral (Argentina)
Doctorando en Derecho en la Universidad de Salamanca (España)*

Sumario: I. Introducción y precisiones metodológicas. II. Los valores en la determinación de lo justo: *1 Factores de formación de valores. 2. La tecnología, la organización del trabajo y la proyección valorativa.* III. El paradigma capital-trabajo (humano) en la determinación de los principios de justicia laboral. IV. El cambio de paradigma: el trabajo *tecnoautónomo* en el siglo XXI. V. Conclusiones.

I. INTRODUCCIÓN Y PRECISIONES METODOLÓGICAS

Entrada la segunda década del siglo XXI, el avance tecnológico ha cambiado y está cambiando, todas las áreas de producción de bienes y servicios, en un proceso que transforma o readecúa el mercado de trabajo, pudiéndose destacar, como elemento diferenciador de esta época, la extinción generalizada de empleos a causa de la sustitución tecnológica que introduce lo que denominamos: el *trabajo tecnoautónomo,* apoyado en inteligencia artificial y cuyos efectos, parecen tender a una nueva estructuración del mercado de trabajo.

En este contexto, resulta pertinente plantear interrogantes respecto del alcance y su posible repercusión en las concepciones del Derecho Laboral cuyo sustento teórico, de creación político-histórica, se apoya en el paradigma capital-trabajo (humano), cuyo segundo componente, aparece en esta época problematizado. En consecuencia, por la complejidad del tema y debido a las múltiples miradas desde las cuales es posible su abordaje, es conveniente precisar los lineamientos por los que avanzamos en esta propuesta, cuyo esfuerzo se dirige a esbozar algunas preguntas y aventurar alguna respuesta.

Nuestra mirada se afianza en el enfoque analítico de la Filosofía del Derecho, por considerar que su actitud epistémica, derivada de la tradición del Círculo de Viena y de las ideas de Bertrand Russell[1], aporta una línea metodológica consistente con un cuidadoso análisis del lenguaje que, permite abordar un dialogo interdisciplinario incluyente de otras miradas, con los cuidados necesarios para que ese intercambio sea parte de una construcción congruente, limitando o aclarando significados que pueden aparecer presupuestos, pudiendo perjudicar algunos razonamientos, en caso de no tener en cuenta sus diferentes interpretaciones. Desde esta perspectiva, adherimos las concepciones que entienden al derecho como un sistema, o más concretamente como un subsistema del sistema social[2], cuya implicancia es relacional con otros sistemas y cuyos cambios pueden afectar, en cierta medida, su estabilidad.

Con este enfoque, que vincula diferentes aspectos del devenir social, nos referimos al desarrollo tecnológico vinculado al empleo, como un fenómeno global y en este sentido, nos parece adecuado introducir un cambio de estilo en el uso de la expresión: *el hombre*, que históricamente fue utilizada para designar al conjunto de la humanidad, pero que según nuestro modo de ver, resulta anacrónico y en su lugar utilizaremos las expresiones: *persona humana* o la *humanidad*, en forma indistinta, por considerarlas más precisas e incluyentes de todos los géneros, quedando adecuadas a la época. Con esta perspectiva, surge necesario aclarar, que desde la línea de indagación axiológica por

---

[1]   GUIBOURG, R.: «La concepción Analítica del Derecho», en BOTERO BERNAL, A. (coord.): *Filosofía del Derecho Argentina*. Bogotá: Temis, 2008, p. 5.
[2]   GRÜN, E.: «El Derecho Posmoderno: un sistema lejos del equilibrio», en *Doxa*, núm. 21 – II, 1998, pp.167-177.

la que transitamos, adherimos a la concepción de *unidualidad de la persona humana*, como un ser biocultural, es decir, que todo rasgo humano tiene una fuente biológica, a la par que todo acto humano está totalmente culturizado[3], este punto de partida, según nuestro modo de ver, es central en la proyección de cualquier idea jurídica.

Con estas primeras herramientas nos dirigimos a identificar y analizar lo que denominamos factores de formación de valores, como la cultura, los diferentes sistemas políticos y las creencias religiosas que, en su conjunto, en un proceso de histórico que los vincula en procesos de tensión y fricción, proyectan la jerarquización de unos valores sobre otros en la formación de las costumbres, en las normas jurídicas y eventualmente en la eficacia de los precedentes jurisprudenciales.

Desde este panorama, partimos de considerar que la sustitución tecnológica generalizada de la persona humana en los puestos laborales, según nuestro modo de ver, problematiza el paradigma del mercado de trabajo, construido como resultado del modelo que consolidó la Revolución Industrial en el siglo XIX y cuya adecuación normativa se consolido en las normas del Derecho del Trabajo establecidas en el devenir político del siglo XX.

Buscando precisión en la descripción de este fenómeno, se propone hacer una diferenciación del término 'trabajo', desdoblándolo en dos expresiones bien diferenciadas y representativas del nuevo contexto del mercado laboral: *trabajo humano* y *trabajo tecnoautónomo*, desde este enfoque se busca describir, en forma adecuada, cómo ha evolucionado el empleo en las primeras dos décadas del siglo XXI.

Con esta estructura, que incluye en su eje central al ser humano, las posibilidades tecnológicas de la época y la posible problematización organizativo/regulatoria, del mercado de trabajo actual, surgen como factor vinculante de estos elementos, *los valores,* desde los cuales se sustentan las decisiones y cuyas variaciones, ante los cambios tecnológicos, representan el aspecto clave de esta investigación. Por lo cual, el determinar qué entendemos por *valor*, y cómo lo podemos conocer, cobra relevancia vinculante entre las cosas, los actos y las personas que los perciben, y en este sentido, podemos afirmar que "Los valores

---

[3]   MORIN, E.: «La unidualidad del hombre», en *Gazeta Antropológica*, núm. 13, 1997.

son fenómenos que se sienten claramente"[4], aparecen como esencias valiosas, que se manifiestan formalmente en la intencionalidad de los sentimientos espirituales. La esencia implica la existencia, aquello cuya naturaleza no puede concebirse sino como existente y cuya proyección en el derecho, desde nuestra concepción, se materializa en dos etapas, la primera, vinculada a la construcción de principios y normas jurídicas, y la segunda transita por la hermenéutica decisoria de los jueces que se manifiesta en la aplicación concreta de las normas, desde donde el Derecho Laboral encuentra su adecuación dinámica a cada época.

Con estas primeras impresiones, nuestro esfuerzo, desde una Filosofía del Derecho del Trabajo, se dirige a esbozar algunos interrogantes entablando un dialogo abierto que admite nuevos aportes y puntos de vista para profundizar el planteo.

II. LOS VALORES EN LA DETERMINACIÓN DE LO JUSTO

Estudiar qué son los valores, cómo los podemos conocer y cómo funcionan, nos introduce en un diálogo axiológico que desde la filosofía moderna se puede ubicar, bajo el signo de la inmanencia, la unidad de conocimiento sensitivo e intelectivo[5], racionalismo y empirismo sintetizado en Kant[6] y que para el Derecho, según desde que perspectiva se aborde, puede implicar profundizar en el complejo entramado de las motivaciones que subyacen, muchas veces ocultas, dentro de las normas y las sentencias que van consolidando los principios de justicia.

En este sentido, hablar de valores representa un desafío que puede resultar sencillo en las impresiones y a la vez dificultoso en las justificaciones, que muchas veces problematizan la dimensión teórica en

---

[4]   SCHELER, M.: Ética. *Nuevo ensayo de fundamentación de un personalismo ético*. Ciudad de Buenos Aires: Revista de Occidente Argentina, Tomo 1.

[5]   DERISI, O.: *Max Scheler: Ética material de los valores*. Ciudad de Buenos Aires: Magisterio Español S.A., 1979.

[6]   No es objeto de este estudio adentrarnos en la polémica expresada por Max Scheler respecto de la teoría del valor desarrollada por Emanuel Kant.

la práctica, ubicándonos entre el deber ser (siempre deseado) y el ser que realmente se es.

Para desentrañar a qué llamamos valor, existen múltiples caminos y sin desconocer las diferentes perspectivas, consideramos que la propuesta del profesor Max Scheler (1974-1928) establece con notable precisión aquellos valores que se manifiestan en razón de los justo y que consecuentemente van a nutrir las argumentaciones que sustentan, en cada época, los criterios de justicia, que nuestro interés enfoca a un abordaje específicamente vinculado al derecho laboral, para lo cual, consideramos relevante, no suponer que todos tenemos concepciones similares sobre los valores y consecuentemente, nos focalizamos en precisar nuestra mirada sobre la estructura del valor, dónde y cómo lo podemos percibir y de qué manera se interrelacionan, para establecer cuáles son predominantes en el fenómeno del trabajo y si pueden sufrir una adecuación de época en el marco del desarrollo tecnológico.

Desde esta perspectiva, podemos sintetizar que los valores se manifiestan en las preferencias que existen, ahora bien, el profesor Scheler establece tres campos interrelacionados en la investigación sobre la captación de valores que interesan a nuestro objeto de estudio, porque detalla los fenómenos desde donde los podemos percibir y aprehenderlos, pudiendo observar, a poco de profundizar, que existen complejas relaciones que influyen y determinan las percepciones: 1. El estudio de las esencias de las cosas (o cualidades dadas) existen tres clases: 1.1. Las esencias y las conexiones de esencias de las cualidades dadas en los actos o contenidos objetivos (Fenomenología de las cosas; 1.2. Las esencias de los actos mismos y las conexiones que existen entre ellos (Fenomenología del origen); 1.3. Las conexiones entre las esencias de los actos y las esencias de las cosas (El percibir sentimental). 2. El estudio de los actos con que se aprehenden tales cualidades y de la relación de esos actos entre sí. 3. El estudio de las conexiones entre las cualidades y los actos que las captan.

Desde esta perspectiva, la estructura organizativa se perfecciona con una clasificación que contempla valores positivos y negativos, a cada valor, le corresponde un disvalor, organizados en un orden de jerarquía, superiores e inferiores. La escala es objetiva, es una jerarquía de valores absolutos que es intuida por la preferencia del superior o con el rechazo del inferior y en este sentido, se puede afirmar que percibimos valores, en las cosas, algunas nos gustan más que otras, apareciendo tenuemente una jerarquía incipiente en el propio acto de percibir, cuyo fenómeno también se proyecta a las conductas de los otros, por ejemplo: ayudar a una persona anciana a cruzar la calle, parece, en general, una conducta positiva. También percibimos valores en la relación establecida entre las cosas y los actos, como por ejemplo: robar, que implica una conducta vinculada a una cosa, que no es propia y que en todas las culturas es un acto disvalioso, pero como la propia humanidad de la persona es parte del fenómeno valorativo, si nos adentramos en las justificaciones laterales de la propiedad, diciendo que el ladrón roba al rico y reparte entre los pobres, el valor proyectado de la misma conducta (robar), pero en esta segunda mirada, contextualizado, puede atemperar su valor proyectado y tal vez no sea tan disvalioso en la práctica, aunque pueda seguir siéndolo en la teoría.

En materia de trabajo y valores, la contextualización es parte de la hermenéutica jurídica, por ejemplo: si el trabajo es un fenómeno esencialmente de colaboración, o si en cambio predomina la exploración, desde ambas interpretaciones, los valores percibidos ocuparán un lugar diferente en una escala jerárquica, cuya influencia operará sobre la determinación de derechos laborales concretos. Este punto es importante porque, el mismo proceso valorativo aparece en las miradas que abordan el fenómeno de la sustitución tecnológica de empleos, como algo positivo o como algo negativo. Desde nuestra mirada, el fenómeno es un hecho de la realidad cuyo valor se va formando vinculado a su proceso de incorporación, de este nuevo contexto, a la cultura organizativa de la sociedad.

Para consolidar esta estructura de análisis, el esquema aporta una clasificación que nos permite identificar la existencia de valores objetivos o de cosas, que se presentan en la intuición sentimental como dados y trascendentes al sujeto y valores subjetivos o de las personas que son los valores morales por los que una persona es buena o mala, virtuosa o viciosa, estos últimos, son esencias realizadas por la persona humana y su actividad.

A esta matriz, el profesor Scheler agrega *la disposición de ánimo*, que debe poseer forzadamente un valor moral en general y ha de poder mostrarse inmediatamente como un factor en el modo de formar-se el acto de voluntad. Es indudable, según el autor, que el valor moral de la disposición de ánimo fundamenta el valor moral del obrar, no hay buena acción, sin una buena disposición de ánimo.

Este complejo entramado que incluye relaciones múltiples entre cosas, actos y personas, vinculados dentro de un fenómeno relacional, cuya proyección valorativa podemos resumirla en el concepto de valiosidad[7] que utilizamos para identificar al bien (material o inmaterial), como objeto valioso y como formalidad valiosa, aparece como síntesis, de todas las interconexiones de esencias dadas, en la percepción de valores que surgen del propio fenómeno, que a nuestro criterio siempre esta transcurre en un proceso de tensión o fricción, con las tendencias y resistencias valorativas, que cada sociedad experimenta en su devenir histórico y que en el derecho del trabajo determina el régimen específico y la tutela protectoria.

Teniendo en cuenta que un abordaje de este tipo, problematiza las motivaciones, muchas veces ocultas, de los discursos políticos cuando asumen forma jurídica, cuya justificación se encuentra en valores subyacentes al propio discurso y teniendo la certeza que la organización del trabajo, es una parte esencial de las miradas sobre la organización social, que necesariamente se estructuran en concepciones del tipo político, corresponde precisar que esas tendencias formaran parte de nuestro recorrido.

1. Factores de formación de valores

Si los valores son preferencias que cada uno percibe, corresponde preguntarse si existen factores que determinan o influyen, de alguna manera, en la formación de esas preferencias, y en este sentido, cuáles se vinculan al valor que la sociedad le asigna al trabajo humano.

Una respuesta posible, aunque muy general, nos llevaría a centrar la mirada en el propio entorno que rodea al sujeto, porque todo nos influye, principalmente aquellos eventos que han marcado, de alguna manera, nuestra forma de ver el mundo y en este sentido, podemos

---

[7]   HERNÁNDEZ, H.: *Valor y Derecho. Introducción axiológica a la filosofía jurídica*. Ciudad de Buenos Aires: Abeledo Perrot, 1998.

identificar algunos factores determinantes que moldearon las concepciones modernas del Derecho del Trabajo, como lo conocemos hoy. En este sentido, existen dos aspectos determinantes, por un lado, su nacimiento bajo la sombra de la Revolución Francesa y de la Revolución Industrial[8], la primera de índole política y la segunda de índole tecnoeconómica, aunque también podemos identificar algún antecedente normativo concreto, como por ejemplo: la ley inglesa sobre el trabajo de niños deshollinadores de 1782 que jamás pudo ser aplicada, hasta que en 1875 cuando otras normas proporcionaron una cierta protección a estos trabajadores[9]. Este antecedente nos permite reflexionar que, independientemente de la pretendida protección normativa, no fue posible su aplicación hasta casi cien años después, tal vez porque los valores subyacentes, en la conducta social de la época, no eran consistentes con los valores anhelados y también subyacentes, en la norma positiva.

En consecuencia, desde estos breves antecedentes, podemos extraer que la tecnología, materializada en el cambio del proceso productivo, que propició la maquina a vapor, la política cuya innovación, a nuestro criterio, introdujo con la inserción jerárquica del concepto de libertad, que paulatinamente se incorporaría al mundo productivo a través del contrato de trabajo y la cultura predominante de la época, que desde Europa rápidamente se reorganizo entorno a la idea de la movilidad social de clases, a través de la educación y el trabajo, se constituyeron como los factores, desde los cuales, la insipiente legislación laboral absorbería los principios de justicia adecuados para los nuevos roles que determinarían el motor de la economía (empleador-empleado).

Estos nuevos, o renovados actores sociales siempre estuvieron y están, relacionados a través de un marco técnico/tecnológico, cuyo desarrollo, más o menos rápido, pero constante, es determinante en el proceso por el cual, cada sociedad, iría incorporando sus criterios de justicia, surgidos de la dificultosa relación entre tendencias y resis-

---

8   AMBESI, L.: «Tecnología, relaciones laborales y derecho del trabajo: acerca de la tensión entre la técnica y la persona», en *Estudios Socio-Jurídicos*, núm. 21 (1), 2018, pp. 245-266.
9   STAELENS GUILLOT, P.: *El trabajo de los menores*. Ciudad de México: Universidad Autónoma Metropolitana, 1993.

tencias, cuya síntesis se podría afirmar que dio origen, en los últimos doscientos cincuenta años, al Derecho del Trabajo como lo conocemos hoy.

Este momento histórico tan peculiar, donde las posibilidades técnicas impulsaron una de las reorganizaciones sociales más profundas de la historia de la humanidad y que cambiaría para siempre la dinámica y el movimiento de las clases sociales, permitiendo que las personas, solo con la fuerza de su trabajo y su voluntad, puedan progresar, no se desarrolló de manera uniforme en los diferentes países, mi tampoco fue fácil, cobrando miles o millones de vidas, debido a las duras condiciones laborales establecidas en un mundo duro, cuyo movimiento y eventual progreso, siempre es a base de fuerza.

En este contexto, el factor político, retomó su mirada, podríamos decir, siempre crítica, objetando las bases de la teoría clásica sobre el desarrollo de las fuerzas que gobiernan el mercado y su relación con el Estado, cuya sustentación había postulado por Adam Smith (1723-1790), y cuyo eje transita por una teoría del valor económico desarrollado en base a la colaboración y organización del trabajo que, por su parte Karl Marx (1818-1883), en vista de las duras condiciones laborales de la época, va interpretar como una relación de explotación, mediante la cual, el capitalista, se queda con parte del valor de las horas de trabajo del proletario, dirigiéndose a problematizar la propiedad privada.

Esta controversia, cuyo eje se concentra en la existencia o no de la propiedad privada, desde las concepciones teóricas hasta las posibilidades prácticas, determinó las relaciones internacionales en el siglo XX, enfrentado dos visiones de mundo, y poniendo a la propiedad privada y a la organización del trabajo en tela de juicio.

A esta dialéctica, se puede sumar, un matiz muy importante que se puede identificar en algunos países del norte de Europa y de América, el factor religioso, que según la investigación de Max Weber, cuya investigación dirigía a desentrañar, por qué el capitalismo tuvo un desarrollo tan dispar en diferentes países, llego a la conclusión que el giro de concepción impulsado por la reforma protestante, operó un cambio sobre el paradigma católico de la época, que concebía un ascetismo en este mundo para encontrar luego de esta vida la gracia divina, a una mirada que ubicaba a la persona, como un instrumento de Dios en esta vida y su éxito económico era muestra de esa selección Divina.

Esta variación, operó sobre la ética social imperante posibilitando el desarrollo de un marco normativo distinto y que el autor describe, haciendo una comparación entre dos tipos de capitalismo, el primero de carácter aventurero, comercial y especulador, en general muy vinculado al capitalismo político, que siempre ha existido en toda la historia de la humanidad, y el segundo un capitalismo sustentado en una ética direccionada por valores estables y ordenadores, que en estos países están vinculados a los valores trascendentes, "…el capitalismo industrial moderno racional requiere tanto de los elementos técnicos de cálculo del trabajo, como de un Derecho previsible … solo el occidente ha brindado a la vida económica un Derecho y una administración dotándolos de esta exactitud clásica técnico–jurídica…"[10].

Por consiguiente, nuestro recorrido no permite afirmar que existen varios factores que interactúan en la formación de las percepciones que nos hacen valorar, las cosas, los actos y sus relaciones. En este aspecto, la tecnología surge como un factor dinámico y determinante en la organización social, vinculándose en forma constante e ininterrumpida, entorno a procesos políticos donde podemos distinguir también, a los actores sociales que ejercen influencia, como los sindicatos, las cámaras empresariales, los propios trabajadores y emprendedores, en tanto individuos, cada uno y en su conjunto, con su visión de mundo que puede incluir, en mayor o menor medida, una perspectiva sobre la libertad, la propiedad y la religión.

2. *La tecnología, la organización del trabajo y la proyección valorativa*

Si las posibilidades tecnológicas del siglo XXI, que parecen dirigirse, según las miradas más pesimistas, a la exclusión, en gran medida, del ser humano del mercado laboral, pudiendo esta circunstancia, determinar una reorganización del trabajo que implique un cambio de paradigma social, es un interrogante muy complejo y que aún, según

---

[10]   WEBER, M.: *La ética protestante y el espíritu del capitalismo.* Ciudad de México: Premia, 1991.

nuestro criterio, no se planteado con toda la profundidad que implica esta conjetura, debido, por un lado, a que no existen datos contrastables determinantes, que abarquen toda la complejidad del fenómeno, y por el otro, debido a la dispersión tecnológica global, cuya penetración es muy disímil en las diferentes regiones del mundo que, ante todo, podemos mirar como un mundo marcado por una tendencia a la globalización cultural, económica y tecnológica, que la OIT denomina también hiperglobalización[11].

Este fenómeno de sustitución de la persona humana de los puestos laborales, cuyo proceso transcurre dentro de lo que se ha denominado Industria 4.0 y cuya particularidad, es la implementación de tecnologías de robotización y digitalización asistidas por inteligencia artificial, que también se conocen como sistemas ciber-físicos, integrados por una red de máquinas, productos físicos, componentes virtuales y dispositivos de comunicación que interactúan unos con otros[12] es el rasgo peculiar de la época, cuya implementación no extingue el trabajo, sino que elimina el empleo específico del ser humano, es decir que la persona humana se vuelve obsolescente para esa tarea específica que realizaba en el marco de una relación laboral, por ejemplo: el trabajo de soldadura, sigue existiendo y es realizado, en todas las líneas de ensamblaje de automóviles, la industria, igualmente necesita soldar el producto, pero ya no es necesario el soldador humano.

Desde esta realidad y contrastando la anterior mirada con perspectivas más optimistas, podemos encontrar planteos también más esperanzadores, cuyo sustento se apoya en antecedentes históricos, que en líneas generales, vinculan cada cambio tecnológico importante a un reacomodamiento en el mercado de trabajo que crea nuevas necesidades y consecuentemente nuevos puestos laborales y que en esta etapa, apoyados en las necesidades de mantención y desarrollo de las

---

[11]   SUBRAMANIAN, A.; KESSLER, M., «The Hyperglobalization of Trade and Its Future», en ALLEN F.; BEHRMAN, J.; BIRDSALL, N.; FARDOUST, S.; RODRIK. D.; STEER, A.; SUBRAMANIAN, A.: *Towards a Better Global Economy. Policy Implications for Citizens Worldwide in the Twenty-first Century.* Oxford: Oxford University Press, 2014, pp. 216-177.

[12]   LAUDANTE, E.: «Industry 4.0, Innovation and Design. A new approach for ergonomic analysis in manufacturing systems», en *The Design Journal*, núm. 20, 2017, pp. 2724-2734.

nuevas tecnologías, redirigirían la demanda laboral a cualificaciones más especializadas. Estas miradas también advierten que, en caso de concretarse un proceso en este sentido, todo parecería indicar que los nuevos empleos serán puestos de alta calificación técnica.

En definitiva, el debate de estas transformaciones esta polarizado entre aquellos que prevén ilimitadas oportunidades y aquellos que suponen una masiva alteración del empleo.

Pero si tomamos en cuenta que, por lo menos una de estas miradas, contempla una alteración masiva del mercado de trabajo, nos encontraríamos ante un cambio de paradigma que problematizaría la existencia propia del Derecho del Trabajo, cuyo presupuesto material es la existencia de un empleo. En este sentido, según nuestro modo de ver, el debate en torno a los valores, es expansivo y no involucra solo el valor del trabajo humano en sentido material, que se puede expresar en el valor económico (el precio de la hora de trabajo), ya que en caso de extinguirse el puesto de empleo, la hora deja de tener este valor, sino que se extiende al valor en sentido inmaterial, que se manifiesta en aquello que el trabajo, significa para la persona humana, cómo lo relaciona con su entorno cercano y con la sociedad en el paradigma comunitario construido en el proceso de la revolución industrial (que se materializa en la relación de empleo) y cuál es su proyección en un futuro cuyo formato solo se puede conjeturar.

III. EL PARADIGMA CAPITAL-TRABAJO (HUMANO) EN LA DETERMINACIÓN DE LOS PRINCIPIOS DE JUSTICIA LABORAL

Todos los principios de justicia trabajo, y el propio derecho laboral, existen en la medida de la existencia de una relación de empleo, que como adelantamos, se consolidó mediante un proceso histórico que sentó un esquema que vinculaba el capital, representado por los emprendedores (empresarios-capitalistas) con el trabajo, realizado por los trabajadores y cuya materialidad, se dio en formas muy diferentes, según la cultura, el desarrollo tecnológico, la política y la religión, pero que en todo momento fue y es, un fenómeno relacional humano vinculante de, por los menos, dos personas en su perfeccionamiento, pero que se proyecta a todo tipo de relaciones sociales.

Las interpretaciones que se esforzaron explicar esas relaciones subyacentes en el fenómeno del trabajo, en general, ayudan a comprender algunos matices que, a nuestro criterio, no son absolutos, pero si pueden ayudar a completar las piezas de un mapa esquemático del trabajo y la construcción histórica de una regulación problematizada o en vías de problematización a causa de las posibilidades tecnológicas de la época.

Para aportar un ejemplo de estas líneas tan influyentes, por las cuales la dialéctica política y jurídica transitó en el siglo XX, podríamos afirmar, tomando cuatro autores clásicos, que, ante el mismo fenómeno laboral, Adam Smith verá colaboración, Karl Marx verá explotación, Max Weber verá realización y Michel Foucault verá dominación, y cada una de esas miradas proyectarán normas diferentes, aunque el fenómeno sea el mismo[13].

Tal vez, estas diferencias contempladas en conjunto, no se excluyan entre sí, sino que formen parte de las piezas que colaboren en describir un mismo fenómeno, relacionándose y dando pie a un enfoque que aborde la complejidad de la materialidad dinámica del trabajo, como un fenómeno siempre en movimiento, que no es posible aprehender del todo o describirlo en forma perfecta desde los esquemas teóricos, siempre incompletos y limitados al horizonte de comprensión del sujeto cognoscente.

Podemos relacionar la perspectiva de los autores mencionados desde nuestra mirada, también expresada con nuestras limitaciones, inclinándonos a pensar que, el trabajo, es un fenómeno de colaboración, que puede trazar un camino por el cual una persona puede sentir realización en la vida, pero también, puede constituirse en un vínculo cultural, jurídico o psicológico de dominación, que propicie formas de explotación, en los términos que la entendemos en la actualidad. En consecuencia, al ser un fenómeno viviente, que se materializa mediante un vínculo específico entre el empleador y el empleado, pero que se proyectan a todos los vínculos que las partes mantienen en su entorno social, el trabajo, se constituye como parte de la estructura

---

[13] RUIZ, G. «Axiología Dinámica en el Derecho Laboral», en *Revista de Graduados de Derecho de la Universidad Austral*, núm. 10, 2020.

social que, por lo menos en occidente, es el factor diferenciador del progreso y la paz en estas sociedades modernizadas.

Es en esta expansión que aparece un factor oculto del trabajo, que podemos identificar como su valor inmaterial, que se manifestó en el sentido que tiene para la persona humana, que en términos sociales podríamos identificar como la importancia de la existencia del empleo para la comunidad y cuanto esta vinculado a la paz social. Por lo cual la sustitución generalizada de empleos humanos por tecnología trasciende el tema solo el trabajo proyectándose a la propia selección de valores que sustentan la organización social.

IV. EL CAMBIO DE PARADIGMA: EL TRABAJO *TECNOAUTÓNOMO* EN EL SIGLO XXI Y LOS ESTÁNDARES HUMANOS

Como hemos analizado, la modernización de las sociedades, o por lo menos la modernización de sus capacidades tecnológicas, parece propiciar a la extinción generalizada de gran parte de los puestos de trabajo humanos, mediante la implementación de la robótica, asistida por inteligencia artificial, realidad extendida y el aprendizaje algorítmico que, a nuestro criterio, tiende a reconfigurar el mercado de trabajo.

Si bien no existe acuerdo teórico, sobre la profundidad del cambio, en general se admite, desde diferentes sectores, la susceptibilidad de los empleos a la automatización, cuyo análisis, teniendo en cuenta las miradas más y menos pesimistas, tiende a coincidir, por un lado, en la aparición de perdedores y ganadores de la digitalización y por el otro, con la necesidad de intervenir en los sistemas de formación y reciclaje del factor humano[14].

Desde este panorama, surge oportuno esbozar un aporte en la descripción de este fenómeno tan complejo y con tantas implicancias sociales, para lo cual, nos apoyamos en el constructo compuesto por

---

[14]   LAHERA SÁNCHEZ, A.: «Digitalización, robotización, trabajo y vida: cartografías, debates y prácticas», en *Cuadernos de Relaciones Laborales*, núm. 37 (2), 2019, pp. 249-273.

los términos *trabajo tecnoautónomo* (tecno, tomado de técnico del latín *techĭcus*, del griego *tekhnikós* "relativo al arte", en conjunción con autónomo, del griego *autós* "mismo", *nómos* "ley")[15] que según nuestro de ver, expresa con precisión el fenómeno subyacente que revela la subsistencia del puesto de trabajo, gestionado por herramientas tecnológicas de carácter autónomo, es decir, que se gestionan a sí mismas y su relación con la extinción del puesto de trabajo humano.

Este constructo, puede dar pie en ulteriores investigaciones que se dirijan a desarrollar una clasificación más abarcadora, que agrupe las empresas según su porcentaje de integración entre el trabajo humano y el trabajo tecnoautónomo, pudiendo este rasgo convertirse en un factor a tener en cuenta en futuras regulaciones laborales, tendientes a la mantención de estándares humanos en cada organización.

Cabe tener en cuenta que el número de empleados de una empresa es un factor importante en algunas legislaciones europeas como por ejemplo la alemana, donde esta relación es determinante en materia de negociación, al punto que, si una empresa tiene más de dos mil empleados, un representante de los trabajadores pasa a integrar el órgano directivo o comité de empresa que funciona en paralelo a la representación sindical, es decir que el sindicato cuenta con dos canales en la relación[16].

El eje de problematización central, que plantea una extinción generalizada de empleos a causa de sustitución tecnológica, por lo menos a nuestro criterio, atraviesa por el sentido que tiene el sistema productivo para la sociedad, que en la historia occidental, no ha sido únicamente de provisión de bienes y servicios, sino que se ha constituido como el vértice sobre el cual, cada persona, podía encontrar su lugar en la sociedad, posibilitando una retroalimentación que vincula a trabajadores y empleadores, cuya energía se distiende en buscar caminos de mejoras, siendo las medidas de fuerza excepcionales, cuando hace un poco más de dos siglos eran la regla.

---

[15] COROMIDAS, J.: *Breve Diccionario Etimológico de la Lengua Castellana*, 3.ª ed. Madrid: Gredos, 1987.
[16] ZACHERT, U.: «La estructura de las relaciones laborales en Alemania», en *Anuario da Facultade de Dereito da Universidade de A Coruña*, núm. 11, 2007, pp. 1029-1040.

En razón de ello, creemos importante destacar que la actividad económica cobra sentido en tanto su proyección humana y en tanto posibilita a la persona humana desarrollar un sentido individual y social, esta característica, es el rasgo diferenciador que puede direccionar los esfuerzos futuros del Derecho del Trabajo en cuanto a su extensión tutela.

V. CONCLUSIONES

En vista a un futuro de expansión tecnológica, en parte previsible, pero en gran parte especulativo, cabe preguntarse si en los últimos doscientos cincuenta años, el Derecho del Trabajo occidental ha consolidado un conocimiento susceptible de ser transmitido en forma de sabiduría y de práctica jurídica, que permita trazar un camino de adecuación al nuevo escenario que plantea un mundo con muy pocos trabajadores, muy especializados y en industrias muy específicas.

En este sentido, surge pertinente preguntarnos qué hemos aprendido y qué hemos aprehendido de las luchas políticas, de su proyección jurídica y de la enorme voluntad humana de expandir su conocimiento y su desarrollo tecnológico. Estos cuestionamientos, esbozados desde la academia jurídica, se dirigen a entablar diálogos que colaboren en el abordaje de los desafíos que la realidad nos plantea y que, en este momento histórico, tienden a problematizar los vínculos entre diferentes sistemas que componen la sociedad (mercado de trabajo humano-Derecho Laboral) o entre sus componentes y cuya estabilidad depende de variables de carácter dinámico.

En este contexto, un escenario con la mayoría de la humanidad excluida del mercado laboral implicaría también una modificación o alteración en los valores que determinan los derechos acuñados en un mundo, donde la relación empleado-empleador concentra en interés protectorio del Derecho Laboral, entorno al trato digno, la remuneración justa y los derechos sociales derivados de los años de trabajo.

En definitiva, la problematización puede extenderse a la existencia propia del Derecho Laboral contemporáneo, o a una readecuación ajustada al nuevo y aparentemente reducido mercado laboral, cuyo factor distintivo es la existencia del trabajo tecnoautónomo y la mayor o menor composición humana en cada emprendimiento o empresa. Este rasgo, según nuestra mirada, puede ser un factor constituyente de un escenario laboral atravesado por una readecuación tecnológica y consecuentemente del sistema de reglas que regule sus relaciones laborales.

AS FALSAS PREMISSAS DA NOVA REFORMA ADMINISTRATIVA BRASILEIRA (PEC Nº 32/2020) E A PRECARIZAÇÃO DAS RELAÇÃOES DE EMPREGO PÚBLICO

DANIEL ALLAN MIRANDA BORBA
Procurador do Município de Maceió (Brasil)
Doutorando pela Universidade de Salamanca (España)

I. INTRODUÇÃO

No Brasil, observa-se duas etapas ou modelos de administração pública: a burocrática das primeiras décadas do século vinte, que tentou superar o patrimonialismo típico do período colonial; e a gerencialista, fruto da redemocratização na década de 1990 e da influência do neoliberalismo. Ocorre que este país sofre certas peculiaridades caracterizado pela acumulação de fenômenos e ausência de rupturas nos planos normativos, institucional e cultural, razão pela qual se pode afirmar que nenhum destes modelos foi devidamente implantado.

Sob o comando de Luiz Carlos Bresser-Pereira, economista e jurista brasileiro, em meados da década de 1990, foi tentada a implementação da Nova Gerência Pública na administração pública federal brasileira, depois dispersadas pelos mais variados entes da federação. Ainda que não tenha trazido avances significativos depois de quase trinta anos de tentativas de sua utilização, o governo brasileiro, em especial o federal, continua utilizando os seus postulados nas reformas atuais.

Tal afirmação se observa com certa clareza na Proposta de Emenda à Constituição (PEC) nº 32/2020 de origem do Poder Executivo Federal, que tem por objetivo, em especial, trazer novas disposições em relação aos servidores públicos, para além de incorporar alguns princípios e de introduzir um forte espírito subsidiário do Estado, elementos de caráter neoliberal.

Entretanto, em que pese os avanços do Estado Neo-Weberiano nos países europeus continentais, que possuem uma maior semelhança normativa e cultural com o Brasil quando comparado aos países anglo-saxões, este modelo é quase que ignorado pela literatura e pelos governos brasileiros, que consideram a Nova Gerência Pública como a única corrente admissível.

Ocorre que estas reformas vêm, ao longo do tempo, produzindo efeitos gravíssimos nos sujeitos que prestam os serviços públicos, em especial pelo fim dos supostos privilégios, quando em verdade se trata de garantias para o exercício da sua função pública de modo impessoal e independente, elementos indispensáveis para o bom trato com a coisa pública.

Observa-se que ao longo das reformas administrativas anteriores houve cortes em relação ao regime estatutário, possibilitando a coexistência de dois regimes, existiu flexibilização da estabilidade e da disponibilidade remuneração, para além da diminuição de diversos direitos trabalhistas e previdenciários.

A precarização destas relações de trabalho público também foi observada a partir das diversas fórmulas de privatização do Estado, com a ampliação das hipóteses de concessão de serviços públicos e terceirização, inclusive na atividade-fim, como a denominada "publicização" que autoriza o desempenho de serviços públicos através de parcerias com as organizações sociais.

A proposta de reforma administrativa atual vai além e resgata conceitos ultrapassados em termos de gestão da coisa pública, como o fim da estabilidade do servidor público (mantido apenas para algumas categorias) e a criação de vários regimes jurídicos, e, mais uma vez confirma o viés neoliberal e gerencial da reforma, que, de forma indireta, traz efeitos também para os servidores públicos, pois, nos moldes propostos, a terceirização dos serviços públicos será o grande caminho a ser seguido.

Assim, o objetivo geral deste trabalho é examinar as justificativas e as consequências da Proposta de Emenda à Constituição (PEC) nº 32/2020 nas relações de trabalho dos servidores públicos, contextualizando com os preceitos da Nova Gerência Pública, com o fim específico de verificar a precarização destas relações e, por via de consequência, do próprio serviço público.

A presente investigação será dividida em três partes. Na primeira será verificado o processo de desestruturação das relações de trabalho público no Brasil. Em seguida, será examinada a PEC nº 32/2020 e falsas premissas da reforma administrativa. Por fim, a atual reforma será brevemente analisada a luz duas teorias preponderantes (Estado Neo-Weberiano e Nova Gerência Pública), com o objetivo de trazer algumas propostas de direcionamento.

Para alcançar os fins propostos, será utilizado o método descritivo, que só registra e descreve os fatos observados em um determinado caso. Também será realizada uma investigação das normas que tem permitido as mudanças mencionadas. A coleta de dados se limitará aos documentos escritos. A investigação bibliográfica será realizada em artigos científicos, livros, jornais e revistas dedicadas ao tema estudado.

II. BREVES RELATOS DA DESESTRUTURAÇÃO DAS RELAÇÕES DE TRABALHO PÚBLICAS NO BRASIL

Tendo como marco temporal inicial a Constituição Federal de 1988, observa-se que o servidor público possuía diversos direitos e garantias que funcionavam não só como proteção pessoal, mas, antes de tudo, como uma proteção para o regular exercício da função pública, de forma independente e impessoal[1].

---

[1] BORBA, D., *Estado empresarial e reforma gerencial: uma análise da precarização vertical e horizontal das relações de trabalho na Administração Pública Brasileira*. Maceió: UFAL, 2018.

Ocorre que a reforma gerencial, a partir da Emenda Constitucional nº 19/1998, promoveu uma profunda alteração das normas constitucionais que parametrizavam os estatutos dos servidores públicos, precarizando as relações de trabalho na administração pública em três eixos fundamentais: fim do regime jurídico único, flexibilização da estabilidade e indisponibilidade remunerada, além da redução dos direitos trabalhistas e previdenciários[2], conforme se observa abaixo:

a) acabar com a obrigatoriedade do regime jurídico único e permitir, assim, a contratação de servidores celetistas;

b) exigir processo seletivo público para a admissão de celetistas e manter o concurso público para a admissão de servidores estatutários;

c) flexibilizar a estabilidade dos servidores estatutários, pela possibilidade de demissão por falta grave, insuficiência de desempenho e/ou excesso de quadros;

d) possibilidade de colocarem servidores em disponibilidade, com remuneração proporcional ao tempo de serviço, como alternativa à exoneração por excesso de quadros;

e) limitação rígida da remuneração dos servidores públicos e membros dos Poderes;

f) limitação rígida dos proventos da aposentadoria e pensões, no valor equivalente ao recebido na ativa;

g) permissão de contratação de estrangeiros para o serviço público, sempre pela via concursal ou de seleção pública;

h) facilitar a transferência de pessoal e de encargos entre as pessoas políticas, mediante assinaturas de convênios;

i) eliminação de isonomia como direito subjetivo[3].

Não obstante o intento de extinguir o regime jurídico único, por questões formais na tramitação da mencionada emenda, a vigência desse regime dual teve sua eficácia suspensa por força da liminar deferida na Ação Direta de Inconstitucionalidade (ADI) nº 2.135-4, em

---

[2]   BORBA, D., Idem.
[3]   MAFRA FILHO, F., *O servidor público e a reforma administrativa*. Rio de Janeiro: Forense, 2008, p. 118.

2007, e o regime jurídico único acabou por ser foi reinstaurado, o que não impediu durante o seu breve momento de vigência a contratação de trabalhadores regidos pela Consolidação das Leis do Trabalho (CLT) na administração pública, com regime de proteção social flagrantemente inferior[4].

Outro ponto que merece destaque diz respeito à flexibilização da estabilidade do servidor público, que, incialmente com a Constituição Federal de 1988, em seu art. 41, bastavam dois anos para de efetivo exercício para que se obtivesse estabilidade no serviço público[5]. Com a reforma gerencial, o prazo para aquisição da estabilidade passou para três anos de exercício e ainda condiciona à obrigatoriedade de "avaliação especial de desempenho por comissão instituída para essa finalidade"[6].

Ademais, a flexibilização da estabilidade se deu com a ampliação das hipóteses de perda de cargo do servidor estável, uma vez que antes somente mediante "sentença judicial transitada em julgado ou mediante processo administrativo em que lhe seja assegurada ampla defesa" poderia ser demitido[7], e, atualmente, também através de "procedimento de avaliação periódica de desempenho, na forma de lei complementar, assegurada ampla defesa"[8].

Outra flexibilização da estabilidade é notada no art. 169 da Constituição Federal, regulamentado pela Lei Complementar nº 101/2000, que, ao tratar sobre a contenção de despesas com gastos de pessoal ativo e inativo, fixou regras mais rígidas de responsabilidade fiscal e acabou por acrescentar outra hipótese de perda de cargo de servidor estável para fins de cumprimento de certos limites fiscais[9].

De acordo com Bresser-Pereira[10], a "flexibilização da estabilidade" foi necessária porque o regime anterior era muito rígido, já que só

---

4   MAFRA FILHO, F., Idem.
5   http://www.planalto.gov.br/ccivil_03/constituicao/ConstituicaoCompilado.htm (data da última consulta: 07 de fevereiro de 2022).
6   Idem.
7   Idem.
8   Idem.
9   Idem.
10   BRESSER-PEREIRA, L., *Reforma do Estado para a cidadania: a reforma gerencial brasileira na perspectiva internacional*. Brasília: ENAP, 2011, pp. 208-210.

admitia a demissão do servidor público que praticasse faltas extremamente graves, sustentava ainda a dificuldade de se provar as faltas em virtude da "cumplicidade generalizada" entre os servidores. Outra justificativa incide na possibilidade de maior cobrança do trabalho do servidor público pelos gestores de turno, uma espécie de "motivação por punição" que o setor privado mais moderno já vem abandonando.

III. A ATUAL "REFORMA ADMINISTRATIVA" E AS SUAS JUSTIFICATIVAS INEXISTENTES

De origem do Poder Executivo Federal em 09 de setembro de 2020, a Proposta de Emenda à Constituição (PEC) nº 32/2020 tem por objetivo alterar "disposições sobre servidores, empregados públicos e organização administrativa", já consta com parecer positivo de sua admissibilidade por parte da Comissão de Constituição e Justiça e de Cidadania da Câmara dos Deputados e aguarda o parecer do relator na Comissão especial desta casa para dar seguimento à mencionada PEC[11].

Trata-se de uma medida que faz parte de um conjunto de reformas, a exemplo da previdenciária, trabalhista e tributária, "sempre anunciadas como solução para a ´retomada´ do crescimento econômico", todas de caráter liberal e com propostas de redução de direitos sociais, em outras palavras, com "um pano de fundo ´minimalista´ em relação aos papeis do Estado", em contraposição aos papeis que foram definidos pela Constituição em seu conceito de Estado Democrático de Direito brasileiro[12].

Segundo Nohara[13], a PEC nº 32/2020 é perigosa já que pode "provocar um retrocesso em avanços que o Estado e a sociedade brasilei-

[11] http://www.planalto.gov.br/ccivil_03/constituicao/emendas/emc/emc19.htm (data da última consulta: 07 de fevereiro de 2022).
[12] NOHARA, I., "5 Pontos Explosivos da Pec 32 da Reforma Administrativa", em *Direito Administrativo: Artigos*. https://direitoadm.com.br/5-pontos-explosivos-da-pec-32-da-reforma-administrativa/ (data da última consulta: 07 de fevereiro de 2022).
[13] NOHARA, I., Idem.

ros conquistaram a duras penas ao longo do século XX", tais como as tentativas de afastamento do apadrinhamento político das práticas de gestão, assim como da falta de estabilidade decorrentes das carreiras paralelas (extranumerários), que, ao exercer funções públicas similares aos dos servidores públicos, estavam sujeitos às pressões dos agentes políticos.

O atual governo, em especial pelo representante do Ministério da Economia, responsável pela PEC nº 32/2020, já deixou assente a visão "nada simpática" e por que não dizer "preconceituosa" dos servidores públicos, seja ao considerá-los como "parasitas"[14] do Estado, seja por querer deixar a granada no "bolso do inimigo"[15].

Ocorre que há uma certa contradição na reforma, pois o mesmo Ministro que encara o servidor público como inimigo e prevê o congelamento dos seus salários, afirma que o teto salarial da administração pública brasileira[16], é pouco se comparado com a iniciativa privada, em uma clara visão elitista onde a "nata das carreiras" merecem supersalários, enquanto a base da administração pública deve ter as suas relações precarizadas[17].

Nohara[18] traz o que ela chama de "5 Pontos Explosivos" da PEC nº 32/2020, que merecem ser destacados abaixo em função do elevado grau de clareza e concisão pelo qual trata a reforma administrativa atual.

O primeiro ponto diz respeito à ampliação do rol de princípios constitucionais da administração pública, aparentemente sem levar em consideração os efeitos do caráter normativo da sua positivação, acrescenta ao caput do art. 37 da Constituição Federal mais oito princípios, quais sejam: imparcialidade, transparência, inovação,

---

[14] "O ministro da Economia, Paulo Guedes, [...] comparou a relação desses estados com seus servidores com as relações de um hospedeiro com parasita". https:// g1.globo.com/jornal-nacional/noticia/2020/02/07/paulo-guedes-compara-servidores-publicos-com-parasitas.ghtml (data da última consulta: 07 de fevereiro de 2022).

[15] NOHARA, I., Idem.

[16] O teto salarial do funcionalismo público brasileiro definido pela Constituição Federal de 1988 é o do Ministro do STF, que atualmente é de R$ 39.200,00 (EUR 6.473,56).

[17] NOHARA, I. Idem.

[18] Idem.

responsabilidade, unidade, coordenação, boa governança e subsidia-riedade[19].

Para os servidores públicos, restou o princípio da responsabilida-de, que "é ampla e configura uma atuação íntegra não apenas sob o ponto de vista objetivo ou formal, mas também materialmente res-ponsável", conforme exposição de motivos da mencionada PEC, o que parece querer ressaltar a "Administração do medo", pois não se trata de nenhuma novidade, já que o servidor público pode responder administrativamente, civilmente, criminalmente e por improbidade[20].

Já o segundo ponto diz respeito à visão subsidiária do Estado, "co-mo se ele fosse meramente complementar e subsidiário até às forças do mercado e da sociedade civil, isto é, requentando a visão minima-lista do Estado", visão que é fortalecida pela limitação das políticas econômicas de financiamento e fomento, seja para as empresas priva-das, seja para as empresas estatais[21].

O terceiro ponto se aproxima mais sobre o tema principal deste estudo, uma vez que tem como ideia a precarização dos vínculos de carreiras públicas, a partir de uma desconstrução da Constituição Fe-deral de 1988, conforme se observa nos cinco vínculos jurídicos que serão reorganizados:

> (1) vínculo de experiência; (2) cargo típico de Estado, conforme disci-plina de lei complementar; (3) cargo por prazo indeterminado, se o sujeito for 'efetivado' depois de passar por um vínculo de experiência; (4) cargo por prazo determinado; e (5) cargo de liderança e assessoramento, sendo ainda lacunosa a forma de composição[22].

São situações ainda obscuras que, segundo Nohara[23], "em nada contribuem para a melhoria", pois tem por base a "disseminação do medo de não efetivação", o que gerará uma situação de insegurança por parte do servidor público, contribuirá para uma maior rotativi-dade, sem estímulos para melhor contribuir com a sua função, já que a ausência de uma maior estabilidade, propicia a continuidade de pla-

---

[19]   Idem.
[20]   Idem.
[21]   Idem.
[22]   Idem.
[23]   Idem.

nejamento da sua vida profissional e desestimula o ingresso de mão de obra qualificada no Estado.

Os cargos de liderança e assessoramento, que antes possuía um claro regulamento na Constituição Federal de 1988, correm o risco de representar um resgate do patrimonialismo, que, apesar de ainda não totalmente expurgado do Estado brasileiro, passará a contar com o respaldo constitucional, enfraquecendo os concursos públicos e fortalecendo o preenchimento de cargos públicos por pessoas sem o espírito de serviço público.

Continuando, o quarto ponto pretende extinguir de vez o regime jurídico único dos servidores públicos, sacramentando a já comentada tentativa frustrada da Emenda Constitucional nº 19/1998, e provocará, por via reflexa, a "fuga para o regime jurídico de direito do trabalho", leia-se, privado ou celetista[24].

Desta forma, é o resgate do desejo liberal de extinção do regime estatutário e, por via de consequência, da estabilidade que, registre-se, "não é um privilégio do servidor, mas ela representa, no fundo, uma garantia de todos. Trata-se de garantia de que o servidor estará seguro quanto ao seu futuro funcional para se blindar das pressões que frequentemente emanam das cúpulas políticas que se alternam no poder"[25].

De todos os vínculos propostos, o único que permanecerá com estabilidade é o pessoal da carreira típica de Estado, que dependerá de definição através de Lei complementar. Trata-se de mais um ataque à estabilidade que, ao fim, poderá servir como um mecanismo de perseguição e assédio do servidor, através de práticas antiquadas cada vez menos utilizadas na moderna iniciativa privada.

> Acabar com a estabilidade dos servidores públicos (adotando em seu lugar o *spoil system*, que pode ser traduzido como empreguismo deslavado) para incrementar a eficiência na Administração Pública. Ora, estabilidade é apenas uma garantia contra demissões abusivas; não é um direito absoluto ao ócio e não impede a exclusão de maus servidores, desde que os detentores do poder tenham vontade política e competência técnica

---

24   Idem.
25   Idem.

para fazê-lo. Não se pode culpar a estabilidade pelo mau uso que dela se faz[26].

Por fim, o último e quinto ponto diz respeito ao reforço da unidade e da coordenação, e da atribuição de plenos poderes ao Chefe do Executivo federal para extinguir por decreto entes da Administração Indireta, como autarquias e fundações. Trata-se de ingerência desproporcional que nem mesmo a ditadura militar foi legitimada para tanto e que viola o princípio do paralelismo das formas (art. 37, XIX, da Constituição Federal)[27].

Aliado aos cincos pontos explosivos destacados por Nohara[28], acrescente-se outro de igual preocupação, uma vez que a proposta de inclusão do art. 37-A da PEC nº 32/2020, prevê a universalização das práticas de terceirização dos serviços públicos através do denominado "instrumento de cooperação", que permitirá, inclusive, o compartilhamento da estrutura física e de recursos humanos, salvo para as atividades privativas de cargos típicos de Estado.

A terceirização sem as cautelas necessárias contribui, de igual modo, com a precarização das relações de trabalho na administração pública, uma vez que permitirá que trabalhadores da iniciativa privada, sem as proteções inerentes ao exercício da função pública e com um regime de trabalho inferior, atuem lado a lado com servidores públicos.

Da análise das justificativas do Governo Federal para a propositura da PEC nº 32/2020, observa-se que a linha de partida é o fim dos "privilégios" dos servidores públicos, uma vez que em um momento de grave crise econômica, não deveria ser preservado supersalários, aumento exponencial do quantitativo de servidores ou mesmo regalias indevidas. Ocorre que este discurso para buscar o apoio popular e institucional não se sustenta.

Em pesquisa do Instituto de Pesquisa Econômica Aplicada (IPEA)[29], observou-se que em 2019, a média salarial mensal do poder

26 DALLARI, A., *Aspectos jurídicos da licitação*. São Paulo: Saraiva, 2007, p. 18.
27 NOHARA, I., Idem.
28 Idem.
29 https://www.ipea.gov.br/atlasestado/filtros-series/21/totais-de-vinculos-de-trabalho (data da última consulta: 07 de fevereiro de 2022).

executivo foi de R$ 2.694,60 (EUR 444,99)[30], sendo que nos municípios, que concentram aproximadamente de 59,7% dos servidores públicos, a média salarial foi de R$ 2.154,70 (EUR 355,83), contra R$ 3.612,76 (EUR 596,61) em nível estadual (31,6% dos servidores públicos) e R$ 7.235,50 (EUR 194,88) em nível federal (8.6% dos servidores públicos).

Observe-se que há uma maciça desigualdade entre os servidores públicos, tanto entre os entes da federação, onde chega a se observar uma média do executivo federal mais de três vezes superior ao do executivo municipal, como entre os poderes, já que a média salarial do poder judiciário, que é de R$ 11.137,68 (EUR 1.839,29), chega a ser cinco vezes superior ao poder executivo municipal.

Ou seja, mais de 90% dos servidores públicos ganha menos que o salário-mínimo ideal[31] (que tem por base a pesquisa nacional da cesta básica de alimento), que em dezembro de 2019 estava cotado em R$ 4.342,57 (EUR 717,14)[32]. Ademais, em se considerando a renda da maioria dos servidores públicos (poder executivo municipal, observa-se que a distância salarial entre o poder público e iniciativa privada é quase que inexistente (R$ 2.154,70 – EUR 355,83, contra R$ 1.960,00 – EUR 323,67).

Apesar de não poder se afirmar que o salário médio do servidor público, ainda que do executivo municipal, seja algo irrisório, pois o Brasil ainda possui uma grande parte de sua população vivendo abaixo da linha da pobreza, não se diga que se enquadra como supersalários conforme sustentado como um dos motivos da reforma. Algumas pouquíssimas categorias das cúpulas dos poderes possuem tais supersalários, entretanto, não serão atingidos pela reforma.

As mais diversas justificativas para a realização da Reforma Administrativa são desmentidas pelos mais variados estudos. Por exemplo, o argumento que o Brasil tem uma "máquina pública inchada" é contraditado ao analisar a proporção de vínculos no setor público

---

[30]   Valores convertidos pelo Conversor de Moedas do Banco Central do Brasil em 07 fev. 2022. https://www.bcb.gov.br/conversao (data da última consulta: 07 de fevereiro de 2022).

[31]   O salário-mínimo oficial em 2022 é de R$ 1.212,00 (EUR 200,15).

[32]   https://www.dieese.org.br/analisecestabasica/salarioMinimo.html#2017 (data da última consulta: 07 de fevereiro de 2022).

em relação ao privado nos países da Organização para a Cooperação e Desenvolvimento Econômico (OCDE), que a média é de 17,7, enquanto o Brasil possui 16,9. Países com destaque de indicadores sociais e de qualidade no serviço público, como Noruega, Suécia e Dinamarca, possuem índices de quase 30%. A Espanha possui 15,7% (dados de 2018 da OCDE)[33].

Ademais, se é verdade que desde 1985 houve uma evolução exponencial de servidores públicos, que chegou a mais que dobrar, desde 2013 se observa uma estabilização com tendencia de redução, tanto que o quantitativo registrado em 2019 se aproxima ao de 2010. Em se comparando com o aumento da população brasileira (aproximadamente de 5%), a diminuição é ainda maior.

Tabela 1: Evolução do quantitativo de servidores públicos no Brasil

Fonte: IPEA[34].

Outra questão que também é falaciosa diz respeito aos gastos do funcionalismo em relação ao Produto Interno Bruto (PIB), que saiu de 9,6% em 2012, para 10,7 em 2017. Apesar do leve aumento, ao tratar sobre o tema, não se fala sobre a retração do PIB no período, que é mais responsável do que o aumento real. Tanto que de 2008 a

---

[33]   ROSÁRIO, M., "Raio-x do funcionalismo público no Brasil", em *O Cafezinho*. https://www.ocafezinho.com/2020/02/10/raio-x-do-funcionalismo-publico-no-brasil/ (data da última consulta: 07 de fevereiro de 2022).

[34]   https://www.ipea.gov.br/atlasestado/filtros-series/21/totais-de-vinculos-de-trabalho (data da última consulta: 07 de fevereiro de 2022).

2012 a proporção dos gastos com funcionalismo em relação ao PIB vinha caindo, situação que muda a partir de 2013 e vem se agravando até os dias atuais[35].

Ainda assim, o gasto com funcionalismo está na média dos países de alta renda, conforme estudo do Fundo Monetário Internacional (FMI) de 2010, que informa que tais países costumam gastar 10,4% do seu PIB com servidores públicos[36].

Por fim, não se deve nivelar o funcionalismo público por baixo, mas sim ao contrário, o fato de historicamente o Brasil ter uma iniciativa privada que não remunera bem os seus empregados, promove informalidade e rotatividade no mercado de trabalho, só mostra que o caminho deve ser o do fortalecimento das ações do Estado, e não o contrário, sob pena de considerar que precarizar as relações de trabalho em sentido amplo é o único caminho a ser trilhado.

Em verdade, os verdadeiros privilégios estão na alta cúpula dos poderes, a exemplo dos supersalários de algumas poucas categorias, férias de 60 dias para outras, auxílios e incontáveis gratificações que ultrapassam o teto salarial constitucional, todas questões que não serão enfrentadas pela PEC n° 32/2020. Em outras palavras, a reforma administrativa atingirá o servidor público mais simples, que está no dia a dia dos serviços públicos, o que trará consequências diretas na prestação destes serviços, que já sofrem por falta de investimentos.

IV. DO ENQUADRAMENTO QUANTO À TEORIA DA "REFORMA ADMINISTRATIVA" E SUGESTÕES DE DIRECIONAMENTO

A Constituição Federal de 1988 trouxe uma reorganização dos servidores públicos, com uma tentativa de resgate da profissionalização tão inerente à burocracia weberiana, entretanto, desde a sua promulgação se observou diversas tentativas de imprimir uma maior flexibilidade das relações de trabalho públicas e, por que não dizer,

---

[35] ROSÁRIO, M., Idem.
[36] Idem.

de precarização, a partir da busca da implementação do *New Public Management*.

A atual reforma administrativa de cunho neoliberal, proposta pelo Governo Federal através da PEC nº 32/2020, não busca exatamente uma reforma da administração pública, uma vez que, para além de alguns princípios indevidamente positivados e outras questões que promovem uma ampliação irrestrita da terceirização, a reforma tem como principal objetivo atacar os servidores públicos a partir da desconstrução de suas carreiras públicas.

Observe-se que desde a crise financeira internacional de 2008, vários países da União Europeia buscaram reformas administrativas similares, com cortes indiscriminados no orçamento para conter o déficit público, mas que, como consequência, resultou no congelamento do investimento estatal e no "aprofundamento da retração do Estado na prestação de serviços à sociedade", inclusive com "alterações qualitativas e quantitativas para pior no atendimento do Estado às demandas sociais"[37].

Estas reformas também atingiram os servidores públicos, seja através de demissões ou planos de desligamento e aposentadoria, seja através de congelamentos ou cortes na remuneração dos servidores, ou mesmo com a suspensão ou cortes de investimentos em qualificação, que, de uma forma ou de outra, acabou por precarizar as condições de trabalho, sempre aliado às práticas de terceirização que não contribuíram com o aumento da eficiência na prestação dos serviços, ao contrário, em diversos casos se identificou queda no desempenho dos serviços públicos, decréscimo do nível de engajamento e de confiança nas chefias, assim como o aumento de comportamentos antiéticos e corrupção[38].

---

[37]   CAMARGOS, R.; CARDOSO JR., J., "Reforma administrativa na Europa: retração do Estado impacta negativamente capacidades e funções públicas dinamismo econômico e proteção social e laboral", em *Estadão*. https://politica. estadao.com.br/blogs/gestao-politica-e-sociedade/reforma-administrativa-na-europa-retracao-do-estado-impacta-negativamente-capacidades-e-funcoes-publicas-dinamismo-economico-e-protecao-social-e-laboral/ (data da última consulta: 07 de fevereiro de 2022).

[38]   CAMARGOS, R., "Reformas Administrativas no Brasil e no Mundo: revisão bibliográfica sugere cautela extrema com a importação de ideias e modelos estrangeiros", em *Caderno da Reforma Administrativa*. https://fonacate.org.br/

Ao acabar com o regime jurídico único dos servidores públicos, criando regimes distintos e discriminatórios, garantindo a estabilidade apenas para os servidores com "cargo típico de Estado", e somente após o cumprimento de dois anos e com a avaliação de desempenho satisfatória, facilitará a perda do cargo pelos servidores públicos, o que desmotivará o ingresso, a permanência e a dedicação na administração pública.

O cargo de liderança e assessoramento previsto pela PEC nº 32/2020, que traz uma ampla liberdade por partes dos agentes políticos, apesar de alguns sustentarem o caráter gerencial em função da liberdade de contratação típica do setor privado (para não dizer rotatividade), em verdade, por permitir uma ampliação do aparelhamento do Estado, mais se parece com um resgate do patrimonialismo, ou melhor, poderia se enquadrar em um neopatrimonialismo[39], uma vez que agora a irregularidade passa a ter o benefício da proteção constitucional.

No mesmo sentido, o DIEESE[40], em sua Nota Técnica nº 250 que trata sobre os novos vínculos de contração previstos na PEC nº 32/2020, sustenta que, apesar de ter sido apresentada como uma "modernização na forma de contratação do setor público, nada mais é que a institucionalização da precarização na administração pública e dos serviços públicos e a institucionalização de práticas patrimonialistas, que desde os anos 1930 toda sociedade tenta combater"[41].

---

[39]   wp-content/uploads/2021/04/Cadernos-Reforma-Administrativa-18-V3.pdf (data da última consulta: 07 de fevereiro de 2022). O conceito de neopatrimonialismo vem sendo discutido em diversas partes, mas em geral se refere a híbrida relação pós-moderna entre a dominação patrimonial e a dominação legal-racional burocrática no sistema político-governamental. CARRILLO, A.; MARTINEZ, A., *El neopatrimonialismo a debate: coordenadas conceptuales y apuntes analíticos*. em *Espiral*. Guadalajara, v. 20, n. 58, pp. 37-66.

[40]   DIEESE. Os novos vínculos de contratação no serviço público propostos na PEC 32/2020. *Nota Técnica nº 250*, fevereiro de 2021, p. 8.

[41]   Estima-se que com a nova sistemática trazida pela PEC nº 32/2020, somente o Chefe do Executivo federal passará a dispor de 90 mil cargos de livre provimento, quando atualmente dispõe de 6 mil, sendo 70 mil para funções de confiança e mais 14 mil cargos ocupados exclusivamente por servidores de carreira. Registre-se ainda o efeito cascata, para os outros poderes e entes de federação. https://blogs.oglobo.globo.com/miriam-leitao/post/reformas-para-o-projeto-au-

Em sendo assim, apesar de flertar com o patrimonialismo, a mais nova Reforma Administrativa se enquadra em alguns dos seus aspectos com as reformas gerenciais do final da década de 1990, são reformas "abruptas e radicais" que mais tendem a produzir "disfuncionalidades e instabilidade do que melhorias sistêmicas efetivas"[42].

A PEC nº 32/2020 está "alinhada ao conjunto de reformas ultraliberais implementadas no país desde 2016 – Teto de Gastos, reformas trabalhistas e previdenciária", que têm como justificativa dos seus defensores a "retomada do crescimento econômico", sem observar, contudo, os efeitos na economia e promovendo estagnação econômica, desigualdade social e o empobrecimento da população[43].

Vaughan-Whitehead propõe que as reformas administrativas devem ser objeto de análise minuciosa "sobre o desempenho da economia e do setor público num longo período de tempo", na medida em que "reformas fiscalistas e privatistas podem até trazer resultados fiscais vistosos no curto prazo, mas costumam ensejar consequências socioeconomicamente danosas", razão pela qual devem seguir as seguintes premissas [44]:

> i) Incrementalismo, evitando-se mudanças abruptas e disruptivas; ii) Diálogo social permanente; iii) Reformar com base em evidências, no planejamento, monitoramento e avaliações permanentes; iv) Fortalecimento do Estado Social; e v) Revisão profunda da teoria e política dominante, notadamente no que se refere ao peso e papel das finanças públicas no processo de financiamento do desenvolvimento nacional em cada caso concreto[45].

Especificamente em relação aos servidores públicos, deve-se buscar a sua valorização, não necessariamente em termos salariais, apesar de que seria importante para determinadas carreiras de certos entes que possuem baixos salários, mas sim em capacitação e qualificação do servidor público, planos de cargos que estimulem à dedicação de suas funções, retomada da importância das escolas de governo, promoção

---

toritario.html?utm_source=aplicativoOGlobo&utm_medium=aplicativo&utm_campaign=compartilhar (data da última consulta: 07 de fevereiro de 2022).
[42]   CAMARGOS, R., Idem, p. 22.
[43]   Idem.
[44]   CAMARGOS, R.; CARDOSO JR., J., Idem.
[45]   Idem.

de uma desburocratização inteligente, digitalização do governo rumo a um funcionalismo público 4.0, entretanto, nada disso foi proposto na PEC n° 32/2020.

É importante registrar que alguns outros países da Europa continental, como Alemanha, França e os países nórdicos, se valeram de alguns postulados da Nova Gerência Pública, mas atualizaram e ressignificaram a burocracia de Max Weber, em especial quanto a necessidade de fortalecimento do papel do Estado e do resgate do espírito de serviço público. Este Estado Neo-Weberiano promoveu avanços significativos nestes países, inclusive em Nova Zelândia, precursora do neo-gerencialismo, que depois de verificar os problemas derivados de sua implementação, abandona e passa a se aproximar ao modelo europeu[46].

Desta forma, o modelo neo-weberiano deveria ser uma referência para os países em desenvolvimento, entretanto, a literatura e a agenda dos governos brasileiros consideram a Nova Gerência Pública como se fosse a única opção possível, inclusive atualmente, que mantém as reformas seguindo estes postulados, ainda que não tenha produzido resultados consideravelmente favoráveis depois de mais de trinta anos de tentativa de implementação.

Neste sentido, o *Neo-Weberianismo* é um importante ponto de partida para implementar as mudanças necessárias, não apenas para a "retomada da confiança dos investidores", mas, especialmente, para um processo de implementação dos direitos fundamentais e da consolidação do Estado Democrático de Direito brasileiro, resgatando os valores constitucionais ainda não plenamente difundidos.

Como visto, os países que deram início ao gerencialismo já abandonaram este movimento, o patrimonialismo não pode nem ser considerado como um caminho a seguir, razão pela qual reformas mais moderadas e menos controvertidas que recuperam alguns dos elementos centrais da burocracia tradicional de Max Weber, incorporando, não obstante, inovações relacionadas à Nova Gerência Pública, apresentam-se como

---

46   FERRARO, A., *Reinventando el estado. Por una administración pública democrática y profesional en la Iberoamérica*. Madrid: Instituto Nacional de Administración Pública, 2009.

medidas mais adequadas para o enfrentamento dos problemas de eficiência atuais.

Por fim, observa-se que mais que precarizar as relações de trabalho dos servidores públicos, a PEC nº 32/2020 contribuirá com a precarização dos serviços públicos em virtude da criação dos variados vínculos, vários deles precários, sem concurso e de livre escolha dos governantes de turno, para além da universalização da privatização a partir da terceirização desenfreada dos serviços públicos.

V. CONCLUSÃO

Este trabalho teve como objetivo geral o de examinar as justificativas e as consequências da Proposta de Emenda à Constituição (PEC) nº 32/2020 nas relações de trabalho dos servidores públicos, contextualizando com os preceitos da Nova Gerência Pública, com o fim específico de verificar a precarização destas relações e, por via de consequência, do próprio serviço público.

Observou-se que a PEC nº 32/2020 está mais vocacionada a realizar cortes de direitos e garantias conquistadas pelos servidores públicos que são essenciais para o regular exercício de suas funções, na medida em que incorpora alguns princípios ao texto constitucional, traz um forte caráter subsidiário do Estado, universaliza práticas de terceirização, praticamente extingue a estabilidade do servidor público, mantendo apenas para as "carreiras típicas de Estado", e precariza ainda mais as relações de trabalho públicas ao permitir a criação de diversos regimes jurídicos, entre o servidor público e a administração pública.

Ademais, da análise das justificativas do Governo Federal para a propositura da PEC nº 32/2020, observa-se que a linha de partida é o fim dos "privilégios" dos servidores públicos, entretanto, este discurso para buscar o apoio popular e institucional não se sustenta uma vez que apenas os servidores da "base" é que serão atingidos pelas reformas, também a quantidade e o gasto com servidores estão abaixo da média dos demais países de alta renda.

Com isto, observa-se que a reforma administrativa optou por seguir, mais uma vez, o modelo neo-gerencial e neoliberal, uma vez que prevê uma maior flexibilidade nos sistemas de emprego público, aproximando-o dos trabalhadores da iniciativa privada.

Não se quer afirmar aqui que as reformas gerenciais são de todo negativas. Entretanto, a necessidade de avançar (ou consolidar) para um sistema de burocracia profissional, no sentido weberiano, a exemplo de outros países de tradição normativa e cultural mais semelhante que os anglo-saxões, deveria constar na agenda das reformas administrativas brasileira.

Razões pelas quais considera-se que o Brasil deveria seguir o caminho do neo-weberianismo, com a reafirmação do papel do Estado e o resgate do espírito de serviço público, para assim, implementar os direitos fundamentais e consolidar o Estado Democrático de Direito brasileiro, resgatando os valores constitucionais ainda não plenamente difundidos.

No tocante aos servidores públicos, propõe-se a busca da sua valorização, não necessariamente em termos salariais, mas sim em capacitação e qualificação do servidor público, planos de cargos que estimulem à dedicação de suas funções, retomada da importância das escolas de governo, promoção de uma desburocratização inteligente, digitalização do governo rumo a um funcionalismo público 4.0.

Por fim, observa-se que mais que precarizar as relações de trabalho dos servidores públicos, a PEC n° 32/2020 contribuirá com a precarização dos serviços públicos em virtude da criação dos variados vínculos, vários deles precários, sem concurso e de livre escolha dos governantes de turno, para além da universalização da privatização a partir da terceirização desenfreada dos serviços públicos.

ÓRGANOS DE CONTROL DE LOS FONDOS PÚBLICOS EN ESPAÑA Y COLOMBIA

MARTHA VELÁSQUEZ ARDILA
Doctoranda en Derecho
Universidad de Salamanca (España)

Sumario: I. El origen del control de los caudales públicos en España y Colombia. II. Propuestas de mejora para los órganos de control en España y Colombia. III. Conclusión.

I. EL ORIGEN DEL CONTROL DE LOS CAUDALES PÚBLICOS EN ESPAÑA Y COLOMBIA

El origen del control de los caudales públicos nace a través de instituciones que emergen como expresión de la necesidad del pueblo de conocer la destinación que se le daba a los recursos provenientes de sus tributos.

El recorrido histórico del órgano de control a la Hacienda Pública en España se ejerció en cada época a través de diferentes instituciones. En una primera etapa sus funciones se centraron en la comprobación del registro de las cuentas contables y la justificación de los gastos e ingresos (censura contable y judicial), posteriormente y como resultado de las inconsistencias entre resultados contables y faltantes de recursos, se implementan procesos de investigación de las irregularidades y la búsqueda del destino dado a estos bienes, allí se crean los procesos de enjuiciamiento contable, más adelante las funciones se orientan a la fiscalización parlamentaria, actuando como un órgano de asesoramiento en la fiscalización de la Cuenta General, hoy su función está dirigida principalmente a la fiscalización y enjuiciamiento de cuentas.

Se ha llegado a una etapa enfocada en el cumplimiento de los principios de eficiencia, economía, eficacia y equidad enmarcados en la Constitución y la Ley, además en la verificación de los nuevos criterios de transparencia, igualdad de género y sostenibilidad ambiental, es decir en la justificación del uso económico y razonable en la calidad de las finanzas públicas, la necesidad de los gastos y la maximización de los recursos públicos en la adquisición de bienes más económicos.

Sin embargo, este proceso de desarrollo y perfeccionamiento de la labor de control y juicio fiscal en España se ha visto afectado por diferentes situaciones políticas e históricas. Es así como la autonomía del Tribunal de Cuentas ha estado limitada por el Ejecutivo, que en un principio fue el Rey, quien veía los recursos recaudados en las colonias como propios y no como fondos del Estado, así como en hechos más recientes del siglo XX, como lo fue la dictadura Franquista, en el cual la discrecionalidad en el control fiscal tuvo que responder a la constante interferencia de este gobierno.

En Colombia, la Contraloría General de la República se origina a partir de la urgente organización del sistema económico. El Estado colombiano sumido en fuertes cambios sociales derivados de su independencia y en transición política, enfrentaba el reto de organizar el país en diferentes aspectos, entre ellos el económico. Era urgente la creación de un organismo que se encargara de la vigilancia de los recursos de índole pública; con el paso de los años, la Contraloría recibió de manos de la Constitución la misión de la vigilancia y control de estos recursos en representación de la ciudadanía.

La consolidación del órgano de control fiscal en Colombia tuvo origen casi un siglo después del proceso de independencia de la Corona española, cuando con ocasión de la misión americana Kemmerer, comienza a realizarse de manera más organizada el control a los recursos públicos del Estado colombiano, esto en razón a que antes no existía una función de vigilancia fiscal como tal sino un seguimiento y cobro de deudas a favor del Estado.

La naturaleza y condiciones propias históricas de Colombia han influido el alcance y eficacia de este control fiscal, pues dadas las características de seguridad nacional, y la destinación significativa dentro del Presupuesto Nacional para afrontar esta problemática, a través de la asignación de recursos para la defensa y orden público, la efectiva vigilancia a estas erogaciones presupuestarias se ve limitada por la calidad de gastos reservados que tienen estas actividades. Por lo anterior el control fiscal se ha dirigido especialmente a las transferencias de carácter nacional relacionadas con el gasto social como salud, educación y materias de satisfacción pública.

De esta forma se observa cómo, históricamente, los organismos de control fiscal en España y Colombia nacen a partir de la voluntad del pueblo y actúan como representantes de él en consideración con el derecho que este tenía de conocer el manejo que se daba a sus recursos.

En este orden de ideas, estos países han tenido en común la necesidad de crear un organismo supremo encargado de la vigilancia de los fondos públicos, a pesar de que su contexto histórico y social ha sido muy diferente, se han encontrado en circunstancias similares, por ejemplo, la obligatoriedad de vigilar a los responsables del manejo del erario público como forma de frenar la corrupción que se podría presentar.

Así las cosas, el pueblo siempre ha exigido un control ante una eventual forma de corrupción, dando lugar a la conformación y consolidación de estos entes que a lo largo de la historia se han instituido como organismos de control de la hacienda pública.

La creación y configuración de las Entidades fiscalizadoras de orden superior encuentran su sustento jurídico en las respectivas constituciones, este es el caso de España y Colombia, países en los que se encuentran estos organismos de control de los recursos públicos regulados e instituidos a través de la Constitución.

La naturaleza del sistema constitucional en España y Colombia comprende características encaminadas al fortalecimiento de la función pública encargada del control fiscal, en razón a que se pretende asegurar el cumplimiento de los fines sociales del Estado y la rendición de cuentas de los gobernantes a los gobernados en materia de resultados, desde la perspectiva de los principios comunes en ambos países, la eficiencia, economía, eficacia, equidad de la gestión de los recursos públicos, igualdad de género, transparencia y sostenibilidad ambiental.

A partir de la naturaleza constitucional, existe una superación del sistema de división de poderes con la introducción de las funciones autónomas de control a cargo de órganos independientes, a nivel nacional tanto en España como en Colombia.

La autonomía que cada Constitución le otorga a estos entes de fiscalización facilita el control de la corrupción que pueda existir en la Administración pública y por ende de los funcionarios que hacen parte de ella. El objetivo esencial es que haya una real independencia del poder político y que exista la independencia funcional y organizacional necesaria para cumplir las labores misionales, parte de ello se expresa en la autonomía y competencia profesional que son elementos esenciales para lograr la eficacia en cualquier órgano de control.

En cuanto a la naturaleza de estos órganos, su creación y configuración, encuentra su sustento jurídico en las respectivas constituciones; este es el caso de España y Colombia, países en los que se encuentran regulados e instituidos. El Tribunal de Cuentas de España y la Contraloría General de la República de Colombia son actualmente los organismos que ejercen la función fiscalizadora de los fondos públicos, función que les ha sido conferida por las Constituciones de 1978 en España y 1991 en Colombia.

De igual forma, estas instituciones se encuentran previstas en las normas reguladoras en su creación y funcionamiento. En el caso español, en la Ley Orgánica 2 de 1982 y en la Ley 7/1988 de 5 de abril (y demás normas modificatorias) y en Colombia se encuentra principalmente regulado en el Decreto 267 del 2000, en la Ley 42 de 1993 y más recientemente en el Decreto 405 de 2020.

En este sentido, la Constitución Española configura al Tribunal de Cuentas como un órgano constitucional o de relevancia constitucional, posición que actualmente suscita controversias doctrinales. Las funciones que le fueron conferidas por la Constitución son el ejercicio de la fiscalización de la gestión económica de las cuentas de todo el sector público; y la función de naturaleza jurisdiccional, cuyo contenido se centra en el enjuiciamiento de la llamada responsabilidad contable.

A pesar de la distinta naturaleza de ambas funciones, que fueron establecidas por la Constitución y las Leyes que regularon el Tribunal, este se califica como el órgano supremo en cuanto a la fiscalización y en lo relacionado a su función de enjuiciamiento contable, único en su orden, con jurisdicción exclusiva y plena en todo el territorio nacional. En otras palabras, no es el único en la fiscalización, ya que se parte de la existencia de otros órganos fiscalizadores de cuentas en la mayoría de las Comunidades Autónomas, situación que no se presenta con el enjuiciamiento contable, ya que el Tribunal se configura como organismo exclusivo que posee estas facultades respecto de esta actividad jurisdiccional.

Una diferencia sustancial entre el Tribunal de Cuentas y la Contraloría reside en que la Constitución Española le concede al Tribunal el ejercicio de una potestad jurisdiccional, juzgando y haciendo ejecutar lo juzgado en los procesos que le competen. En el caso colombiano, la Contraloría emite un fallo de responsabilidad fiscal, pero quien juzga y dirime estas cuestiones es el Consejo de Estado. En este sentido, la Constitución le confiere al Tribunal de Cuentas una función relacionada con el Poder Judicial, la Contraloría por el contrario no lo tiene.

Por otra parte, la Constitución Colombiana instituye a la Contraloría como un ente autónomo e independiente que hace parte del Estado cuya función es realizar la vigilancia de la gestión fiscal y de los particulares o entidades que manejan fondos o bienes de la Nación, por lo tanto, no pertenece a ninguna rama del poder público en Colombia.

En términos generales, la Contraloría General de la República se puede clasificar como órgano de control externo, con influencia del Derecho francés o continental que se caracteriza por ser de carácter unipersonal, ya que la dirección y representación recae sobre una persona, realiza funciones de control de previa, concomitante y posterior, no ejerce funciones dentro de la rama judicial, pero la responsabilidad por el manejo irregular de los bienes y dineros públicos son adelantadas por la Contraloría Delegada al interior de la dependencias responsables.

En síntesis, la naturaleza del sistema constitucional en España y Colombia comprende características encaminadas al fortalecimiento de la función pública encargada del control fiscal, en razón a que se pretende asegurar el cumplimiento de los fines sociales del Estado y la rendición de cuentas de los gobernantes a los gobernados en materia de resultados, desde la perspectiva de los principios comunes en ambos países, la eficiencia, economía, eficacia, equidad de la gestión de los recursos públicos, igualdad de género, transparencia y sostenibilidad ambiental.

La evolución en la naturaleza funcional del Tribunal de Cuentas destaca su papel como órgano de control del gasto público y receptor de las funciones fiscalizadoras de la gestión económica del Estado. Además, no se ha centrado únicamente en la revisión contable y su labor ha ido más allá con el enjuiciamiento de la responsabilidad derivada del manejo de los recursos de origen público. La Contraloría General de la República de Colombia, a su vez, cumple con una función principal: el control fiscal a los recursos de origen público actuando en representación de la comunidad.

En este sentid, los dos organismos de control coinciden en la principal función, que corresponde a la fiscalización de los recursos de carácter público, así como en el asesoramiento parlamentario que ejercen, en el caso de la parte jurisdiccional la Contraloría no puede desarrollar esta función, ya que no es de su competencia.

La labor de fiscalización del Tribunal de Cuentas tiene características muy similares a las del órgano de control colombiano, ya que esta función es externa, permanente, y consuntiva o realizada posteriormente. Características que reúne la función de fiscalización de la Contraloría General[1].

La Contraloría ejerce su papel principal en la función de fiscalización; las otras acciones como su labor de asesoramiento y presentación de informes al Congreso, certificación del balance de Hacienda, evaluación de la calidad y eficiencia del control interno, elaboración de la contabilidad de la ejecución del presupuesto y el sancionamiento por conductas infractoras en el manejo de recursos de orden público, son desarrolladas en cumplimiento de lo consagrado en la Constitu-

---

[1]   Recientemente, a través del Decreto 405 de 2020, le corresponde a la Contraloría General de la República: ejercer la vigilancia y el control, de manera posterior y selectiva o concomitante y preventiva, de la gestión fiscal de la administración y de los particulares o entidades que manejen fondos o bienes públicos, en todos los niveles administrativos y respecto de todo tipo de recursos públicos, a través, entre otros, del seguimiento permanente al recurso público, el control financiero, de gestión y de resultados, conforme a los procedimientos y principios que establezcan la Constitución Política, la ley y el Contralor General de la República.

ción, pero la esencia misma de este organismo de control está enfocada y dirigida hacia su papel de control y en la vigilancia de la gestión fiscal de la administración y de los particulares o entidades que manejen fondos o bienes de la Nación.

Por otro lado, es importante señalar que el Tribunal de Cuentas desarrolla una función consultiva que se refiere al asesoramiento, mediante la elevación de mociones o notas ante la Cortes Generales, en las cuales se proponen medidas conducentes a la mejora de la gestión económica y financiera del sector público, lo anterior teniendo en cuenta que ha remitido a estas Cortes el informe anual en el que comunica las infracciones o responsabilidades en que se hubiere incurrido.

El objetivo principal de esta función consultiva debe consistir en desarrollar nuevos métodos y técnicas que procuren solventar problemas que puedan llegar a presentarse en materia económica y financiera, así como en la formulación de normas y principios contables y presupuestarios y, en general, sobre todo aspecto que tenga repercusión en el manejo de los ingresos y gastos públicos.

En Colombia no existe como tal la denominación de función consultiva pero la Contraloría rinde ante el Congreso los informes que la Constitución y la Ley le demanda, además al interior de la estructura organizacional de la entidad se encuentra creada la Unidad de Apoyo Técnico al Congreso.

La función de fiscalización a los recursos públicos no es desarrollada de forma exclusiva por el Tribunal, así como tampoco por la Contraloría. En el caso español, se complementa con la ayuda de los órganos de control externo que poseen la mayoría de las Comunidades Autónomas, situación que debe ser aprovechada por el Tribunal de Cuentas para trabajar en concordancia y evitar la duplicidad en las funciones y los procedimientos de fiscalización. De igual manera, en Colombia, esta labor de fiscalización está apoyada en las Contralorías Departamentales, instituciones creadas para examinar la gestión fiscal en el ámbito regional.

La misión de control y fiscalización de los entes en España y Colombia debe verse apoyada a la vez por las instituciones que ejerzan el control interno. En este sentido, el Tribunal de Cuentas debe aprovechar de forma eficiente las oficinas de enlace con la IGAE (Intervención

General de la Administración del Estado) que son las instituciones que tienen a cargo el control interno y son, en últimas, quienes pueden realizar el control a la gestión pública y su actividad financiera de manera preventiva. Situación ideal para evitar las conductas de corrupción pública, ya que se ataca el problema desde su origen.

En Colombia, de igual manera se debe actuar en constante comunicación con las oficinas de control interno en cada institución, sin que esta relación genere ningún vínculo que sugiera una coadministración, sino que facilite los procesos de control y vigilancia y refuerce la labor preventiva para evitar manejos irregulares de los fondos públicos y en general propicie un clima de buena administración y ética en todos los niveles.

Es preciso resaltar, que, tanto en España como en Colombia, debe existir una autonomía real de las instituciones u oficinas que tengan a su cargo el ejercicio del control interno en cada entidad respecto al ejecutivo.

El control previo debe producir efectos en la reducción y extinción de conductas corruptas, así como en general el perfeccionamiento en los procesos y procedimientos. Lo anterior con el objetivo fundamental del mejoramiento de la gestión pública, que recae sobre la propia administración con su sistema de control interno, dotado de la obligación constitucional de velar por la gestión eficiente y transparente en cada entidad.

II. PROPUESTAS DE MEJORA PARA LOS ÓRGANOS DE CONTROL EN ESPAÑA Y COLOMBIA

i) El Tribunal de Cuentas en España y la Contraloría General de la República de Colombia han tenido fuertes transformaciones a lo largo de su historia; por ello la urgente necesidad que deben tener estos, para modernizarse continuamente y a la par de la tecnología, pues las formas de corrupción se perfeccionan y evolucionan constantemente. Los sistemas de verificación de la gestión, los relacionados con la auditoría y demás, deben diseñarse teniendo en cuenta que son susceptibles de mejora y adaptación, ya que el control que se hace hoy puede ser bueno, pero mañana será un mecanismo obsoleto, ya que el delito buscará como evadir el control.

ii) Debe existir una independencia de los órganos de control frente a las Altas Cortes. En el caso del Tribunal de Cuentas de España, debe examinarse la posibilidad de elegir a los consejeros por otros mecanismos, actualmente son elegidos por las Altas Cortes. La incorporación de estos altos funcionarios debería realizarse por un sistema de acceso por meritocracia, por concurso u oposiciones, con el lleno de unos requisitos académicos y laborales propios de la dignidad del cargo. En el caso colombiano la situación es similar, ya que el Contralor General es elegido por el Congreso, situación que debería cambiarse por el sistema de concurso de méritos para acceder a tan alto cargo, de igual forma para la designación de sus altos directivos: los Contralores delegados y en general aquellos funcionarios de alto o menor rango que no hayan accedido por el sistema de meritocracia. En este sentido, es necesaria la incorporación funcionarios, con mayor profesionalización no solo en los entes de control fiscal, sino en general de todas las instituciones públicas, ya que el sistema de selección y reclutamiento es clave en la lucha contra la corrupción.

iii) Frente al tema de la remisión de informes del Tribunal de Cuentas a las Cortes Generales, es necesario agilizar los procesos y tiempos de entrega, de tal manera que estos no influyan de manera negativa en el desarrollo normal de sus funciones de fiscalización, ya que el Tribunal depende de la aprobación y debate que se haga en las Cortes de los informes de fiscalización, lo cual determina el Programa de Fiscalización que se va a realizar y que aprobará el pleno de Consejeros del Tribunal de Cuentas.

iv) Se deben dar lugar a la imposición de multas y sanciones ejemplares en la presentación y rendición de la Cuenta. Tomando como referencia las memorias de las actuaciones del Tribunal, fruto de su trabajo como ente fiscalizador, y en lo que se refiere al examen y comprobación de la Cuenta General del Estado y de las Cuentas Generales y parciales de todas las entidades y organismos integrantes del sector público, las cuentas no se rinden por algunas entidades en los tiempos y forma adecuados.

De igual manera, la Contraloría debe trabajar en el incremento en las sanciones que impone, ya sean las derivadas del proceso administrativo sancionatorio por incumplimiento en la rendición de la Cuenta, o en aquellas que surgen del establecimiento de la responsabilidad que se derive de la gestión fiscal.

v) Mejoramiento en los procesos de la actividad fiscalizadora del Tribunal, haciendo especial énfasis en aquellos que se concentran en el examen de los expedientes de contratos celebrados por la Administración del Estado y demás entidades del sector público. En términos generales, la función fiscalizadora debe caracterizarse por su autonomía frente a las demás funciones, órganos y ramas del poder público, sin que ello implique que deje de colaborar armónicamente en la realización de los fines del Estado, por ello deben reforzarse los mecanismos y herramientas en la vigilancia e inspección de los expedientes de contratación especialmente.

vi) El Tribunal de Cuentas y los OCEx deben de intensificar su coordinación y adoptar criterios comunes para la fiscalización con el fin de mejorar el control sobre la actividad económico-financiera pública. La ley establece que los órganos de control externo de las Comunidades Autónomas coordinarán su actividad con la del Tribunal de Cuentas mediante el establecimiento de criterios y técnicas comunes de fiscalización que garanticen la mayor eficacia en los resultados y eviten la duplicidad en las actuaciones fiscalizadoras[2]. Por su parte, la Contraloría en el ejercicio de su acción fiscalizadora y en coordinación con las contralorías territoriales, debe ahondar en la mejora de sus procedimientos y reforzar las actividades que se han venido desarrollando en relación como el trabajo de Auditoría y los resultados de la administración y manejo de los recursos nacionales que se transfieran a cualquier título a las entidades territoriales de conformidad con las disposiciones legales.

vii) El Tribunal de Cuentas, en su función fiscalizadora, debe ahondar más en temas de interés y repercusión mundial; tal es el caso

---

[2] Ley 7 de 1988, art. 29.

de los relacionados con el medio ambiente, ya que su enfoque hacia estos no ha sido muy alto, inclusive solo hasta el 2015, fue incorporado como principio general en la administración: la sostenibilidad ambiental, lo que quiere decir que se necesita desarrollar mecanismos eficientes para la valoración de este principio. En la Contraloría, se trabaja en los temas de impacto en la sostenibilidad ambiental y la valoración de sus costos, a través del informe sobre el estado de los recursos naturales, que se debe presentar al Congreso de la República, el cual está sustentado en la información que han remitido las entidades vigiladas a la Contraloría, sobre los proyectos de inversión pública, convenios, contratos o demás que afecten la explotación de recursos, así mismo en la valoración en términos cuantitativos del costo-beneficio sobre conservación, restauración, sustitución, manejo en general de los recursos naturales y degradación del medio ambiente, y su contabilización y reporte oportuno a la Contraloría[3]. No obstante, la Contraloría, en procura del cumplimiento de los objetivos relacionados con el principio de la valoración de costos ambientales, debe enfatizar sus procesos de auditoría en el tema, así como revisar de forma exhaustiva la información presentada por los entes vigilados, ya que cuando se han evaluado de manera profunda temas tan importantes como la explotación minera, los resultados de la vigilancia y control fiscal de estos, han tenido un impacto muy positivo en la ciudadanía.

viii) Se deben fortalecer los vínculos y procesos relacionados Tribunal-IGAE en España y las oficinas encargadas del Control Interno en Colombia. La reglamentación del control interno en el sector público, debe enfocarse en sensibilizar a los funcionarios públicos, sobre la importancia de este autocontrol en el ejercicio de sus competencias, proporcionándoles un instrumento adicional para el buen manejo, custodia, control y aplicación de los recursos públicos en las entidades. El control interno contribuye en el fortalecimiento de los principios de transparencia, rendición de cuentas y fiscalización de los recursos públicos. Un

---

[3]   Ley 42 de 1993, art. 46

eficiente sistema de control interno incrementa la probabilidad de alcanzar los objetivos institucionales, de ahí la importancia de contar con esta herramienta que está orientada hacia la prevención de conductas indebidas. En España, el Tribunal de Cuentas y la IGAE son dos instituciones que comparten un objetivo común, el cual es proteger los recursos de orden público, por ello las relaciones entre estos deben ser de continua colaboración, ya que ambos trabajan para subsanar deficiencias y debilidades detectadas en la administración pública. Todo lo anterior con el objetivo principal de lograr una gestión más eficaz y transparente, lo que se alcanza cuando se conjuga el trabajo de estas dos instituciones. Por otra parte, es necesario ahondar en la independencia que debe existir en control interno entre los actores, es decir entre el órgano encargado del control y la entidad cuya gestión va a ser controlada, esto debe facilitar la autonomía para el ejercicio de las funciones del órgano de control y aportaría garantías sobre el cumplimiento de la legalidad y sobre la gestión eficiente de los recursos públicos. En Colombia, en igual forma las oficinas de control interno deben trabajar junto con la Contraloría, ya que a esta última le corresponde ejercer un control externo sobre estas entidades para asegurar que la calidad de sus sistemas de autocontrol sea adecuada, y detectar las posibles fallas de los mecanismos de control interno. En síntesis, el fortalecimiento de las relaciones de los entes de control externo en España y Colombia, con la IGAE y las oficinas de control interno respectivamente, repercutirá de manera positiva en la prevención de conductas asociadas con el manejo irregular de los recursos públicos.

ix) La participación ciudadana es una herramienta muy importante dentro del control a los recursos públicos. Es fundamental que el Tribunal de Cuentas de España establezca mecanismos para trabajar con la ciudadanía, por ejemplo, la creación de una oficina o departamento que se encargue de manejar temas relacionados con la comunidad, que canalicen sus inquietudes, quejas y sobre todo aportes en el control de los recursos públicos, así mismo que realice un trámite eficaz de estos mismos, lo que redundaría en beneficios no solo para el ente de control, sino para la sociedad en general. Así mismo, el Tribunal haría más visible su gestión frente a los diferentes actores. En el caso colombiano, el tema de la participación ciudadana está bastante desarrollado; sin embargo, la Contraloría debe profundizar el acercamiento con sectores de la ciudadanía en el ámbito rural, ya que, por el acceso y ubicación geográfica, es difícil, y este es un grupo considerado de alta vulnerabilidad, tal es el caso de algunas comunidades indígenas y afrodescendientes. De igual forma, seguir trabajando en el tema de promoción y capacitación, sobre todo con las poblaciones juveniles a nivel urbano, pero enfatizando en el área rural.

x) Los órganos de control en España y Colombia deben fortalecer sus relaciones con el Congreso. Es importante que se creen oficinas especializadas en el Tribunal para que la función de asesoramiento sea más efectiva y se surtan oportunamente los trámites en la presentación y rendición de informes, para que estos sean conocidos de forma más rápida por la ciudadanía, a través de medios idóneos de comunicación. En el caso de la Contraloría, la labor que cumple la Unidad de Apoyo Técnico al Congreso debe ser más profunda, de manera tal que se articulen y canalicen efectivamente las solicitudes que realiza el legislativo; en este sentido, se deben fortalecer los medios de comunicación de la Unidad hacia las dependencias que contestan de fondo las comunicaciones recibidas, además propiciar reuniones de enlace entre las diferentes oficinas que son partícipes de esta labor para que se escuchen sus sugerencias y recomendaciones.

III. CONCLUSIÓN

El propósito esencial de las funciones que desarrollan los órganos de control fiscal en España y Colombia es la protección del patrimonio del Estado, y su objetivo es ofrecer claridad y transparencia en la correcta utilización de los recursos públicos, tanto de la administración como de los particulares que manejan fondos o bienes estatales.

La Contraloría de Colombia y el Tribunal de Cuentas de España son instituciones que han sido diseñadas para evitar los excesos en el ejercicio del poder tanto político como económico, y por ende contribuyen a la prevención de la corrupción. En este sentido, estos entes de fiscalización ejercen un papel muy importante en la defensa legal contra la corrupción por su especial competencia en el ejercicio del control de legalidad, eficacia y eficiencia sobre la gestión económico-financiera, presupuestaria y contable del sector público, además deben constituirse en garantía del cumplimiento de los intereses generales del Estado.

La naturaleza del sistema constitucional en España y Colombia comprende características encaminadas al fortalecimiento de la función pública encargada del control fiscal, en razón a que se pretende asegurar el cumplimiento de los fines sociales del Estado y la rendición de cuentas de los gobernantes a los gobernados en materia de resultados, desde la perspectiva de los principios comunes en ambos países; la eficiencia, economía, eficacia y equidad de la gestión de los recursos públicos, transparencia, igualdad de género y sostenibilidad ambiental.

Los organismos de control fiscal, como instituciones reguladoras de la voluntad administrativa, permiten la prevención de conductas corruptas, ya que impiden el uso desviado de las facultades derivadas del ejercicio de los poderes públicos para su propio beneficio, práctica que en la mayoría de los casos comporta un enriquecimiento patrimonial en detrimento de los bienes públicos. El control de los fondos públicos que llevan a cabo estas instituciones constituye una importante contribución en el combate contra la corrupción.

Los organismos de control fiscal, con el establecimiento de medidas preventivas y en accionar conjunto con los entes auditados, pueden evitar prácticas como la malversación de fondos públicos, expresados a través de diversos actos de corrupción, como el ofrecimiento y la aceptación de sobornos, el cohecho, el peculado y, en general, el aprovechamiento de la posición de un funcionario para beneficiarse.

Las constituciones de España y Colombia han dotado a los órganos de control fiscal de una autonomía que debe facilitar el control de la corrupción dentro de la administración pública y de los funcionarios que hacen parte de ella. En este orden de ideas, estos organismos deben ser independientes y actuar en nombre del pueblo y de la sociedad, a los que representa.

La función de los entes de control fiscal debe caracterizarse por su autonomía frente a las demás funciones, órganos y ramas del poder público, sin que ello implique que deje de colaborar armónicamente en la realización de los fines del Estado.

Tanto en España como en Colombia se debe propiciar una real independencia de los órganos de control, respecto del sistema ejecutivo y el legislativo, lo que redundaría en un eficaz control y prevención de la corrupción, que no permitiría la influencia de intereses de particulares y facilitaría la actuación de los entes de control. En este sentido, deben reforzarse las medidas en garantía de la independencia de la entidad tanto a nivel institucional, en este caso del Tribunal de Cuentas y la Contraloría General de la República, así como en la independencia funcional y personal de los auditores en el ejercicio de su labor de fiscalización, ya que son ellos la base sobre la que descansa el ejercicio y funcionamiento de las entidades de fiscalización.

La importancia del control externo que se realice está en garantizar la imparcialidad y objetividad en el ejercicio de sus funciones que asegure los mecanismos para detectar, identificar y sancionar a los responsables del uso indebido de los fondos públicos. Lo anterior se asegura con el ejercicio independiente y eficaz en las funciones que desempeñan los órganos de control de los fondos públicos.

El principio de independencia de los organismos de control externo tanto en España como en Colombia debe predicarse tanto del poder ejecutivo como del legislativo, lo que propiciaría un alejamiento del poder de los partidos políticos, los cuales necesariamente están representados en las Cortes Generales. Esta independencia fortalecería la imparcialidad y eficacia de los entes de control en el desarrollo de sus funciones.

En este sentido, el ejercicio real de las funciones de los órganos de control externo no se admite sin la autonomía e independencia, lo que va unido a su origen constitucional y además no se aísla del Estado de Derecho y el Buen Gobierno.

LA PREVARICACIÓN COMO POSIBLE MADRE DE LOS DELITOS DE CORRUPCIÓN: ANÁLISIS JURISPRUDENCIAL Y LEGISLATIVO ESPAÑOL

EDÉRSON DOS SANTOS ALVES
Abogado y Doctorando en Derecho
Universidad de Salamanca (España)

Sumario: I. Introducción al contexto social de la prevaricación. II. Análisis legislativo y jurisprudencial sobre la prevaricación en España. III. Análisis comparado de legislación sobre prevaricación en Portugal. IV. Lucha contra la prevaricación y los retos para España. V. Conclusiones.

I. INTRODUCCIÓN AL CONTEXTO SOCIAL DE LA PREVARICACIÓN[1]

La corrupción, así como su tipificación penal en diversos conceptos no es algo novedoso a pesar de que muchos no sean tan conocidos o se encuentren recogidos en el código penal, como es el caso de la prevaricación. Siempre que se piensa en corrupción viene la idea de la corrupción pública, porque en la mayoría de los grandes casos mediáticos se ha visto involucrado algún servidor público o político,

---

[1] El autor agradece los valiosos comentarios y sugerencias de la Dra. Z. Sánchez. También las revisiones del Sr. C. De Miguel. Además, un sincero agradecimiento al Dr. L. Bujosa y los demás coordinadores de la organización de este libro. La presente investigación se ha realizado en el marco de una investigación mucho más extensa, relativa a "Nudges y la Formación de los empleados públicos: las nuevas herramientas de anticorrupción".

por lo que la ecuación se vuelve complicada y se incluyen posibles infracciones administrativas. En ese sentido, corrupción es un concepto amplio que abarca diversas áreas del derecho, teniendo que distinguir en nuestros ordenamientos jurídicos sobre qué infracciones se encuentran bajo el paraguas de la corrupción.

El objetivo de este capítulo es analizar la prevaricación en España, considerando la hipótesis de que la prevaricación es la madre de todos los delitos de corrupción, puesto que es en este tipo donde podrían empezar los demás delitos de corrupción en la administración pública. La metodología que hemos utilizado es hipotético-deductiva, con análisis legislativo, jurisprudencial, datos estadísticos, casos prácticos de la prensa española sobre la temática y una revisión doctrinal española y portuguesa.

Primero se trafica con influencias, después se prevarica, y luego se malversa el caudal público. Esto es lo que ocurre en casi todos los delitos de corrupción, que, habitualmente, dan inicio con una prevaricación a través de una resolución injusta. En este sentido, la jueza Mercedes Alaya afirma que la prevaricación debería sancionarse con penas de prisión superiores a 3 años, ya que la prevaricación tan solo se castiga "con penas de inhabilitación". Además, con la reciente reforma de la Ley de Enjuiciamiento Criminal, como la prevaricación no se encuentra sancionada con penas de al menos tres años, no se pueden autorizar intervenciones telefónicas o telemáticas para su investigación"[2]. Esto facilita que no se fiscalicen ni investiguen los presuntos delitos de prevaricación puesto que el propio sistema jurídico no lo permite.

Suponiendo que una persona consiga sobornar a un servidor público o un cargo político para que realice una acción u omisión, no suele quedar en una sola labor, ya que al no ser "pillados", suele repetirse esa mala práctica en el tiempo. En ese caso, el empleado que obtuvo un dinero o beneficio extra, continúa buscando otra manera de seguir consiguiéndolo.

---

[2]   María Jesús Pereira, «Mercedes Alaya: "La prevaricación debería castigarse con cárcel. Es la madre de todos los delitos de corrupción"» <https://sevilla.abc.es/sevilla/sevi-mercedes-alaya-prevaricacion-deberia-castigarse-carcel-madre-todos-delitos-corrupcion-201805210405_noticia.html> accedido 13 de enero de 2022.

Es en esta dirección donde la teoría de las ventanas rotas de Philip Zimbardo puede servirnos: cuantos más actos de corrupción sean divulgados, y menos sean castigados, mayor es el estímulo para recrearlos. La idea de que no serán castigados, de que "el crimen compensa", acaba dejando una imagen de que "el crimen resulta beneficioso", por lo que el coste-beneficio de prevaricar y no ser castigado sigue siendo una ventaja para prevaricar, ya que no serán sancionados, y tan solo pueden llegar a una pena de inhabilitación de cargo público. En ese sentido, seguirá con todo el patrimonio que haya adquirido de la prevaricación, las empresas, o los cargos y beneficios que podrán transmitirse a sus familiares. Quizás sea por esto por lo que, en los casos de prevaricación, los sospechosos han sido denunciados por varios delitos a la vez y no solo prevaricación.

La prevaricación en España pasó por algunas reformas a largo de la historia, en este sentido Hervilla [3] recuerda que el legislador español fue riguroso en sancionar este delito, que no existen razones técnicas ni político-criminales que justifican la configuración actual del artículo 404 del Código Penal (en adelante CP), puesto que actualmente el tipo legal del delito que está tipificado en el CP, de una manera u otra, facilita al infractor no ser castigado, toda vez que, para que se pruebe que el presunto infractor ha prevaricado debe haber una serie de elementos [4] que un ciudadano común no será el más indicado para probarlo. Posteriormente, con las decisiones del Tribunal Supremo se ha dado un margen mayor para que la sanción sea más compleja. Asimismo, se encuentra expresamente prohibido que el delito de prevaricación sea juzgado por un Tribunal compuesto por un Jurado (Tribunal del Jurado), a pesar de que en el caso de otros delitos de cohecho sí pueden serlo [5]. A nuestro entender, no se justifica que se aparte el delito de prevaricación del Tribunal del Jurado, y entendemos que podría ser así debido a que es un delito cometido por empleados públicos. En línea contraria a nuestra idea,

---

[3]   Jordi Casas Hervilla, «Prevaricación administrativa de autoridades y funcionarios públicos: análisis de sus fundamentos y revisión de sus límites».

[4]   Ibid.

[5]   Atando Cabos, «Claves Del No enjuiciamiento del delito de Prevaricación por el tribunal del jurado» (2020) <https://drive.google.com/file/d/1omsj7kwao5mJCy OBayvcvk8UaDDaHJEX/view> accedido 4 de marzo de 2022.

el Tribunal Supremo, confirma en el 2017, que ningún caso de delito de prevaricación o conexo podrá ser juzgado por jurado. Además, los casos de prevaricación juzgados son relativamente pocos, ya que los últimos datos son de 2020 y datan de 106 casos.

Por lo tanto, la prevaricación en España se encuentra en una espiral, ya que primero se realiza el acto de prevaricar. A continuación, existe una cobertura a ese acto, se acepta la prevaricación y hay una continuidad temporal en la que se sigue corrompiendo o prevaricando, hasta que llegan los tribunales superiores que, aparentemente, acaban cediendo a este tipo de ciclo de corrupción y protección al empleado público.

¿Por qué enfocamos nuestra visión sobre la prevaricación? Porque en el ejercicio del Estado, al que se defrauda por parte de un empleado público que tiene el deber de responsabilidad en el cumplimiento de las obligaciones y el seguimiento de la ley, el propio Estado, en sí mismo, no sanciona a ese funcionario que vulnera y pone en grave riesgo el desempeño de los derechos fundamentales y acceso a los servicios públicos con su malversación.

En esa misma idea, se comete prevaricación o el delito de prevaricación y al mismo tiempo se violan los derechos humanos como, por ejemplo, el acceso a la salud, al medio ambiente, educación, transporte público[6]. Tal y como afirma Peters, existe un nexo entre la corrupción y la violación de DDHH, sobre el que se adapta perfectamente la prevaricación. En ese sentido, "la corrupción significa que las decisiones administrativas o políticas de las autoridades gubernamentales se compran en lugar de tomarlas sobre la base de la legalidad en procedimientos formalmente establecidos para ese fin"[7]. Por lo tanto, no castigar acorde a la gravedad de la malversación puede suponer una colaboración estatal en pro de la continuidad de la prevaricación.

Tal y como se señala en las sentencias STS 523/2021, 16 de junio de 2021, STS 623/2020, de 19 de noviembre y STS 82/2017, de 13 de

---

6   Véase a Edérson Dos Santos Alves, «La aplicación de nudge en la formación de los empleados públicos en España, ayuda a prevenir la corrupción», *Administración, Hacienda y Justicia en el Estado Social* (Tirant lo Blanch 2021).

7   Anne Peters, «Corruption as a Violation of International Human Rights» (2018) 29 European Journal of International Law 1251, 9.

febrero, sobre la prevaricación como constitutiva de un delito especial propio, cometido por los funcionarios públicos, se trata de una figura penal que busca proteger el bien jurídico del correcto funcionamiento de la Administración pública, así como satisfacer los intereses generales de los ciudadanos, de modo que se respete la exigencia constitucional de garantía de los principios de legalidad, de seguridad jurídica y de interdicción de la arbitrariedad de los poderes públicos.

II. ANÁLISIS LEGISLATIVO Y JURISPRUDENCIAL SOBRE LA PREVARICACIÓN EN ESPAÑA[8]

Los códigos penales españoles de 1822, 1870, 1870, 1928, y 1944, así como el Decreto de las Cortes del 24 de marzo de 1813, tuvieron a bien sancionar el delito de prevaricación. Este último Decreto aprobado bajo el título "Reglas para que se haga efectiva la responsabilidad de los empleados públicos", concretamente en el Capítulo II de la referenciada norma, bajo la rúbrica «De los demás empleados públicos», establecía lo siguiente:

"ART. I. Los empleados públicos de cualquier clase, que como tales y á sabiendas abusen de su oficio para perjudicar a la causa pública, ó á los particulares, son también prevaricadores, y se les castigará con la destitución de su empleo, inhabilitación perpetua

Para obtener cargo alguno, y resarcimiento de todos los perjuicios, quedando además sujetos á cualquiera otra pena mayor que les esté impuesta por las leyes especiales de su ramo,

II. Si el empleado público prevaricase por soborno ó por cohecho en la forma prevenida con respecto á los jueces, será castigado como estos.

III. El empleado público que por descuido o ineptitud use mal de su oficio, será privado de empleo, y resarcirá los perjuicios que haya causado, quedando además sujeto

á las otras penas que le estén impuestas por las leyes de su ramo.[9]

IV. Los empleados públicos de todas clases serán también responsables de las faltas

---

[8]   Este artículo solo analiza la prevaricación administrativa y no hace referencia a la prevaricación judicial, ni a las cuestiones urbanísticas que puedan tener presencia.

[9]   España. Decreto CCLXIV de las Cortes del 24 de marzo de 1813.

que cometan en el servicio sus respectivos subalternos, si por omisión o tolerancia diesen

lugar a ellas, o dejasen de poner inmediatamente para corregirlos el oportuno remedio".

Ahora, el tipo genérico de prevaricación descrito en el artículo 404 del CP "protege el correcto ejercicio del poder público, que en un estado de derecho no puede utilizarse de forma arbitraria ni siquiera bajo el pretexto de obtener un fin de interés público o beneficioso para los ciudadanos", de acuerdo con la STS 572/2021, de 2 de noviembre.

Por el contrario, debe ejercerse siempre de acuerdo con las leyes que regulan la forma en que deben adoptarse las decisiones y alcanzarse los fines constitucionalmente lícitos (STS 363/2006, de 28 de marzo).

Tal y como se expone en la STS 259/2015, de 30 de abril:

"El delito de prevaricación tutela el correcto ejercicio de la función pública de acuerdo con los parámetros constitucionales que orientan su actuación: 1º) El servicio prioritario a los intereses generales. 2º) El sometimiento pleno a la Ley y al Derecho. 3º) La absoluta objetividad en el cumplimiento de sus fines (art. 103 C.E). Por ello la sanción de la prevaricación garantiza el debido respeto, en el ámbito de la función pública, al principio de legalidad como fundamento básico de un Estado social y democrático de Derecho, frente a ilegalidades severas y dolosas, respetando coetáneamente el principio de intervención mínima del ordenamiento penal (Sentencias de 21 de diciembre de 1999 ,12 de diciembre de 2001 y 31 de mayo de 2002, núm. 1015/2002)".

De acuerdo con el artículo 103 de la Constitución Española:

"El empleado público debe servir a la Administración Pública, con plena dedicación. Ninguna situación debe menoscabar el estricto cumplimiento de sus deberes o perjudicar los intereses generales. Es imprescindible salvaguardar la imparcialidad e independencia del servidor público".

Siguiendo dicho artículo de la Constitución, los empleados públicos deberían respetar a la propia Administración, no siendo moral o ético pensar en cometer actos de prevaricación o cualquier tipo de acto corrupto. Respecto a otra decisión de la STS 363/2006, de 28 de marzo, que dice: "debe ejercerse siempre de conformidad con las leyes que regulan la forma en que deben adoptarse las decisiones y alcanzarse los fines constitucionalmente lícitos". En este sentido, según Begovic "la corrupción es el incumplimiento intencionado del principio de imparcialidad con el propósito de derivar de tal tipo de comportamiento un beneficio personal o para personas relacionadas"[10]. Nuevamente, y por ese motivo, el servidor público no solo está cometiendo un delito, sino que actúa contrario a los principios de su propio desempeño laboral.

Los delitos de prevaricación de funcionarios públicos se describen en los artículos 404, 405 y 408 del CP, específicamente en el título XIX de los delitos contra la Administración Pública. En ese sentido, creemos necesario abordar cada uno de ellos. De acuerdo con el artículo 404:

> "A la autoridad o funcionario público que, a sabiendas de su injusticia, dictare una resolución arbitraria en un asunto administrativo se le castigará con la pena de inhabilitación especial para empleo o cargo público y para el ejercicio del derecho de sufragio pasivo por tiempo de nueve a quince años".

Según este artículo, quien realice alguna resolución arbitraria que sea de asunto administrativo, aun sabiendo que es injusta, tendrá como pena de inhabilitación especial por ejercicio de funciones públicas y quedará sin su función de nueve a quince años sin poder ejercer el derecho de sufragio pasivo.

Como recuerda Neupavert[11] el "delito de prevaricación administrativa y judicial, respectivamente (...) constituyen una pieza fundamental en la lucha contra la corrupción"[12], pues esta podría ser la madre de la corrupción, y si no se produce la malversación, es probable que no se produzcan otros ilícitos, puesto que dicho tipo penal tiene relación directa con otros delitos.

En el siguiente artículo 405 se establece que:

> "A la autoridad o funcionario público que, en el ejercicio de su competencia y a sabiendas de su ilegalidad, propusiere, nombrare o diere posesión para el ejercicio de un determinado cargo público a cualquier persona sin que concurran los requisitos legalmente estable-

---

10 B Begovic, «Corrupción: conceptos, tipos, causas y consecuencias» (2005) 3.
11 Mario Neupavert Alzola, «Los delitos de prevaricación», Aranzadi, Cizur Menor (Navarra), 1ª ed., 2019, 149 páginas» [2020] Revista de Estudios Jurídicos y Criminológicos 253.
12 Ibid.

cidos para ello, se le castigará con las penas de multa de tres a ocho meses y suspensión de empleo o cargo público por tiempo de uno a tres años".

De este artículo extraemos que quien en ejercicio de su competencia pública nombrara, propusiera o diera posesión a alguien para ejercer el cargo público aun sabiendo de su ilegalidad, incurrirá en un delito cuya una pena de multa es de tres a ocho meses y quedará suspenso de uno a tres años de cargo o función pública.

En lo concerniente al artículo 408, se establece: "que el empleado público que no realiza la obligación referente a su cargo y deja que ocurra intencionadamente los delitos de los que tenga noticia o de sus responsables, siendo la pena para el ejercicio de la función público por el tiempo de seis meses a dos años".

Cabe mencionar que el Código Penal, en su artículo 24.1 define como la "Autoridad" a los siguientes sujetos:

> "A los efectos penales se reputará autoridad al que por sí solo o como miembro de alguna corporación, tribunal u órgano colegiado tenga mando o ejerza jurisdicción propia. En todo caso, tendrán la consideración de autoridad los miembros del Congreso de los Diputados, del Senado, de las Asambleas Legislativas de las Comunidades Autónomas y del Parlamento Europeo. Se reputará también autoridad a los funcionarios del Ministerio Fiscal".

Además, sobre el funcionario público, definido en el artículo 24.2 "se considerará funcionario público todo el que por disposición inmediata de la Ley o por elección o por nombramiento de autoridad competente participe en el ejercicio de funciones públicas".

Por lo tanto, supone una aclaración para tener en cuenta que la malversación solo puede ser practicada por un sujeto activo que ostente la calidad de quien sea Autoridad o funcionario público, salvo la excepción de "Extraneus"[13].

---

[13]   Ignacio Brea Sanchiz, El Delito De Prevaricación. Lealtadis, Despacho de abogados en Almería. *Lealtadis Abogados* (4 de diciembre de 2020).

Hervilla[14] también sugiere la modificación del art. 404 del Código Penal, a los efectos de clarificar cuestiones tales como la intervención y la responsabilidad penal del «extraneus» en ese delito especial, así como de aquellas autoridades y funcionarios públicos que participan activamente en el dictado de la resolución mediante informes que sirven de soporte a esa decisión injusta.

El delito de prevaricación admite la participación en calidad de cooperación necesaria, tanto por parte del "extraneus" no funcionario, como del funcionario que participa en el proceso dirigido a la adopción de una resolución injusta con una intervención, no necesariamente decisoria, pero sí decisiva.

Constituye una cooperación necesaria la colaboración de quien interviene en el proceso de ejecución del delito con una aportación operativamente indispensable, conforme a la dinámica objetiva del hecho delictivo. Como ha señalado la STS 597/2014, 30 de julio, debe considerarse cooperación.

Así se encuentra previsto en el artículo 14.3 del Código Penal de 1973 y en el artículo 28 b) del Código Penal de 1995, cuando se colabora con el ejecutor directo aportando una conducta sin la cual el delito no se habría cometido (teoría de la "*conditio sine qua non*"), cuando se colabora mediante la aportación de algo que no es fácil obtener de otro modo (teoría de los bienes escasos), o cuando el que colabora puede impedir la comisión del delito retirando su concurso (teoría del dominio del hecho)[15]. A partir de las sentencias del Tribunal Supremo, concretamente las STS de 18 de enero y de 24 de junio, ambas de 1994, se permite reconocer la idea de quien induce a prevaricar puede ser un cómplice.

Resulta paradójico que el CP contemple expresamente como delito el hecho de que una autoridad o funcionario público informe favorablemente a sabiendas de su injusticia en licencias urbanísticas, en el art. 320 núm. 1 respecto a las autorizaciones ambientales, en el art. 329 núm. 1 en torno a proyectos de derribo o alteración de edificios protegidos de valor histórico o artístico, o en el art. 322 núm. 1 del, de actuaciones contrarias a derecho, y la acción de emisión

---

14   Casas Hervilla (n 3).
15   Ignacio Brea Sanchiz (n 17).

de informes no se contemple de manera expresa en la prevaricación que hemos denominado genérica y se encuentra recogida en el art. 404 del CP[16].

Teniendo en cuenta que en muchas ocasiones las leyes quedan en papel y son incumplidas, es necesario tomar otro tipo de respuestas. Asegurando esto, si un empleado público saca provecho de las funciones y responsabilidades que le son requeridas por parte del Estado, Comunidad Autónoma y entes locales, debe ser sancionado. En ese sentido, cabe mencionar el caso del alcalde que era al mismo tiempo responsable de una empresa y autorizó la expansión de la empresa dentro del municipio, considerándose un incumplimiento de las normas de protección ambiental[17]. Finalmente, solo fue condenado por prevaricación, pero sin obtener ningún tipo de multa, ni pena por las ventajas económicas que obtuvo por este acto, así como tampoco se tuvo en cuenta los daños ambientales que puedo haber causado, los ruidos y las molestias a los vecinos[18].

En ese caso, cabe preguntarnos si hay un problema en el sistema que imposibilita analizar y juzgar los casos de prevaricación, ya que el método actual facilita y da la posibilidad a que no se sancione adecuadamente la prevaricación, y pueda haber una mayor percepción de corrupción en nuestro país. Si un empleado sabe que no será condenado por prevaricación, una vez que exista cierto historial corrompible, son pocos los casos que acaban siendo procesados, tal y como apreciamos en el año 2020, en los que fueron 106 casos procesados, pero alrededor de solo 20 casos acabaron en condena. A ello debemos sumar que cuando son condenados, quedan inhabilitados al ejercicio de la función pública de 2 a 7 años.

---

[16]   Casas Hervilla (n 3).
[17]   Cabe decir que se inicia un procedimiento de lesividad por parte de la Administración, que requiere supervisión del poder judicial, y se revierte la situación.
[18]   En teoría se puede demandar al Estado a través del inicio de un proceso civil y reclamar responsabilidad patrimonial por los daños causados. Así, las indemnizaciones las paga la empresa y la propia administración, con un procedimiento administrativo. La empresa será sancionada administrativamente. En este caso concreto, hasta el momento de marzo de 2022 no se ha dado el caso de la sanción.

Además, también debemos analizar que el tipo legal de prevaricación no permite condenas en caso de culpa y dolo específico. En este sentido, la STS 723/2009, de 1 de julio, establece que:

> "no toda resolución administrativa ilegal es arbitraria por el mero hecho de resultar contraria a las disposiciones del ordenamiento jurídico. De esta forma, es necesario de la actuación sea manifiestamente arbitraria, esto es, carente de justificación alguna mediante interpretaciones que tengan cabida en el ordenamiento jurídico. Conforme reiteradamente viene señalando esta Sala, para que pueda apreciarse prevaricación administrativa, no basta la mera ilegalidad a este respecto. No existen estos delitos cuando la resolución correspondiente es sólo una interpretación errónea, equivocada o discutible, como tantas veces ocurre en el ámbito del derecho; se precisa una discordancia tan patente y clara entre esta resolución y el ordenamiento jurídico".

Al hilo de lo anterior, no existe duda de la posibilidad de llevar a cabo resoluciones administrativas ilegales y que, aun así, el sujeto pueda ser considerado inocente bajo las premisas del Tribunal Supremo al no considerar esa práctica como prevaricación. Esta misma decisión fue utilizada con base en las decisiones tomadas en 2021.

> "De esta forma, es necesario que la actuación sea manifiestamente arbitraria, o lo que es lo mismo, carente de justificación alguna mediante interpretaciones que tengan cabida en el ordenamiento jurídico.
>
> Conforme a lo que viene señalando esta Sala, para que pueda apreciarse prevaricación administrativa, no basta la mera ilegalidad a este respecto. No existen estos delitos cuando la resolución correspondiente es sólo una interpretación errónea, equivocada o discutible, como tantas veces ocurre en el ámbito del derecho; se precisa una discordancia tan patente y clara entre esta resolución y el ordenamiento jurídico que cualquiera pudiera entenderlo así por carecer de explicación razonable. Es decir, la injusticia ha de ser tan notoria que podamos afirmar que nos encontramos ante una resolución arbitraria. También es reiterada la doctrina sobre lo que debe entenderse por el contenido de la injusticia o arbitrariedad, que puede provenir tanto en la absoluta falta de competencia del funcionario o autoridad, en la inobservancia de alguna norma esencial del procedimiento, o en el propio contenido sustancial de lo resuelto (Sentencia núm. 723/2009, de 1 de julio)".

Al mismo tiempo, esta misma sentencia afirma que para que sea considerado prevaricación, quien hizo el acto debía saber que dicha resolución era injusta y violaba la ley, tal y como se puede ver a continuación:

> "En el tipo subjetivo se requiere que la conducta se haya realizado a sabiendas o "a sabiendas de su injusticia". En caso de desconocerse la injusticia de la resolución, si la conducta es idónea para "provocar" la realización de conductas que afectan al equilibrio de los sistemas naturales y se ha infringido un deber de cuidado elemental, cabría condenar por participación o autoría accesoria en el delito medioambiental imprudente".

> En otro apartado la sentencia reconoce el precedente, pero no lo ve aplicable a este caso, aunque al leer el caso quede claro la aplicabilidad, justifica que "conforme expresamos en la sentencia núm. 449/2003, de 24 de mayo, la modalidad de prevaricación omisiva ha sido aceptada por la jurisprudencia de esta Sala y adquiere todavía una mayor justificación y razonabilidad en los casos de actuaciones de los funcionarios responsables en actuaciones medioambientales".

La Sentencia del Tribunal Supremo de 20 de julio de 2017 se pronuncia sobre este elemento subjetivo del tipo, recordando la exigencia de que el sujeto activo tenga "conciencia del total apartamiento de la legalidad y de las interpretaciones usuales admisibles en derecho, lo que debe ser evaluado desde la consideración de que el Juez es técnico en derecho y un profundo conocedor del ordenamiento jurídico"[19].

Además, según las Sentencias del Tribunal Supremo 259/2019, de 15 de julio, 1021/2013, de 26 de noviembre y 743/2013, de 11 de octubre, para apreciar la existencia de un delito de prevaricación será necesario:

> "1- Que sea una resolución dictada por autoridad o funcionario en asunto administrativo;
>
> 2- que sea contraria a Derecho, es decir, ilegal;
>
> 3- que esa contradicción con el derecho o ilegalidad, que puede manifestarse en la falta absoluta de competencia, en la inobservancia de trámites esenciales del procedimiento, o en el propio contenido sustancial de la resolución, sea de tal entidad que no pueda ser explicada con una argumentación técnico-jurídica mínimamente razonable;
>
> 4- que ocasione un resultado materialmente injusto;

---

[19] Ricardo Rivero Ortega, *Responsabilidad personal de autoridades y empleados públicos. El antídoto de la arbitrariedad*. Editora Iustel (2020).

5- que la resolución sea dictada con la finalidad de hacer efectiva la voluntad particular de la autoridad o funcionario, y con el conocimiento de actuar en contra del derecho".

Estos requisitos dificultan la sanción penal de los agentes[20]. El CP de 1995 otorgó claridad al tipo objetivo del delito, recogiendo lo que ya expresaba la doctrina jurisprudencial, al disponer como " arbitrarias " las resoluciones que integran el delito de prevaricación, es decir, como actos contrarios a la Justicia, la razón y las leyes, dictados solo por la voluntad o el capricho (SSTS 61/1998, de 27 de enero, 487/1998, de 6 de abril, 674/1998, de 9 de junio y 1590/2003, de 22 de abril de 2004, caso Intelhorce).

Al respecto de la cuestión de la arbitrariedad de la resolución anti-jurídica, la jurisprudencia pone el foco para diferenciar al prevarica-dor respecto a lo contrario a Derecho, en la concurrencia de un plus que cabe proclamar de las siguientes referencias:

"a) En el ámbito objetivo, la patente y fácil cognoscibilidad de la con-tradicción del acto administrativo con el derecho (STS de 1 de abril de 1996, de 16 de mayo de 1992 y de 20 de abril de 1994);

b) En el ámbito subjetivo, el ejercicio arbitrario del poder, proscrito por el artículo 9.3 de la Constitución, lo que cabe predicar cuando la re-solución prevaricadora es, pura y simplemente, producto de su voluntad, convertida irrazonablemente en aparente fuente de normatividad. (STS de 23-5- 1998; 4-12-1998; STS núm. 766/1999, de 18 mayo y STS núm. 2340/2001, de 10 de diciembre).

c) Formalmente, cuando la resolución se dicta por quien es manifiesta-mente incompetente o se conculcan normas y principios esenciales del pro-cedimiento génesis (STS núm. 727/2000, de 23 de octubre), bien porque en

---

[20]   Este artículo aborda solo la cuestión en sede penal. Con base al principio de in-tervención mínima del derecho penal, solo se debe usar el derecho penal cuando todos los elementos fallan. En este caso, en la esfera administrativa, las san-ciones pueden llegar a la expulsión de la condición de funcionario, así como las sanciones administrativas y la potestad disciplinaria. No han sido eficaces, vistos los diversos casos que hemos presentado aquí, donde se hizo necesario la intervención del derecho penal. En este sentido la STS 523/2021, 16 de junio de 2021 recuerda que "con la regulación y aplicación del delito de prevaricación no se pretende sustituir a la jurisdicción administrativa, en su labor de control de la legalidad de la actuación de la Administración Pública, por la Jurisdicción Penal, sino sancionar supuestos limite, en los que la actuación administrativa no solo es ilegal, sino además injusta y arbitraria".

absoluto se cumplen los principios o bien porque son sustituidos por otros mediante los cuales, aparentando su cumplimiento, se soslaya su finalidad, aun siendo esenciales (STS 1021/2013, de 26 de noviembre de 2013)".

De acuerdo con el Informe N° 2 emitido por la Organización Española Contra la Corrupción, con base en datos oficiales publicados por el Consejo General del Poder Judicial sobre delitos de prevaricación judicial entre los años 1995 a 2009[21], advierte que el 97,88% de las 4.962 causas iniciadas mediante querella, fueron inadmitidas. El 0,57% restante resultó en sentencias absolutorias, por lo que tan solo el 1,55 % terminó en condena[22]. Esto nos lleva a pensar que en el 98,45 % de los casos, de alguna manera, los querellantes se podrían haber equivocado. En este sentido, Pascual argumenta que "esta falsa dicotomía al preguntarse si una resolución es justa o injusta, en vez de preguntarse si la resolución es razonable y en qué grado lo es, puede ser el motivo de que terminen fracasando el 98,48% de las querellas interpuestas por delitos de prevaricación judicial"[23]. Los datos encontrados más recientes sobre el índice de prevaricación siguen reflejando que son pocos los casos juzgados[24].

Tabla I. Delitos condenados en España entre 2013 a 2020

Resultados nacionales								
Delitos según tipo	2020	2019	2018	2017	2016	2015	2014	2013
19.1 Prevaricación de los funcionarios públicos	99	126	108	115	126	93	76	62

21 Cabe subrayar que no hay datos disponibles más actualizados, a pesar de que estos datos sirven para analizar un posible contexto actual de España.
22 Organización Española Contra Corrupción, «Informe N° 2» (2010).
23 Sergio Berenguer Pascual, «La Irrazonabilidad Como Injusticia En El Delito De Prevaricación Judicial A propósito de la STS n.° 585/2017 de 20 de julio de 2017 (Caso Fernando Presencia)» (2017) 18 Revista de Derecho Penal y Criminología 18, 396.
24 Cabe resaltar que los datos no reflejan cuantos casos se abrieron y cuantos se condenaron, una vez que no hay disponible por la INE ni por el Gobierno.

20.1 Prevaricación	7	13	6	3	5	8	5	5
1 Homicidio y sus formas	1.036	1.099	1.087	1.158	1.252	1.355	1.295	1.427
13 Contra el patrimonio y el orden socioeconómico	99.660	141.686	142.426	136.992	122.647	74.790	64.620	60.645
13.1 Hurtos	47.533	71.671	70.102	63.721	55.282	20.611	11.606	10.751
17.3 Contra la salud pública	9.332	11.567	11.087	11.527	11.996	12.415	12.851	13.441

Fuente: Instituto Nacional de Estadística[25]

Esta tabla representa los datos de las condenas en el ámbito nacional, y al mismo tiempo sirven para verificar que las sanciones en casos de corrupción suele tender a la baja comparándolos con los delitos no relacionados con la corrupción. Asimismo, también se puede ver que casi no existen sanciones por prevaricación. En este sentido, Pascual afirma sobre las condenas existentes por prevaricación:

"Se une la conducta delictiva consistente en archivar unas Diligencias Previas de forma prematura, sin haber confrontado la declaración del investigado con otras pruebas de cargo que eran necesarias, útiles y pertinentes (tipo objetivo); conociendo el condenado que esta decisión judicial era tomada para favorecer a un amigo suyo, investigado en el procedimiento, para evitarle ser enjuiciado por sendos delitos de omisión del deber de socorro y de lesiones imprudentes (tipo subjetivo). No obstante, sólo lo que atañe al tipo objetivo interesa para determinar la «injusticia» o «irrazonabilidad» de la resolución"[26].

[25]   Instituto Nacional de Estadística, «Delitos según tipo» (2022) <https://www.ine.es/jaxiT3/Datos.htm?t=25997#!tabs-tabla> accedido 13 de enero de 2022.
[26]   Pascual (n 27) pág. 396.

III. ANÁLISIS COMPARADO DE LEGISLACIÓN SOBRE PREVARICACIÓN EN PORTUGAL[27]

Si comparamos el caso de Portugal, la prevaricación está mucho más castigada con penas de 2 a 8 años de prisión y multa. También se encuentran más tipos legales que en el CP español, por lo que permite cuadrar como delito de prevaricación y condenar por la omisión, que en el caso de España no se encuentra tipificado, a pesar de que sí exista jurisprudencia del Supremo al respecto. Si un empleado público promueve o no promueve, dirige, decide o no decide, o realiza un acto en el ejercicio de las facultades derivadas del cargo que ocupa, podrá ser condenado por el delito de prevaricación. Esto nos lleva a que puede sancionarse con hasta 8 años de prisión por causa de acto cometido por este empleado público resulte en privación de libertad de una persona. Así se establece en el artículo 369 del Código portugués:

> *"Denegação de justiça e prevaricação*
>
> *1–O funcionário que, no âmbito de inquérito processual, processo jurisdicional, por contra-ordenação ou disciplinar, conscientemente e contra direito, promover ou não promover, conduzir, decidir ou não decidir, ou praticar acto no exercício de poderes decorrentes do cargo que exerce, é punido com pena de prisão até 2 anos ou com pena de multa até 120 dias.*
>
> *2–Se o facto for praticado com intenção de prejudicar ou beneficiar alguém, o funcionário é punido com pena de prisão até 5 anos.*
>
> *3–Se, no caso do n.º 2, resultar privação da liberdade de uma pessoa, o agente é punido com pena de prisão de 1 a 8 anos.*
>
> *4–Na pena prevista no número anterior incorre o funcionário que, sendo para tal competente, ordenar ou executar medida privativa da liberdade de forma ilegal, ou omitir ordená-la ou executá-la nos termos da lei.*
>
> *5–No caso referido no número anterior, se o facto for praticado com negligência grosseira, o agente é punido com pena de prisão até 2 anos ou com pena de multa".*

---

[27]   Se hace una comparación entre ambos países debido a la pertenencia a la Unión Europea, a la cercanía geográfica, a la cultura compartida, así como también al vínculo histórico, desde la historia de los regentes y su parentesco, la influencia del lenguaje, etc. En este sentido, la comparativa entre Portugal y España nos puede servir como reflejo de diferencias legislativas a pesar de compartir los demás elementos mentados.

Asimismo, también existe una sanción de 3 años de prisión y multa para los abogados y los solicitadores, que en este caso no se analiza como elemento subjetivo del agente, y se investiga solo si perjudica a la persona que entregue el patrimonio, o si tiene interés en contra del cliente, pudiendo ser procesado por prevaricación. Así se establece en el artículo 370º:

> *"Prevaricação de advogado ou de solicitador*
>
> *1–O advogado ou solicitador que intencionalmente prejudicar causa entregue ao seu patrocínio é punido com pena de prisão até 3 anos ou com pena de multa.*
>
> *2–Em igual pena incorre o advogado ou solicitador que, na mesma causa, advogar ou exercer solicitadoria relativamente a pessoas cujos interesses estejam em conflito, com intenção de actuar em benefício ou em prejuízo de alguma delas".*

Además de la ley, también existe jurisprudencia de los tribunales portugueses sobre la prevaricación:

> *"1. Ac. TRP de 14-03-2012: I. No crime de Denegação de justiça e prevaricação, do art. 369.º do CP, o sujeito ativo [funcionário] terá de atuar no exercício dos deveres do cargo no âmbito de inquérito criminal ou de processo jurisdicional, por contraordenação ou disciplinar, na fase judicial.*
>
> *II. A incriminação em causa não inclui a fase não jurisdicional do processo de contraordenação.*
>
> *2. Ac. STJ de 12-07-2012 : IV. O crime de denegação de justiça e prevaricação, p. e p. pelo art. 369.º, n.º 1, do CP, encontra-se sistematicamente inserido no âmbito dos crimes contra o Estado, mais especificamente no capítulo dos crimes contra a realização da justiça. O bem jurídico tutelado é a realização da justiça em geral, visando a lei assegurar o domínio ou a supremacia do direito objectivo na sua aplicação pelos órgãos de administração da justiça, maxime judiciais. Tem por elementos constitutivos a ocorrência de comportamento contra o direito, no âmbito de inquérito processual, processo jurisdicional, por contra-ordenação ou disciplinar, por parte de funcionário, conscientemente assumido, havendo lugar à agravação no caso de o agente agir com intenção de prejudicar ou beneficiar alguém.*
>
> *V. Face à exigência típica decorrente da expressão 'conscientemente', só o dolo directo e o necessário são relevantes, como é jurisprudência uniforme do STJ. O dolo, enquanto vontade de realizar o tipo com conhecimento da ilicitude (consciência), há-de apreender-se através de factos (acções ou omissões) materiais e exteriores, suficientemente reveladores*

daquela vontade, de onde se possa extrair uma opção consciente de agir desconforme à norma jurídica. Não são meras impressões, juízos de valor conclusivos ou convicções íntimas, não corporizados em factos visíveis ou reais, que podem alicerçar a acusação de que quem decidiu o fez conscientemente contra o direito e, muito menos, com o propósito específico de lesar alguém.

VI. Por outro lado, não é a prática de qualquer acto que infringe regras processuais que se pode, sem mais, reconduzir a um comportamento contra o direito, com o alcance definido no n.º 1 do art. 369.º do CP; é preciso que esse desvio voluntário dos poderes funcionais afronte a administração da justiça, de forma tal que se afirme uma negação de justiça. Não basta, pois, que se tenha decidido mal, incorrectamente, contra legem, sendo necessário que quem assim decidiu tenha consciência de que, desviando-se dos seus deveres funcionais, violou o ordenamento jurídico pondo em causa a administração da justiça".

En este sentido la jurisprudencia portuguesa es más taxativa para la condena si lo comparamos con el caso de España, puesto que la Suprema Corte portuguesa entiende que es necesario que esta desviación voluntaria de los poderes funcionales afecte a la administración de justicia, de tal manera que se afirma una denegación de justicia. Por lo tanto, no basta con que una decisión haya sido errónea o incorrectamente decidida en contra de la ley, sino que es necesario que la persona que lo ha decidido sea consciente de que, al desviarse de sus deberes funcionales, ha violado el ordenamiento jurídico y ha puesto en peligro la administración de justicia. Es en ese punto donde se acerca un poco más al contexto español.

Presentada la jurisprudencia y leyes portuguesas, ¿por qué España no sanciona con penas de prisión a los prevaricadores?, ¿por qué los elementos subjetivos del tipo de prevaricación en España son tan cerrados que no dan posibilidad para ser castigado? [28] En este sentido cabe recordar desde la perspectiva del tipo subjetivo, que la utilización de la expresión "a sabiendas" lleva consigo que este delito solo pueda ser cometido de forma dolosa, excluyendo la comisión imprudente. Esto se debe a que, si no castigan a los actos de hacer el daño a la administración pública, o a quienes precisan de ella a

---

[28]   En este sentido se puede leer en: Casas Hervilla (n 3).

través de presuntas imprudencias, se entiende como una reforma de maquillaje el hecho de tipificar dicho delito en el CP.

IV. LUCHA CONTRA LA PREVARICACIÓN Y LOS RETOS PARA ESPAÑA

Cabe recordar que las experiencias estadounidenses son sugerentes sobre cómo se puede avanzar en la lucha contra la corrupción en las sociedades contemporáneas que la padecen. La reforma es siempre una cuestión política que requerirá la formación de una amplia coalición de grupos opuestos a un sistema que puede contar con la presencia de políticos corruptos. El activismo de base a favor de la reforma puede surgir de forma espontánea, pero esos sentimientos no se traducirán en un cambio real hasta que reciban un buen liderazgo y organización. La reforma también tiene una base socioeconómica: el crecimiento económico suele producir nuevas clases y grupos que desean una política diferente y más moderna[29].

Hay que recordar que en España hay mucho que mejorar para acabar con el caldo de cultivo de la prevaricación y corrupción en general. Asimismo, también debemos señalar que España fue condenada ocho veces por el TEDH por violación de libertad de expresión[30], por lo que, teniendo en cuenta que España sigue manteniendo las estructuras de poder de la judicatura y conserva una monarquía parlamentaria[31], hay elementos organizativos más profundos que afectan a esas reformas necesarias, y que pasan por favorecer la libre

---

[29] Francis Fukuyama, «What is Corruption?- Against Corruption: a collection of essays–GOV.UK» (12 de abril de 2016) <https://www.gov.uk/government/publications/against-corruption-a-collection-of-essays/against-corruption-a-collection-of-essays#francis-fukuyama-what-is-corruption> accedido 14 de enero de 2022.

[30] España, «Artículo 10: Libertad de expresión–La jurisprudencia del TEDH» (diciembre de 2021) <https://www.mjusticia.gob.es/ca/area-internacional/tribunal-europeo-derechos/jurisprudencia-tedh/asuntos-espana-sido-parte/convenio-europeo-derechos/articulo-libertad-expresion> accedido 13 de enero de 2022.

[31] España, «Sistema político–Organización del Estado español–Administración Pública y Estado–Punto de Acceso General» <https://administracion.gob.es/pag_Home/espanaAdmon/comoSeOrganizaEstado/Sistema_Politico.html> accedido 4 de marzo de 2022.

expresión ciudadana. Ese castigo a la libertad de expresión no ayuda a la existencia de mayores de denuncias de corrupción o protestas para exigir su reforma. De este modo, esas causas lejanas pueden afectar también a la falta de condenas.

En esa misma línea, debe recordarse que es necesario trabajar con varios factores causales para combatir la corrupción, como se puede extraer de casos como Hong Kong, donde se utiliza una estrategia triple de acciones para combatir la corrupción: educación, prevención y aplicación efectiva de la ley, con investigación y sanción de los culpables[32]. Así, la prevención con educación y formación, el uso de *compliance*, uso de estímulos (*nudges*), con debido proceso legal y que conlleve la sanción de los culpables, se puede obtener una estrategia positiva para la prevención de la prevaricación. Es decir, llegar antes que el sistema penal.

Sin embargo, para que exista sanción es necesario que exista una denuncia y para esto se precisa la protección de los denunciantes. De acuerdo con Transparencia Internacional, "no existe regulación legal alguna de alcance nacional que ampare y permita ofrecer la protección adecuada a trabajadores y funcionarios que habiendo tenido conociendo un caso de corrupción o de fraude, decidan denunciarlo".

En este sentido, la propuesta de la ley de 2020 sobre corrupción afirma que:

> [...] es muy importante fomentar la denuncia de la corrupción. Con frecuencia, los funcionarios y trabajadores del sector público muestran reticencias a denunciar este tipo de prácticas por miedo a represalias. Por eso es fundamental proteger a los denunciantes a través de mecanismos eficaces que generen confianza, tal como sucede en países como Canadá, Estados Unidos, Bélgica, Francia, Noruega, Rumanía, Holanda o Reino Unido[33].

---

[32] Isabel Victoria Lucena Cid, «La lucha contra la corrupción política. Hong Kong un modelo de buenas prácticas» (1970) 3 Cuadernos de Gobierno y Administración Pública 171.

[33] Proposición De Ley 122/000009, de medidas de lucha contra la corrupción. Presentada por el Grupo Parlamentario Ciudadanos-CONGRESO DE LOS DIPUTADOS, XIV LEGISLATURA 2020.

A esos problemas se suma el reto que enfrenta España, así como el resto de los países de la Unión Europea, dentro del MFP 2021-2027, el Programa Next Generation EU, relativo a la recuperación de la pandemia de coronavirus, con una dotación de 750 000 millones de euros. Esto exige que, para que el país tenga acceso a los recursos, debe aprobar la creación de un "Plan de Medidas Antifraude" para combatir toda forma de corrupción. En este caso, el actual Gobierno Central aprobó ese Plan de Medidas, y el Servicio Público de Empleo Estatal lo desarrolló en el marco de los componentes 23, 19 y 11 del Plan de Recuperación, Transformación y Resiliencia. Por lo tanto, España puede, conforme a la Orden HFP/1030/2021, de 29 de septiembre, comenzar a recibir las cuantías, actualizando esos planes de integridad antes de finalizar el primer trimestre del año 2022.

También será necesario que las instituciones internas del país creen sus propios planes antifraude, para que puedan tener acceso al programa todas las instituciones públicas. Esto podría ayudar en la lucha contra la prevaricación, pues incluye una serie de medidas de *compliance* en el sector público.

Las medidas preventivas no producen resultados visibles porque no están integradas en un enfoque global. Por ejemplo, la formación en sensibilizar a la población tendrá poco efecto si los funcionarios que se enfrentan a dilemas de integridad no reciben orientación y apoyos continuos, o si la formación no va acompañada de reformas de la función pública que introduzcan en la contratación por méritos o la rotación en puestos sensibles[34].

V. CONCLUSIONES

Recopilando todo lo dicho a lo largo del artículo, y reafirmando lo expuesto por Hervilla de que nada justifica que España tenga una redacción como la actual del CP, se debe ofrecer una nueva versión del delito de prevaricación y un posible aumento de sanciones, con admisibilidad de la autoría mediata en el ámbito de los delitos

---

[34] Comisión Europea, «Ficha Temática do Semestre Europeu Luta Contra a Corrupção» (2017).

especiales propios e incluir la admisibilidad del dolo eventual. La tipificación legal es muy característica, lo que dificulta considerar la prisión provisional para aquellos sospechosos de prevaricar, y, cómo no, incluir el Tribunal de Jurado para los delitos de prevaricación.

Cabe señalar que "los expertos han determinado que los estados más proclives a la corrupción son aquellos cuya administración cuenta con un mayor número de empleados públicos que deben su cargo a un nombramiento político"[35]. Una vez que los políticos y sus partidos en España se aprovechan de la discrecionalidad para sacar provecho y tener influencia en las instituciones, si fueron elegidos de forma directa, tenderán a deber favores que pueden ser pagados de cualquier forma, no solo a cambio de cuantías económicas, sino también en las funciones que hace el cargo electo, como influir a sus alrededores y a sus subordinados para el desarrollo de las malas prácticas. Con esto se dificulta probar la corrupción al mismo tiempo que se expande e inmiscuye sobre más poderes. De esta forma, se imposibilita la separación de los poderes para una real democracia.

Finalmente, cabe replantearse si realmente es una sanción adecuada. El hecho de sancionar a través de inhabilitación especial para empleo o cargo público no resulta del todo eficaz. Ejemplo de ello ha sido del caso de la sentencia mencionada en la que el infractor era un alcalde que fue retirado del sector público, pero siguió manteniendo su cargo en la empresa, ganando mucho más dinero porque la empresa había expandido sus negocios gracias a su labor pública, causando daños ambientales por los que fue condenado por prevaricación.

Por lo tanto, el cuestionamiento de saber si la sanción es adecuada se realiza porque a los ciudadanos de a pie, al no ver condenas o no conocerlas, se les producirá el efecto de la ventana rota mencionado, dando la sensación de que el crimen resulta provechoso, dado que son pocos los condenados y la sanción máxima, en caso de haberla, será la pena de inhabilitación por cargo público. Con base en esto, las preguntas que el legislador español debe realizarse también

---

[35]   Proposición De Ley 122/000009 de medidas de lucha contra la corrupción. Presentada por el Grupo Parlamentario Ciudadanos- CONGRESO DE LOS DIPUTADOS XIV LEGISLATURA (n 41).

son acerca de los beneficios económicos obtenidos indebidamente y su devolución, así como el resarcimiento del daño provocado en la propia Administración Pública.

EL AVANCE DEL «RURAL PROOFING» O «MECANISMO RURAL DE GARANTÍA» COMO HERRAMIENTA INDISPENSABLE PARA AFRONTAR EL RETO DEMOGRÁFICO Y TERRITORIAL[1]

JOSÉ LUIS DOMÍNGUEZ ÁLVAREZ[2]
Personal Investigador en Formación (FPU)
Área de Derecho Administrativo
Universidad de Salamanca

"Las leyes inútiles debilitan a las necesarias"
MONTESQUIEU

[1] El presente trabajo se enmarca dentro del Proyecto de I+D+i 2020 "La Despoblación en España: de reto demográfico a reto territorial" (PID2020-114554RB-I00), dirigido por el Prof. Dr. Javier Esparcia Pérez y del Proyecto "Régimen jurídico de los canales cortos de comercialización agroalimentaria como recurso de desarrollo rural (COADER)" de la Universidad de Salamanca, dirigido por el Prof. Dr. Marcos M. Fernando Pablo.

[2] Personal Investigador en Formación del Área de Derecho Administrativo de la Universidad de Salamanca. FPU17/01088, Ministerio de Educación, Cultura y Deporte y miembro del Grupo de Investigación Reconocido «Next Generation – Derecho Administrativo EU» (NEGUEDA).

José Luis Domínguez Álvarez

«rural proofing» en otros Estados. 3. La paulatina implantación del «mecanismo rural de garantía» en España. IV. Conclusiones.

I. LA CUESTIÓN RURAL DESDE EL PRISMA JURÍDICO-ADMINISTRATIVO. EXPECTATIVAS Y ESPEJISMOS

La despoblación no es un fenómeno neutro, inherente y propio de la ruralidad, sino más bien una consecuencia lógica de la mala praxis del poder público y de la inacción institucional[3]. Hacer alusión a la problemática del reto demográfico y territorial es, por tanto, hacer referencia a una historia de olvido y abandono, al relato de la inobservancia sistémica de la España rural. Este fenómeno se refleja con extraordinaria claridad en la constitución de un *corpus normativo* y un *haz de políticas públicas* ideado desde una órbita urbanocéntrica y capitalina, que no solamente desoye las necesidades y demandas de las comunidades rurales, sino que además agudiza los desequilibrios territoriales[4], difi-

---

[3]   En contraposición, existen autores de reconocido prestigio que, sin negar el problema de la despoblación rural en España, defienden que "el vendaval de la despoblación rural vino causado por una combinación compleja de factores tecnológicos, empresariales, territoriales y sociales, mucho más que por una serie de acciones u omisiones políticas". *Vid.* COLLANTES GUTIERREZ, F. y PINILLA NAVARRO, V.J.: «La verdadera historia de la despoblación de la España rural y cómo puede ayudarnos a mejorar nuestras políticas», en GARCÍA-MORENO RODRÍGUEZ, F. (Dir.), *La despoblación del mundo rural: algunas propuestas (prácticas y realistas) desde los ámbitos jurídico, económico y social para tratar de paliar o revertir tan denostado fenómeno*, Thomson Reuters-Aranzadi, Cizur Menor, 2019, p. 77.

[4]   Destacados autores inciden en la necesidad de poner de relieve los importantes desequilibrios territoriales existentes y las profundas brechas de desigualdad que laten en el corazón del procedo de despoblación de las comunidades rurales. Especialmente clarificadoras resultan las palabras de CAMARERO RIOJA para quien los desequilibrios territoriales entre las áreas urbanas y el medio rural obedecen a una concatenación de «círculos viciosos», a saber: «el círculo del declive demográfico que deteriora la posibilidad de revitalización poblacional de muchas áreas rurales (migración juvenil, envejecimiento); el círculo de la accesibilidad (precarización de infraestructuras, erosión del potencial económico); el círculo de la formación (bajo nivel educativo, descualificación, baja empleabilidad); y el círculo del mercado de trabajo (precarización del empleo local, emigración profesional y pérdida de talento)». *Vid.* CAMARERO RIOJA, L.: «Despoblamiento, baja densidad y brecha rural: un recorrido por la España desigual», en *Panorama Social*, 2020, núm. 31, p. 70

cultando la necesaria alianza rural-urbana[5], y contribuye sobremanera a catalizar los procesos de vaciamiento demográfico que amenazan la pervivencia de los núcleos poblacionales de la conocida como «Iberia vaciada»[6].

Por esta razón, desde la óptica *iuspublicista* la despoblación del medio rural y la amenaza constante de las sociedades rurales no es otra cosa que «un problema de personas; un problema de territorios; un problema, en primer lugar, jurídico, pues a ese campo pertenece la regulación de las relaciones no solo entre personas, sino también entre poderes públicos y ciudadanos, y entre personas y medio»[7].

Esta premisa se refleja de igual forma en la Declaración de Cork 2.0[8], documento que aboga abiertamente por la promoción de un «mecanismo rural de garantía» («rural proofing»), como instrumento idóneo para asegurar la inclusión del potencial del medio rural para ofrecer soluciones innovadoras, integradoras y sostenibles para los retos actuales y futuros de la sociedad, tales como la prosperidad económica, la seguridad alimentaria, el cambio climático, la gestión de los recursos, la inclusión social y la integración de los migrantes en las estrategias y las políticas de la Unión Europea[9].

Por su parte, la Estrategia Nacional frente al Reto Demográfico incluye entre sus objetivos transversales la necesidad de incorporar el impacto y la perspectiva demográfica en la elaboración de leyes,

---

[5]   Vid. ALONSO IBÁÑEZ, M.R.: «Las relaciones urbano-rurales en los instrumentos jurídicos urbanísticos y territoriales», en ALONSO IBÁÑEZ, M. R. y PÉREZ FERNÁNDEZ, J.M. (Coords.), *Espacio metropolitano y difusión urbana: su incidencia en el medio rural*, Consejo Económico y Social de Asturias, Oviedo, 2012, p. 61.

[6]   Expresión acuñada con sobrado acierto por TAIBO, C.: *Iberia vaciada: Despoblación, decrecimiento, colapso*, Catarata, Madrid, 2021.

[7]   Vid. FERNANDO PABLO, M.M.: «Devolver el alma a los pueblos: el encuentro "Rural Renaissance"», en *AIS: Ars Iuris Salmanticensis*, vol. 7, núm. 2, 2019, p. 12.

[8]   Encuentro celebrado en Cork (Irlanda) los días 5 y 6 de septiembre de 2016, siguiendo la estela marcada por la Declaración de Cork de 1996, «Un medio rural vivo».

[9]   Vid. CONFERENCIA EUROPEA SOBRE DESARROLLO RURAL: *Declaración de Cork 2.0, «Una vida mejor en el medio rural»*, Oficina de Publicaciones de la Unión Europea, Luxemburgo, 2016, p. 4.

planes y programas de inversión, favoreciendo la redistribución territorial en favor de una mayor cohesión social[10].

A tal fin, el presente estudio aspira a clarificar los perniciosos efectos que la (sobre)ordenación jurídico-administrativa y la burocrática prosa de las normas y procedimientos administrativos generan en las comunidades rurales, dificultando la dinamización e innovación en estos territorios, al tiempo que pretende demostrar la conveniencia de «ruralizar las leyes» mediante el establecimiento de un verdadero «mecanismo rural de garantía», herramienta indispensable para afrontar el reto demográfico y territorial e instrumento idóneo para buscar nuevas respuestas y soluciones a la problemática de la España rural.

II. LA PARADOJA DE LA SOBRERREGULACIÓN DE LA REALIDAD RURAL: ENTRE LA INEFICACIA Y EL DESCONOCIMIENTO

Si detenemos nuestra atención en analizar la influencia que posee el universo de normas que componen nuestro corpus normativo[11], mediante las cuales se pretende ordenar la vida social y resolver los conflictos de la ciudadanía, observamos con pasmosa facilidad como

---

[10]   A este respecto resulta pionera la labor desarrollada por el Consejo Consultivo de Castilla y León, cuyo Pleno reunido en Zamora el día 29 de diciembre de 2020, aprobó el Informe sobre la evaluación del impacto demográfico en el procedimiento de elaboración de normas. Para esta Institución, «la necesidad de un informe de impacto demográfico, como pieza del procedimiento de elaboración de las normas –y, en su caso, de los instrumentos de planificación de políticas públicas–, parte del supuesto de que dichas normas y políticas pueden tener un efecto diferente y un impacto normalmente negativo o discriminatorio en territorios con retos demográficos, según su grado y características específicas». *Vid.* CONSEJO CONSULTIVO DE CASTILLA Y LEÓN: *Informe sobre la evaluación del impacto demográfico en el procedimiento de elaboración de normas,* Zamora, 2020, p. 5. Disponible en: https://bit.ly/3mIUkeO

[11]   La importancia de esta cuestión ya fue analizada en profundidad en la primera década del siglo XXI por las instituciones europeas, cristalizando en el plan de acción de la Comisión de 2002, "simplificar y mejorar el marco regulador". *Vid.* COMISIÓN EUROPEA: *Plan de acción "Simplificar y mejorar el marco regulador",* [COM(2002) 278 final].

el derecho positivo, el derecho vigente, está contribuyendo extraordinariamente a agravar aún más los problemas propios de la ruralidad, dificultando cualquier intento de revitalización del medio rural y fomentando el fenómeno de la despoblación[12].

Son múltiples y muy diversas las manifestaciones que esta perniciosa influencia del régimen jurídico posee en el normal desarrollo de las sociedades rurales, problemática que se agudiza especialmente en el caso del Derecho administrativo[13].

Esta rama del ordenamiento jurídico, provista de una poderosa fuerza expansiva[14] desde su nacimiento en el siglo XIX[15], momento

---

[12] *Vid.* DOMÍNGUEZ ÁLVAREZ, J.L.: *Comunidades discriminadas y territorios rurales abandonados. Políticas públicas y Derecho Administrativo frente a la despoblación*, Thomson Reuters-Aranzadi, Cizur Menor, 2021, p. 227.

[13] Conviene subrayar que la expresión «Derecho administrativo» es, como tantas otras, polisémica. De lo visto hasta ahora se deduce que dicha expresión tiene al menos tres significados distintos: con ella se alude, en primer lugar, a un conjunto de normas, de normas jurídicas, distinto (y hasta contrapuesto, según algunos) del resto de normas integrantes del ordenamiento jurídico. Pero la expresión es utilizada también, en segundo lugar, para designar una ciencia o área de conocimiento. E incluso, en tercer lugar, para aludir a una asignatura universitaria. *Vid.* SANTAMARÍA PASTOR, J.A.: *Principios de Derecho Administrativo*, Centro de Estudios Ramón Areces, vol. I, 4ª edición, Madrid, 2002, p. 81.
En cambio, para BALLBÉ, el Derecho administrativo es la «parte del Derecho público interno que determina el ejercicio de la función administrativa (...) el Derecho administrativo no solo es la *conditio sine qua non, sino conditio per quam* de la Administración». *Vid.* BALLBÉ, M.: *Nueva Enciclopedia Jurídica*, Tomo I, Seix, Barcelona, 1985, pp. 59-63.

[14] En torno a esta cuestión CASSESE afirma que «el Derecho administrativo tiene una fuerza expansiva y transnacional, porque no existe ningún ordenamiento jurídico desarrollado que no regule las relaciones entre la política y la Administración, que no establezca los derechos de los ciudadanos frente a la Administración y los poderes de la segunda respecto a los primeros, que no atribuya a un órgano judicial la tarea de dirimir los conflictos entre la Administración y los administrados, etc.». *Vid.* CASSESE, S.: *Derecho administrativo: historia y futuro*, Global Law Press, vol. 4, Sevilla, 2014, p. 26.

[15] El origen del Derecho administrativo no es pacífico, por un lado, se encuentran quienes le atribuyen un papel primordial a la Revolución Francesa y, por otro, figuran autores que predican la existencia en el antiguo régimen de un derecho administrativo o de, al menos, un ordenamiento especial para la Administración pública, diferente al derecho privado.

histórico en el que se produce el advenimiento del Estado liberal[16] y se consolida la esperada división de poderes; ha experimentado una prolífica evolución en los últimos tiempos, derivada en parte de las diversas transformaciones[17] a las que se ha visto sometida la constelación de actuaciones que constituyen, y en las que se materializa, la función administrativa.

Esta tendencia expansiva que late en la esencia misma del Derecho administrativo, ha provocado que en los últimos años hallamos asistido a la multiplicación de los problemas derivados de la rígida aplicación de una maraña normativa desmedida, que en muchos casos surge del desconocimiento total de la realidad objeto de regulación. En este sentido, conviene señalar que el medio rural dispone de su propia idiosincrasia y representa en sí mismo una realidad totalmente diferente y alejada del mundanal ruido de las grandes ciudades. Es en este contexto en el que se enmarca la *paradoja de la sobrerregulación de la ruralidad*, fenómeno que provoca el surgimiento de dos efectos antagónicos. Por un lado, esta proliferación excesiva de instrumentos normativos, se traduce en un acusado intervencionismo en la actuación de las comunidades rurales, derivado en gran medida del establecimiento de un exacerbado marco normativo, concebido desde una óptica urbanita y capitalina[18], capaz de obstaculizar cualquier

---

[16]   No obstante, algunos autores rechazan atribuir la emergencia del Derecho administrativo a la división de poderes. No hay que olvidar que, como dice PAREJO ALFONSO, en el absolutismo ilustrado «se forma y define una verdadera Administración del Estado sujeta a reglas propias, articulada, incluso, según principios burocráticos». *Vid.* PAREJO ALFONSO, L.; JIMÉNEZ-BLANCO, A. y ORTEGA ÁLVAREZ, L: *Manual de Derecho Administrativo*, Ariel, Barcelona, 1990, p. 6. En idéntico sentido, vid. VILLAR PALASI, J.L.: *Derecho administrativo. Introducción y teoría de las normas*, Universidad de Madrid, Madrid, 1968; VILLAR PALASI, J.L.: *Técnicas remotas del derecho administrativo*, Instituto Nacional de Administración Pública, Madrid, 2001; NIETO GARCÍA, A.: *Estudios históricos sobre administración y derecho administrativo*, Instituto Nacional de Administración Pública, Madrid, 1986, entre otros.

[17]   *Vid.* GARCÍA DE ENTERRÍA, E.: *Revolución Francesa y Administración contemporánea*, Civitas, Madrid, 1984; Igualmente imprescindible resulta GARCÍA DE ENTERRÍA, E.: *La formación del derecho público tras la Revolución Francesa*, Alianza, Madrid, 1994.

[18]   Buena muestra de esta contraproducente tendencia la encontramos en el establecimiento de medidas sanitarias por parte de las diferentes autoridades administrativas durante los primeros meses tras el estallido de la COVID-19. En

iniciativa encaminada a dinamizar la economía local[19], dificultar la satisfacción de las necesidades esenciales de la población de este entorno y desafiar los usos y costumbres tradicionales, asentadas por el impertérrito paso del tiempo, la lógica y el saber popular de las gentes que pueblan la España rural[20].

Y, por otro, esta sobrerregulación de la realidad rural, lejos de garantizar una mayor y mejor ordenación de las sociedades rurales, propicia el efecto opuesto, una acusada (des)regulación procedente de la imposibilidad de estos textos normativos de alcanzar el objeto que motivó su promulgación, al no contemplar la casuística propia de la ruralidad.

Sentado lo anterior, no se trata de realizar una enmienda a la totalidad al conjunto de normas que constituyen nuestro sistema normativo, ni de fomentar la proliferación[21] y complejidad de un, ya de por sí, nutrido régimen jurídico, sino más bien de advertir la acuciante necesidad de racionalizar los procesos legislativos. Con todo ello, lo que

---

ese momento, se apostó, erróneamente, por imponer idénticas restricciones al disfrute de los derechos y libertades de la ciudadanía, sin tener en consideración la especial situación de las áreas rurales.

[19] Recientemente, el Gobierno de España ha dado los primeros pasos hacia el establecimiento de instrumentos normativos que permitan dinamizar la economía local de las áreas rurales mediante el impulso de la adecuación de las técnicas tradicionales de producción al marco sanitario, para facilitar la puesta en valor del mercado de proximidad, mediante la adopción del Real Decreto 1086/2020, de 9 de diciembre, por el que se regulan y flexibilizan determinadas condiciones de aplicación de las disposiciones de la Unión Europea en materia de higiene de la producción y comercialización de los productos alimenticios y se regulan actividades excluidas de su ámbito de aplicación.

[20] La manifestación más tangible de esta paradoja de la sobrerregulación la constituye, con diferencia, el ordenamiento ambiental, el cual es tradicional que, en atención a una laudable finalidad, como es garantizar la protección del medio ambiente, proceda a la superposición de varias figuras protectoras al mismo tiempo, obstaculizando la iniciativa privada, y lo más preocupante todavía, no alcanzando su finalidad última.

[21] En efecto, lo que se propugna en estas líneas no solo hace referencia a la necesidad de que el sistema normativo recoja entre sus disposiciones las particularidades propias de la ruralidad, sino también la necesidad de racionalizar los procesos de legislación, reduciendo significativamente el elenco de normas que regulan de forma contradictoria una misma realidad, llevando a cabo consigo un proceso de "neocolonialismo normativo" que conduce al inmovilismo y reduce las iniciativas en el medio rural a la mínima expresión.

se pretende es alcanzar una correcta regulación de las especificidades propias del medio rural, sin que ello suponga desvirtuar en forma alguna los principios generales del Estado de Derecho, especialmente en lo que se refiere al escrupuloso cumplimiento del principio de legalidad y el principio de seguridad jurídica[22].

No debemos olvidar que «las leyes que la Constitución legitima son generales y comunes, y ante ellas todos los españoles son iguales»[23]. No se trata, por tanto, de quebrar este criterio de generalidad, sino más bien de encontrar un correcto equilibrio entre lo rural y lo urbano, partiendo de la idea de que ambas realidades presentan matices y características diferenciadas. Por tanto, si lo que se procura es que el sistema normativo lleve a cabo una regulación efectiva y eficaz del orden social y contribuya a resolver los conflictos de la ciudadanía, y no a incentivar los mismos, este sistema necesariamente deberá contemplar entre sus disposiciones las particularidades propias de la ruralidad.

Con la finalidad de avanzar en este sentido, las Directrices Generales de la Estrategia Nacional frente al Reto Demográfico contemplan, con singular acierto, la necesidad de incorporar el impacto y la perspectiva demográfica en la elaboración de leyes, planes y programas de inversión, favoreciendo la redistribución territorial en favor de una mayor cohesión social, senda que han decidido explorar, con destacada pericia, numerosas Comunidad Autónomas recientemente[24]. Re-

---

[22]   En este punto, conviene recordar que nuestra Constitución, en su art. 9.3 "garantiza el principio de legalidad, la jerarquía normativa, la publicidad de las normas, la irretroactividad de las disposiciones sancionadoras no favorables o restrictivas de derechos individuales, la seguridad jurídica, la responsabilidad y la interdicción de la arbitrariedad de los poderes públicos".

[23]   *Vid.* GARCIA DE ENTERRÍA, E: «Principio de legalidad, Estado material de Derecho y facultades interpretativas y constructivas de la jurisprudencia en la Constitución», en *Revista Española de Derecho Constitucional*, año 4, núm. 10, 1984, pp. 22-23.

[24]   Así, el art. 8 de la Ley 2/2021, de 7 de mayo, de Medidas Económicas, Sociales y Tributarias frente a la Despoblación y para el Desarrollo del Medio Rural en Castilla-La Mancha, contempla lo siguiente: «*1. En los procedimientos de elaboración de proyectos de ley y de disposiciones reglamentarias que las desarrollen, así como en la elaboración de planes y programas que se tramiten por la Administración Regional, se deberá incorporar un informe sobre impacto demográfico, teniendo en cuenta la perspectiva de género, que analice los posi-*

viste carácter prioritario, por tanto, que el Estado y las Comunidades Autónomas recuperen el espíritu del programa comunitario «legislar mejor», y emprendan un proceso de racionalización y simplificación normativa[25] como presupuesto para promover la competitividad de las áreas rurales, estimular la dinamización de las economías locales y fomentar el empleo y el emprendimiento. En efecto, es urgente establecer mecanismos que permitan legislar mejor[26]. Esto es, garantizar

---

bles efectos sobre las zonas rurales con problemas de despoblación y establezca medidas para adecuarla a la realidad del medio rural y para luchar frente a la despoblación. 2. En la elaboración de los presupuestos regionales se tomarán en consideración indicadores que permitan integrar el impacto demográfico y de lucha frente a la despoblación en las políticas presupuestarias. 3. En la memoria de los presupuestos se individualizará el gasto en las políticas activas de lucha frente la despoblación recogidas en la Estrategia Regional frente a la Despoblación y en la Estrategia Regional de Desarrollo Rural».

[25] En este sentido destacan algunas iniciativas recientes, como la constitución de la Red Española de Calidad Normativa, a instancia de la Dirección General de Transparencia y Buen Gobierno de la Junta de Castilla y León. De igual forma, sobresale la aprobación del Decreto Ley 4/2020, de 18 de junio, de impulso y simplificación de la actividad administrativa para el fomento de la reactivación productiva en Castilla y León, con el que se pretende alcanzar la consecución de tres medidas fundamentales: a) La supresión y simplificación de algunos procedimientos administrativos, como es el caso de las autorizaciones administrativas de instalaciones de energía eléctrica y las autorizaciones de las instalaciones de producción de electricidad a partir de la energía eólica; b) La proporcionalidad en el régimen de intervención, como es el caso del paso de licencias a comunicaciones ambientales, a declaraciones responsables de primera ocupación y a declaración responsable respecto de las instalaciones de aprovechamiento de energía solar para autoconsumo sobre edificaciones o construcciones; c) Y la reducción de plazos, especialmente en procedimientos relacionados con la identificación y registro de équidos y el sistema de autocontrol en el proceso de certificación de semillas.

Por su parte, la Generalitat de Catalunya ha promovido diversas consultas públicas previas a la simplificación de decretos y órdenes obsoletas, con la intención de conocer la opinión de la ciudadanía y de los operadores jurídicos, económicos y sociales, con el fin de dimensionar mejor la problemática que genera la acumulación en el tiempo de un gran número de disposiciones que ya no son de aplicación. Al mismo tiempo se pretende obtener sugerencias e ideas sobre las soluciones alternativas posibles para resolver el problema y la posibilidad de plantear una depuración masiva de los decretos y órdenes obsoletos.

[26] Esta cuestión es esencial para promover la consiguiente simplificación administrativa. En este sentido, TORNOS MAS afirma que las políticas de simplificación administrativa basadas en potenciar la comunicación y la autorresponsabilidad

un marco regulador de calidad que incentive la actividad empresarial, reduzca los costes innecesarios derivados del establecimiento de impedimentos y trabas burocráticas[27], y que elimine los obstáculos a la adaptabilidad y la innovación en las áreas rurales, sin que ello suponga en modo alguno menoscabar la seguridad jurídica y, en consecuencia, la eficacia de la aplicación y el cumplimiento de la legislación. Esta estrategia es imprescindible para promover la revitalización de las áreas rurales despobladas, al tiempo que permite alcanzar los objetivos sociales y medioambientales sin que los costes administrativos sean desproporcionados[28].

III. EL IMPULSO DEL «RURAL PROOFING» COMO PREMISA PARA REVERTIR LOS DESEQUILIBRIOS TERRITORIALES Y AFRONTAR EL RETO DEMOGRÁFICO

1. «Rural proofing»: un intento de ruralizar las leyes

El «rural proofing» o Mecanismo Rural de Garantía (en adelante MRG) es un compromiso que adquiere el conjunto de las Administraciones públicas para revisar y examinar de forma sistemática todas las políticas públicas con el propósito de asegurar que su implementación no causa un perjuicio significativo a las áreas rurales[29]. Se trata, en

---

de los ciudadanos «exigen contar con un ordenamiento lo más claro y preciso posible». *Vid.* TORNOS MAS, J.: «La simplificación procedimental en el ordenamiento español», en *Revista de Administración Pública*, núm. 151, 2000, p. 40.

[27] *Vid.* RIVERO ORTEGA, R. (Dir.): *Mejora regulatoria, descarga burocrática y pymes*, Ratio Legis, Salamanca, 2014.

[28] *Vid.* COMISIÓN EUROPEA: *Legislar mejor para potenciar el crecimiento y el empleo en la Unión Europea*, [COM(2005) 97 final].

[29] Esta cuestión, vista por algunos con cierto escepticismo, considerada por otros como utopía, es ya una realidad tangible en otros ámbitos, como ocurre con el principio de no causar un perjuicio significativo al medio ambiente (conocido como "DNSH"), el cual irrumpe en el escenario europeo en el marco del Reglamento (UE) 2021/241, de 12 de febrero de 2021, por el que se establece el Mecanismo de Recuperación y Resiliencia (en adelante RMRR) el cual otorga una importancia crucial al impulso de la transición ecológica, en coherencia con

definitiva, de poner en marcha un proceso para recabar información, consultar a las partes interesadas y trabajar con las diferentes instituciones y administraciones implicadas en la dinamización de los territorios rurales, para finalmente identificar dónde y cómo abordar las cuestiones rurales más acuciantes con la máxima eficacia posible[30].

Su objetivo no es otro que el de garantizar la participación efectiva de las comunidades rurales y la incorporación de las necesidades y demandas de sus ciudadanos en la conformación de las diferentes políticas públicas y dotaciones presupuestarias, así como en el diseño de los distintos programas y estrategias articuladas por el poder público. Por tanto, para que este mecanismo sea eficaz se requiere, necesariamente, incluir de manera proactiva y transparente, a las comunidades rurales y su potencial en la fase de diseño de las diferentes políticas públicas[31].

De igual forma, se requiere la articulación de un organismo independiente encargado de aplicar la metodología de «rural proofing», que debe contar a su vez con el reconocimiento y aprobación del Gobierno. Dicho reconocimiento no solamente opera en términos de eficacia y eficiencia en el análisis de las distintas políticas públicas, sino

---

el Pacto Verde Europeo, los compromisos de la Unión de aplicar el Acuerdo de París y en consonancia con los Objetivos de Desarrollo Sostenible de Naciones Unidas.

En aplicación del citado Reglamento, la Comisión Europea se ha encargado de garantizar, en el marco del proceso de evaluación de los planes nacionales, que «ninguna de las medidas de ejecución de las reformas y los proyectos de inversión incluidos en el plan de recuperación y resiliencia cause un perjuicio significativo a objetivos medioambientales en el sentido del artículo 17 del Reglamento (UE) 2020/852». A este respecto, la evaluación positiva de los planes nacionales ha requerido que todas las medidas (cada reforma y cada inversión) cumpliera con el principio de «no causar perjuicio significativo». Vid. COMISIÓN EURO-PEA, *Guía técnica sobre la aplicación del principio de «no causar un perjuicio significativo» en virtud del Reglamento relativo al Mecanismo de Recuperación y Resiliencia* (2021/C 58/01).

[30] *Vid.* SANZ LARRUGA, F.J.: «Cohesión territorial, reto demográfico y dinamización rural: las limitadas, pero necesarias respuestas desde el Derecho», en SANZ LARRUGA, F.J. y MÍGUEZ MACHO, L. (Dirs.), *Derecho y Dinamización e Innovación Rural,* Tirant lo Blanch, Valencia, 2021, p. 155.

[31] *Vid.* HOGAN, P.: «¿Es el mecanismo rural de garantía la clave para desbloquear el potencial del desarrollo rural?», en *Rural Connections. La Revista sobre Desarrollo Rural Europeo,* Otoño/Invierno, 2017, pp. 27-28.

que además es garantía primigenia de que los resultados obtenidos en el estudio serán tenidos en cuenta e incluidos en las políticas que están siendo evaluadas.

Por consiguiente, este MRG no es más que un instrumento para mejorar y garantizar la cooperación de las comunidades rurales con las Administraciones e instituciones públicas adyacentes y para mejorar la coordinación entre las distintas políticas públicas que se promuevan con el propósito de dinamizar las zonas rurales[32], una vez que estas han conseguido penetrar en la siempre compleja agenda política y gubernamental.

Desde el punto de vista jurídico, se trata de «analizar el impacto de las normativas sobre las zonas rurales (muchas veces "urbano-céntricas") y tratar de diseñar y aplicar nuevas soluciones que garanticen su impacto positivo sobre el rural»[33], dificultosa tarea a la que el Área de Derecho Administrativo del Estudio salmantino ha dedicado importantes esfuerzos desde hace algún tiempo[34].

---

[32] Esta idea no resulta novedosa. La añeja Ley 45/2007, de 13 de diciembre, para el desarrollo sostenible del medio rural ya establecía en su Título I, Capítulo III, una serie de importantes previsiones acerca de la necesaria cooperación entre Administraciones públicas, llegando incluso a situar esta cooperación como condición *sine qua non* para la adecuada aplicación del hito normativo. Para estudio completo del régimen jurídico desarrollado por la citada norma, vid. MUÑIZ ESPADA, E. (Coord.): *Un marco jurídico para un medio rural sostenible*, Ministerio de Medio Ambiente y Medio Rural y Marino, Madrid, 2011; VATTIER FUENZALIDA, C. y DE ROMÁN PÉREZ, R. (Coord.): *El desarrollo sostenible en el ámbito rural*, Aranzadi, Pamplona, 2009.

[33] *Vid. Op. cit.* SANZ LARRUGA, F.J.: «Cohesión territorial, reto...», p. 156.

[34] Tal es la importancia de esta cuestión que el Grupo de alto nivel de la Unión Europea encargado de diseñar la "Long Term Vision for Rural Areas 2040" ha destacado, en el seno de sus discusiones preparatorias, la idoneidad de impulsar un rural proofing a todos los niveles (nacional, regional) y la apuesta por la instauración de un enfoque de desarrollo local participativo, como los instrumentos europeos más adecuados para su implementación sobre el terreno, con capacidad para abordar la diversidad de las áreas rurales de una forma integrada a nivel local. El objetivo a corto y largo plazo es destinar más fondos y recursos y así asegurar un enfoque holístico en la implementación de las estrategias en los territorios rurales.

2. Prácticas comparadas: la implantación de mecanismos de «rural proofing» en otros Estados

Si bien es cierto que la instauración de mecanismos de «rural proofing» tiene hasta la fecha un escaso arraigo en nuestro país, fruto del tradicional abandono al que se ha sometido la problemática particular de los territorios rurales en el devenir histórico peninsular, esta cuestión se encuentra fuertemente implementada y desarrollada en diversos Estados, cuyo estudio se acomete brevemente a continuación.

A. INGLATERRA

Con carácter precursor[35], el «rural proofing» se instauró en Inglaterra en el año 2000, y en 2006 se llevó a cabo la publicación del primer informe anual. En un primer momento, la aplicación de esta metodología correspondía a la *Commission for Rural Communities* (CRC), agencia estatal independiente del Gobierno británico. Sin embargo, a partir de 2013, fecha en que se produce la eliminación de dicha Comisión y la transferencia de sus funciones al Departamento de Medioambiente, Alimentación y Asuntos Rurales, es la Rural Communities Policy Unit[36], la encargada de conformar anualmente un equipo evaluador independiente, responsable de elaborar y emitir un informe anual (el último es de 2015)[37].

---

[35] Conviene destacar que probablemente Reino Unido sea el Estado que más ha apostado por la institucionalización de este mecanismo, además de ser uno de los pioneros en su implantación, lo que le da una larga experiencia que puede inspirar y ayudar a otros países a diseñar sus propias estrategias de rural proofing. *Vid.* RED ESPAÑOLA DE DESARROLLO RURAL: *RedPoblar. Analizando el medio rural en clave positiva*, Madrid, 2018, pp. 177-178.

[36] La *Rural Communities Policy Unit* (RCPU) ya no existe como unidad específica. Su labor es ahora parte del trabajo desarrollado por el Equipo de Política Rural del Departamento de Medioambiente, Alimentación y Asuntos Rurales, que también es responsable a su vez del Programa de Desarrollo Rural para Inglaterra (2014-2020).

[37] En los últimos años, aunque se ha perdido la regularidad de los informes, DEFRA ha seguido poniendo en valor esta metodología e invitando a aplicarlo a todas las partes implicadas directa o indirectamente en el desarrollo rural (Gobierno, Grupos de Acción Local, etc.).

Actualmente, el Departamento de Medioambiente, Alimentación y Asuntos Rurales se encarga de visibilizar y fomentar el uso del «rural proofing» dentro de la estructura gubernamental, siendo responsabilidad de cada ministerio de ponerlo en práctica con sus propias políticas. La metodología empleada tiene dos vertientes: por un lado, la revisión documental, es decir, estudiar los textos legales o los informes del Gobierno (por ejemplo, los *Impact Assesment* de los ministerios) para determinar el grado y el modo en el que las áreas rurales se tienen en cuenta a la hora de vertebrar la acción administrativa. Y, por otro lado, estaría el análisis de la realidad de las zonas rurales, tarea desarrollada por los equipos encargados de hacer los informes anuales mediante el empleo principalmente de fuentes estadísticas y materiales cartográficos, toda vez que uno de los pilares fundamentales del «rural proofing» es el análisis de evidencias objetivas y empíricas como forma de demostrar el impacto de las diferentes políticas públicas[38].

Por su parte, Gales e Irlanda del Norte han adoptado mecanismos similares, sin embargo, Escocia ha optado por el «rural mainstreaming»[39], metodología que consiste en incluir las necesidades de la población rural en el diseño de todas las políticas de una forma transversal, y para ello han creado el *Scottish Rural Parliament*[40] en el que bianualmente se reúnen políticos con líderes y asociaciones locales para dialogar sobre el futuro de las políticas públicas desde una perspectiva rural. En definitiva, se opta por incluir a las voces

---

[38]   Las principales críticas que ha recibido este modelo es que no se matizan las diferencias entre zonas rurales y se aplica un procedimiento general, común a todas las regiones, ministerios y niveles administrativos, la falta de regularidad en la elaboración de los informes y la inexistencia de un órgano específico e independiente encargado de llevarlo a cabo, tras la desaparición en 2013 de la *Commission for Rural Communities*.

[39]   Sobre la exitosa experiencia escocesa y la preponderancia de la Agencia *Highlands And Islands Enterprise* (HIE), vid. DOMÍNGUEZ ÁLVAREZ, J.L.: «La despoblación en Castilla y León: políticas públicas innovadoras que garanticen el futuro de la juventud en el medio rural», en *Cuadernos de Investigación en Juventud*, vol. 6, núm. 2, 2019, pp. 29 y ss.

[40]   Miembro de la red europea de parlamentos rurales, el Parlamento Rural Escocés tiene lugar cada dos años, alojado cada vez por una comunidad rural diferente: Oban en 2014, Brechin en 2016, Stranraer en 2018 y virtualmente en 2021, a raíz de la crisis sociosanitaria ocasionada por la COVID-19.

rurales en el proceso de toma de decisiones desde el inicio y no una vez que ya se han diseñado las medidas.

B. CANADÁ

Instaurado en 1998 y considerado una prioridad en el Plan de Acción Rural de 2001, Rural Lens es una herramienta de diálogo entre el Gobierno federal y las zonas rurales y/o remotas. Este método de evaluación se utiliza para asesorar al Ministerio de Agricultura y Agroalimentación sobre el impacto que las políticas podrían tener sobre las comunidades rurales[41]. El objetivo principal, es que quienes elaboran las políticas tengan toda la información posible sobre el impacto que tienen o tendrán ciertas leyes y proyectos de ley. Implica a distintos stakeholders y busca generar un diálogo bidireccional entre el Gobierno federal y la población rural[42]

C. FINLANDIA

El *Rural Policy Committee* es un organismo creado por el Gobierno encargado de diseñar e implementar las políticas rurales[43], con el objetivo de mejorar la gobernanza, implicando a la ciudadanía, las empresas y el tercer sector en el proceso de toma de decisiones[44]. Si bien es cierto que este modelo destaca favorablemente por la instauración de un organismo específico encargado de evaluar la acción

---

[41]   *Vid.* AGRICULTURE AND AGRI-FOOD CANADA: *What do you see when you look through the rural lens? Guide to using the rural lens,* Montreal, 2001. Disponible en: https://bit.ly/3sLLTDx

[42]   De hecho, desde el principio, las prioridades del enfoque fueron redactadas tras un proceso de diálogo entre el gobierno federal y las comunidades rurales y/o remotas.

[43]   El gobierno además establece las tareas y miembros del comité. Está formado por representantes de nueve ministerios y otros organismos públicos, así como institutos de investigación y agentes privados. En total está compuesto por 21 miembros. Además, existe un grupo de trabajo dentro del comité que se encarga expresamente de aplicar el «rural proofing».

[44]   *Vid.* NOUSIAINEN, M. y PYLKKÄNEN, P.: «Responsible local communities–A neoliberal regime of solidarity in Finnish rural policy», en *Geoforum,* núm. 48, 2013, pp. 73-82.

administrativa en materia de dinamización rural, la OCDE[45] por su parte, señala dos importantes defectos[46]: que el comité no tiene en cuenta a los gobiernos regionales y que carece de una persona encargada de representar al comité frente al Gobierno y promover el enfoque rural en las políticas y planes[47].

D. AUSTRALIA

Todos los Estados excepto uno (New South Wales) han aceptado elaborar una Declaración de Impacto Regional (*Regional Impact Statement*) para su posterior remisión al Consejo de Ministros. Sin embargo, con carácter general estos informes (exceptuando el de South Australia[48]) no están disponibles para su consulta público, lo que dificulta la transparencia, uno de los elementos esenciales de cualquier mecanismo de «rural proofing». Otra de las deficiencias que presenta el sistema australiano la encontramos en que cada Estado decide de forma individualizada quién llevará a cabo la evaluación y que elementos se tendrán en cuenta, no existiendo un procedimiento estandarizado, lo que dificulta realizar un análisis de las diferentes políticas públicas homogéneo.

---

[45]   *Vid.* FRESHWATER, D. y TRAPASSO, R.: «The disconnect between principles and practice: Rural policy reviews of OECD countries», en *Growth and Change*, vol. 45, núm. 4, 2014, p. 477.

[46]   *Vid.* ORGANIZACIÓN PARA LA COOPERACIÓN Y EL DESARROLLO ECONÓMICOS: *Principles on rural policy and rural proofing of sectoral policies*, Atenas, 2019. Disponible en: https://bit.ly/3EG6mfs

[47]   Paralelamente, en junio de 2018 se puso en marcha el proyecto «Desarrollo Rural en la Reforma de Paisaje y Cuidado», realizado por investigadores de la universidad Åbo Academy de Vaasa y financiado por el programa LEADER y el Fondo Cultural de Finlandia, que pretende explorar el potencial del «rural proofing» a nivel local y regional, mediante la detección de especificidades locales que deban tenerse en cuenta a la hora de evaluar el impacto de las políticas públicas en las comunidades rurales.

[48]   Vid. GOVERMENT OF SOUTH AUSTRALIA, *Regional impact assessment statement. Policy and guidelines*, Adelaide, 2014. Disponible en: https://bit.ly/3zediiP

E. NUEVA ZELANDA

En este país, el «rural proofing» está enfocado concretamente a garantizar el acceso a los servicios de salud en las zonas rurales. En octubre de 2011 la *New Zealand Rural General Practice Network* propuso la creación de este mecanismo y publicó una guía para que las distintas localidades rurales pudiesen evaluar la calidad de sus servicios sanitarios[49].

Actualmente, otros Estados han lanzado diferentes iniciativas en el marco de sus respectivas políticas de desarrollo rural sostenible, en las que se pone de relieve la necesidad y la importancia de poner en marcha mecanismos transversales y de garantía para dinamizar las áreas rurales. Sin embargo, con carácter general, el establecimiento de esta tipología de mecanismos de «rural proofing» suele encontrarse con importantes resistencias: los costes derivados de su implantación, la necesidad de acometer la instauración de organismos de evaluación independientes sin capacidad decisoria efectiva y las dudas que planean sobre su efecto ralentizador en la toma de decisiones del poder público, acaban dificultando el avance de estos mecanismos de garantía rural, pese al potencial que estos instrumentos poseen a la hora de garantizar la acción coordinada y eficaz del conjunto de las Administraciones públicas frente al reto demográfico y territorial.

3. La paulatina implantación del «mecanismo rural de garantía» en España

La Constitución española de 1978 propugna en su artículo 14 que «*los españoles son iguales ante la ley, sin que pueda prevalecer discriminación alguna por razón de nacimiento, raza, sexo, religión, opinión o cualquier otra condición o circunstancia personal o social*». Por su parte, el artículo 9.2 CE establece que «*corresponde a los poderes públicos promover las condiciones para que la libertad y la igualdad del individuo y de los grupos en que se integra sean reales y efectivas; remover los obstáculos que impidan o dificulten su plenitud*

---

[49] Vid. NEW ZEALAND RURAL GENERAL PRACTICE NETWORK: *Rural proofing your primary health services*, Wellington, 2011. Disponible en: https://bit.ly/3z9oayk

y facilitar la participación de todos los ciudadanos en la vida política, económica, cultural y social».

La agudización de la problemática del reto demográfico y territorial, el cual se sitúa en nuestros días como una de las principales cuestiones de Estado[50], *«genera una brecha de desigualdad que es incompatible con los principios constitucionales de equidad e igualdad en el acceso a los servicios públicos básicos. De ahí que el problema de la despoblación sea una cuestión de derechos y libertades pues lo que está en debate es el principio mismo de igualdad, y eso afecta a todos los españoles, vivan donde vivan»*[51].

Esta insostenible situación propicia la necesidad de acometer la evaluación del impacto que puede tener en el medio rural toda ley que aprueben los órganos legislativos de los Estados, en especial aquellos en los que el problema de la despoblación sea más acuciante. De esta forma, el Mecanismo Rural de Garantía se antoja como una herramienta esencial para afrontar la despoblación y dinamizar las áreas rurales de España y garantizar los derechos de toda la ciudadanía con independencia del lugar en el que residan.

Ante esta tesitura, y en vista de la magnitud del problema y del severo riesgo de vaciamiento demográfico que presentan extensas regiones rurales, en España comienzan a vislumbrarse las primeras iniciativas tendentes al establecimiento de un auténtico Mecanismo Rural de Garantía. Así, el primer gran intento lo encontramos en la constitución de la plataforma «rural proofing»[52] movimiento que aspira a «ruralizar las leyes»[53], mediante la creación de un grupo de expertos

---

[50]   Esta situación, que comienza a tornarse irreversible, ha llevado a que la despoblación de los núcleos rurales sea catalogada como una auténtica cuestión de Estado. Por todos, vid. GARCÍA JIMÉNEZ, A.: «La despoblación: una cuestión de Estado», en *Revista Jurídica de Castilla y León*, núm. 52, 2020, pp. 31-71.

[51]   *Vid.* DEFENSOR DEL PUEBLO, *Informe Anual del Defensor del Pueblo 2018*, Madrid, 2019, p. 28.

[52]   Impulsada por el ecosistema de emprendimiento e innovación «El Hueco», en esta iniciativa colaboran el Gobierno de Navarra y la Federación Española de Municipios y Provincias.

[53]   La iniciativa parte del proyecto Terris G100 (Territorios e Innovación Social), un proceso de co-creación de una Nueva Ruralidad, basado en la gestión de la inteligencia colectiva, con el que se pretende alumbrar las líneas estratégicas de cómo ha de evolucionar la relación del ser humano con el medio rural y construir una

constituido por cincuenta mujeres[54] y cincuenta hombres encargados de diseñar un mecanismo para la revisión de la legislación[55], las políticas sectoriales y económicas desde una perspectiva rural, teniendo en cuenta los impactos reales y potenciales y sus efectos en las perspectivas de desarrollo, crecimiento y empleo rural, el bienestar social y la calidad ambiental de las zonas rurales y sus comunidades, con el fin último de promover los cambios que contribuyan a la repoblación rural, garantizando que las comunidades rurales sean escuchadas y que se tenga en cuenta su bienestar a la hora de formular la normativa, las políticas y elaborar los presupuestos[56].

A esta iniciativa hay que sumar otra serie de movimientos procedentes de la academia[57], los cuales aspiran a traspasar los muros del ámbito universitario con el firme propósito de avanzar en el establecimiento de un régimen jurídico en favor de la dinamización e

---

nueva identidad rural para el siglo XXI. Más información, disponible en: https://bit.ly/3FKc5lx

[54] Entre las que se encuentran extraordinarias académicas y administrativistas, como es el caso de la Profa. María Rosario Alonso Ibáñez, Catedrática de Derecho Administrativo de la Universidad de Oviedo, coordinadora el Grupo de Estudios Jurídico-Sociales sobre Territorio y Desarrollo Sostenible-GTDS de la Universidad de Oviedo, y de la Red Temática Nacional sobre Desarrollo Urbano- URBAN RED.

[55] Vid. RURAL PROOFING: *Ruralizar las leyes. Cuestión de justicia. 70 propuestas para conseguir una legislación más justa para el medio rural*, Soria, 2021. Disponible en: https://bit.ly/3EFmAW8

[56] Divididos en catorce áreas estratégicas, personas expertas en todos los ámbitos, han trabajado durante cuatro meses para «ruralizar» las leyes actuales y dar pautas sobre las venideras. Dichas áreas son las siguientes: urbanismo y vivienda; educación y cultura; movilidad y transporte; economía agropecuaria y forestal; empleabilidad y emprendimiento; envejecimiento y salud; nuevas economías e innovación social; municipalismo y gobernanza; tecnología, internet y comunicación; fiscalidad; contratación pública; medioambiente y energía; comercio y turismo; legislación europea y comunicación.

[57] En los últimos meses, el Área de Derecho Administrativo de la Universidad de Salamanca ha trabajado en la creación de un Observatorio de Derecho Rural, iniciativa con la que un conjunto de académicos del Estudio salmantino aspira a transformar, en colaboración con diversas instituciones y Grupos de Investigación, el ordenamiento jurídico-administrativo que impera, estrangula y dificulta la pervivencia de las comunidades rurales y el bienestar de quienes resisten, de manera estoica, en este preciado entorno. Más información en: https://bit.ly/3HmED55

innovación de los territorios rurales, que permita devolver la dignidad
y elevar las cotas de bienestar de las comunidades rurales.

IV. CONCLUSIONES

El problema de la despoblación es una cuestión de derechos y libertades fundamentales, que amenaza la vigencia del principio mismo de igualdad y cuya resolución pasa necesariamente por articular
respuestas jurídico-administrativas que coadyuven a transformar la
actuación del poder público para con las comunidades rurales. Bajo
esta premisa, en los últimos tiempos hemos asistido a multitud de
iniciativas de diferente calado e intensidad tendentes a incorporar el
impacto demográfico en los procedimientos de elaboración de normas —y, en su caso, de instrumentos de planificación de políticas
públicas—. Junto a esta tendencia, también se han sucedido, aunque
en menor medida, diversas actuaciones encaminadas a promover la
verdadera implementación de un «mecanismo rural de garantía»,
instrumento idóneo que permite asegurar la inclusión del potencial
del medio rural como fuente de soluciones innovadoras, integradoras y sostenibles para los retos actuales y futuros de la sociedad; al
tiempo que se presenta como una herramienta imprescindible para
garantizar la cooperación de las comunidades rurales con las Administraciones e instituciones públicas adyacentes, mejorar la coordinación entre las distintas políticas públicas que se promuevan con
el propósito de dinamizar las zonas rurales y fortalecer la participación ciudadana en los territorios rurales. Pese a todas estas potencia-
lidades, en el caso español aún no se ha procedido al establecimiento
de un auténtico mecanismo de «rural proofing», al limitarse el poder
público a consignar en el discurso de los diferentes hitos normativos y de planificación el análisis del impacto demográfico de planes,
programas y presupuestos, compromiso este último que se eleva a la
categoría de objetivo estratégico y cuya implementación en la práctica esta pendiente de acometer. Todo ello ha contribuido a que aún
persista una larga travesía hasta alcanzar un tratamiento jurídico
que permita dar valor al mundo rural, hasta implantar instrumentos
tangibles de discriminación jurídica-positiva en favor de ese medio y
de las personas que han elegido una vida en tal entorno, dificultosa

tarea en la que la universidad pública española está llamada a disponer de un especial protagonismo, como vector de modernización e innovación y como punta de lanza de la revitalización rural, clara manifestación del mejor servicio público.

Parte II.
INNOVACIONES EN DERECHO FINANCIERO Y TRIBUTARIO

UMA VISÃO FOUCAULDIANA SOBRE A CONTABILIDADE DO MUNICÍPIO DE GUIMARÃES NOS ANOS DE 1832 A 1882

LILIANA EMANUELA ALVES FERREIRA
Doctoranda en Derecho
Universidad de Salamanca (España)

I. INTRODUÇÃO

O século XIX é apontado como um século de mudança, o ponto de viragem nas sociedades ocidentais, que foram palco da revolução social e industrial. A partir de 1789, o mundo assiste a uma profunda mudança civilizacional. Os direitos fundamentais foram finalmente reconhecidos, com o triunfo do liberalismo, sendo promulgada a primeira Constituição, em 1791. A Revolução Francesa representou a substituição da monarquia absoluta pela monarquia administrativa, com o triunfo da burocracia, como método de controlo[1]. Foi a partir da Revolução Francesa que a política de centralização e racionalização das instituições públicas foi retomada na França, com intuito

---

[1]   NIKITIN, M. (2001). The birth of a modern public sector accounting system in France and Britain and the influence of Count Mollien, *Accounting History*, 6(1), 75-101.

de fortalecer o Tesouro Público[2] e modernizar a contabilidade pública num contexto de escassez. Aliás, a escassez financeira foi o catalisador da mudança na administração pública de vários países ocidentais que seguiram o exemplo francês.

Nesse grupo de países incluiu-se Portugal, que inicia uma nova fase com a promulgação da Constituição, em 1822. A partir de então, assiste-se a uma mudança de discurso em termos legislativos, com a promulgação dos decretos de Mousinho da Silveira, em 1832. De 1832 em diante, a administração pública portuguesa foi sujeita à mais emblemática reforma de que tem memória, influenciada por países como a França e a Espanha. Dessa reforma, surtiram os Códigos Administrativos (doravante CA) e os vários regulamentos que abordamos nesta investigação, recorrendo a um estudo de caso interpretativo, com intuito de aferirmos sobre a mudança operada na contabilidade e prestação de contas da Câmara Municipal de Guimarães.

II. HISTÓRIA DA CONTABILIDADE PÚBLICA: REVISÃO CIENTÍFICA

A França do século XVIII foi palco de grandes mudanças, inclusive na contabilidade. No início do século XVIII, tentam implementar a partida dobrada para melhorar o controlo e supervisão das finanças públicas, tentativa que saiu gorada[3]. Depois, com nomeações estratégicas, como a D'Audiffret, tentam uma nova abordagem para modernizar as finanças públicas. A D'Audiffret se deveu a promulgação de leis e decretos que visavam a modernização da contabilidade pública francesa a qual seria devidamente regulamentada, a 31 de maio de 1838, e somente reformada em 31 de maio de 1862. Essa reforma visou a harmonização da contabilidade pública com o poder público.

A par da França seguia o Reino Unido que, influenciado pela legislação francesa, tenta implementar, em 1828, um sistema de contabilidade pública uniforme, usando a partida dobrada na preparação das

---

2   Idem, p. 80.
3   LEMARCHAND, Y. (1999). Introducing double-entry bookkeeping in public finance: a French experiment at the beginning of the eighteenth century, *Accounting, Business and Financial History*, 9(2), 225-254.

contas públicas[4]. Essa informação é-nos confirmada na investigação de Edwards e Greener (2003)[5] relativa à introdução do método mercantil no governo central britânico nos anos de 1828 a 1844. Nesta investigação, os autores indicam que num período de racionalização, centralização e austeridade, foi reformada a contabilidade pública, implementando-se o método mercantil no âmbito de um programa de uniformização das contas públicas. No entanto, Coombs e Edwards (1990), indicam-nos na sua investigação à evolução da auditoria distrital que a verdadeira mudança na contabilidade pública britânica surge com a Lei dos Pobres de 1834. Informação que foi corroborada por Jones (1985)[6] na investigação feita à prestação de contas do governo local na Inglaterra.

Numa investigação posterior, Coombs e Edwards (1995)[7] verificam também que as contas municipais seriam auditadas por dois funcionários eleitos pelos habitantes locais, com ou sem formação e/ou experiência profissional. Todavia, com a reestruturação do governo local, que decorreu entre os anos de 1872 a 1894, a auditoria local passa a pertencer ao governo distrital, de acordo com outro estudo da autoria dos mesmos investigadores[8]. Tal ocorreu num período em que o governo local perdeu autonomia e foi-se tornando cada vez mais agente do governo central, conforme nos informa a investigação da autoria da Garrad e Goldsmith (2001)[9], a propósito do progresso e declínio do governo municipal na Grã-Bretanha, desde 1835. Os autores afirmam que a partir da Lei dos Pobres de 1834, inicia todo

---

[4] Idem, pp. 88-89.

[5] EDWARDS, J. e GREENER, H. (2003). Introducing 'mercantile' bookkeeping into British central government, 1828-1844, *Accounting and Business Research*, 33(1), 51-64.

[6] JONES, R. (1985). Accounting in English local government from the middle ages, *Accounting and Business Research*, 15(59), 197-209.

[7] COOMBS, H. e EDWARDS, J. (1995). The financial reporting practices of British municipal corporations 1835-1933: A study in accounting innovation, *Accounting and Business Research*, 25(98), 93-105.

[8] COOMBS, H. e EDWARDS, J. (1993). The accountability of a municipal Corporations, *Abacus*, 29(1), 27-51.

[9] GARRARD, J e GOLDSMITH, M. (2011). Municipal progress and decline in Britain since 1835, *The International Journal Regional Local Studies*, 6(2), 36-62.

um processo de centralização e normalização da assistência, em que o governo central vai intervindo, paulatinamente, no governo local.

Em Espanha, na senda de um programa político centralizador operou-se a uma profunda mudança em termos de legislação, informação que é corroborada por vários autores.

Assim, Guzmán Raja e Gutiérrez Hidalgo (2019)[10], no seu estudo à implementação da partida dobrada na administração pública espanhola, indicam que apesar da primeira legislação alusiva à contabilidade provincial ter surgido no reinado de Fernando VII, o método somente seria implementado após sucessivos esforços legais da segunda metade do século XIX. García-Fresneda Gea (2019)[11] confirma que a *Ley de Administración y Contabilidad de la Hacienda Pública* (doravante LAC), de 20 de fevereiro de 1850, estabeleceu as bases da contabilidade geral, provincial e municipal até 1870, ano em que foi substituída pela Lei Provisional de Administração e Contabilidade.

No entanto, num estudo anterior García (1996)[12] foi mais longe ao afirmar que as reformas das fazendas locais, nos primeiros períodos constitucionais, instituiram o orçamento como mecanismo de controlo. Em adição sustenta que, antes da promulgação da lei de 8 de janeiro de 1845, já tinham estabelecido o mês de outubro e janeiro para apresentação do orçamento e das contas de final de exercício, respetivamente.

Mais tarde, Campos Lucena e Sierra Molina (2006)[13] numa investigação feita à contabilidade orçamental, como instrumento de

---

[10]   GUZMÁN RAJA, I., e GUTIÉRREZ HIDALGO, F. (2019). Contabilidade, política e estado: Propostas de implantação do método de partida dobrada na contabilidade pública espanhola e as consequências negativas de sua rejeição (1849-1894), *Revista INNOVAR*, 29(71), 127-141.

[11]   GARCÍA-FRESNEDA GEA (2019). El control de los gastos del estado en las primeras leyes orgánicas del Tribunal de Cuentas, *Presupuesto y Gasto Público*, 94, 25-47.

[12]   GARCÍA, C. (1996). Las reformas de las haciendas locales en los primeros períodos constitucionales, *Revista de Estudios Políticos*, 93 (julho-setembro), 431-444.

[13]   CAMPOS LUCENA, M., e SIERRA MOLINA, G. (2006). La contabilidad presupuestaria: Instrumento de información y control: La transición de los ayuntamientos españoles del antiguo al nuevo régimen, *De Computis, Revista Española de Historia de la Contabilidad*, 4, 4-41.

controlo na transição dos *ayuntamientos* espanhóis do antigo para o novo regime, confirmam que a lei de 8 de janeiro de 1845 foi a primeira a exigir a elaboração e a aprovação do orçamento e escrituração, estabelecendo um sistema de informação dos recursos locais ao serviço do estado. Apontam, ainda, a promulgação das leis municipais de 1870 e 1877 como novas regras para a gestão dos fundos municipais.

Depois, Moral Ruiz (1996)[14] numa investigação acerca da evolução orçamentária e contabilística das fazendas locais e provinciais (1845-1911)[15], enfoca a regulamentação do Tribunal de Contas (doravante TC). De acordo com o autor, a primeira regulamentação surge a 23 de maio de 1845 e institui o orçamento como mecanismo de controlo das finanças públicas. Somente, a 25 de agosto de 1851 é que foi publicada a primeira Lei Orgânica do Tribunal de Contas (doravante LOTC), da qual surtiu o primeiro Regulamento de 2 de setembro de 1853. Esta primeira legislação foi objeto de reforma a 25 de junho de 1870, sendo dado ao TC novo regulamento a 8 de novembro de 1871.

Também Murciano, Borreguero e Pérez (2011)[16], no seu estudo à evolução normativa do TC durante o século XIX, afirmam que somente na segunda metade do século foi promulgada LOTC, com data de 25 de agosto 1851[17]. Logo depois, foi publicado o regulamento de 1853 que veio facilitar a execução da lei de 1851. Mais informam, que a partir da promulgação da LOTC de 1851 a fazenda estatal e provincial passou a estar sob a supervisão do TC e a contabilidade central e provincial, sujeita ao seu exame e fiscalização.

---

14   MORAL RUIZ, J. (1996). Evolución presupuestaria y reglamentación contable de las haciendas locales y provinciales (1845-1911), *Revistas de Estudios Políticos*, 93, 445-464.

15   O autor indica a Lei de 25 de setembro de 1863, a Lei Municipal de 20 de agosto de 1870, a Lei Municipal de 1876, a Lei Municipal de 4 outubro de 1877, a Lei de Contabilidade do Estado de 25 de junho 1879 e a Lei de 20 de agosto de 1882, como principal legislação que normalizou a contabilidade pública provincial e municipal no século XIX.

16   MURCIANO, P., BORREGUERO, J., e PÉREZ, B. (2011). La evolución normativa de los Tribunales de Cuentas Españoles durante el siglo XIX, *Auditoría Pública*, 5, 29-44.

17   Lei que tem na Real Cédula de 1828, promulgada no reinado de Fernando VII, a sua base legal.

Em Itália, Coronella, Lombrano e Zanin (2013)[18] investigaram as inovações contabilísticas na Itália pré-unitária entre os anos de 1814 e 1861. Verificaram que nos estados pré-unitários já era usado o orçamento e as demonstrações financeiras anuais para prestação de contas, sendo as contas preparadas, maioritariamente, pelo método das partidas dobradas. Lombardia era a exceção. Utilizava a contabilidade cameral, preparando as suas contas por partidas simples. Na forma de representar as contas, também foram notadas mudanças, sendo as receitas e as despesas maioritariamente registadas segundo fossem ordinárias ou extraordinárias. Além disso, na Toscania, usavam já os relatórios de dez anos que continha estudos comparativos e estatísticos sobre as finanças públicas. Depois, Coronella (2019)[19] num outro artigo mais recente sobre a contabilidade pública após a unificação de Itália, assegura que a partir da publicação da Lei de Contabilidade Geral de 22 de abril de 1869, foi implementada a logismografía como sistema contabilístico, a partir de outubro de 1876.

Estas são algumas das investigações que nos dão conta das alterações introduzidas pela legislação do século XIX, num período de mudança de discurso do direito soberano para a constituição de um direito público, articulado com a soberania coletiva, tal como esclarecemos no próximo ponto.

III. QUADRO TEÓRICO E METODOLÓGICO

No final do século XVIII, vive-se um período de escassez financeira, especialmente nos países diretamente envolvidos nos esforços da independência dos EUA. A França, libertadora, foi o território europeu onde mais se fez notar a letargia de capital, levando à proliferação de ideais revolucionários que desembocaram na Revolução de 1789. A partir de então, a Europa jamais seria igual, assistindo à promulgação da primeira constituição legal ao mesmo tempo que eram re-

[18] CORONELLA, S., LOMBRANO, A., e ZANIN, L. (2013). State accounting innovations in pre-unification Italy, *Accounting History Review*, 23(1), 1-21.
[19] CORONELLA, S. (2019). Origini sviluppi del giornalmastro nell'Italia dell'Ottocento, *De Computis, Revista Española de Historia de la Contabilidad*, 16(1), 7-30.

conhecidos, finalmente, os direitos fundamentais. Com a vitória do liberalismo, o bem-estar social passa a fazer parte de uma agenda política, sendo implementadas técnicas de governabilidade, como as estatísticas, que permitiram medir a população. Segundo M. Foucault (2006, p. 259)[20], nesse período surge uma nova tecnologia de poder, o biopoder, que se ocupa de questões como a natalidade, mortalidade, reprodução, longevidade e, simultaneamente, com questões económicas e políticas. Simon (2006)[21], adiciona àquelas as questões de segurança, condições de vida da população, saúde, higiene e ecologia. Com a crescente industrialização, surge a preocupação com a recuperação do indivíduo para a atividade, o aumento da esperança média de vida, a diminuição da mortalidade e o estímulo à natalidade. Todas estas questões passam a assumir um papel preponderante na vida política que, paulatinamente, se vai munir de mecanismos de medição que vão possibilitar as previsões e as estimativas. Medidas, essas, que foram devidamente regulamentadas e implementadas na primeira metade do século XIX, nos principais países ocidentais. Foram esses 'artefactos' que recolhemos no Arquivo Municipal Alfredo Pimenta (doravante AMAP) e analisamos, qualitativamente, num estudo de caso interpretativo à contabilidade e fazenda da Câmara Municipal de Guimarães, nos anos de 1832 a 1882, com a finalidade de aferir sobre o uso e importância dessa informação para a governação local. Para tal, procedemos à recolha de legislação[22], bibliografia científica e histórica que nos permitisse interpretar o período analisado.

Dste modo, analisada a literatura científica, proseguimos com a contextualização histórica e legal do período definido como amostra.

---

[20]   FOUCAULT, M. (2006). *É preciso defender a sociedade: Curso no Collège de France (1975-1976)* (1ª edição). Editora Livros do Brasil: Lisboa.

[21]   SIMON, M. (2006). Learning as investment: Notes on governmentality and biopolitics, *Educational Philosophy and Theory*, 38(4), 523-540.

[22]   Toda a legislação apontada na investigação foi recolhida no endereço: https://www.dre.pt/dre/legislacao-regia (01/03/2022).

IV. CONTEXTO HISTÓRICO E LEGAL

No final do século XVIII o contexto económico internacional era de escassez e auteridade financeira. Na França a situação era de tal forma gravosa que levou à tomada da Bastilha em 1789. Porém, na Inglaterra vitoriana o panorâma era diferente, a revolução era ditada pela burguesia industrial que fez de Londres a principal cidade do velho continente, sendo somente seguida por Amesterdão[23].

Em Espanha, a forte acumulação de capital por parte dos possuidores de terras fez com que a economia dependesse da agricultura[24]. A somar-se a essa situação, a indústria espanhola era um marasmo e o mesmo era dizer do comércio, que não conseguia combater a concorrência estrangeira. A tudo isto se somou, a independência das colónias e a emigração forçada para metrópole, levando a que o país caí-se em guerra civil[25].

Portugal vivia uma situação económica semelhante. No raiar do século XIX, apresenta um quadro económico de escassez, sobretudo na província, motivada pela crise dos cereais do final do século XVIII[26]. Adicionava-se à escassez financeira, a corrupção e a miséria social, que, de resto, se manteve até ao sucesso da questão liberal. Entretanto, Portugal se viu envolvido num enfrentamento bélico contra a França, por não aderir ao Bloqueio Continental decretado a 21 de novembro de 1806 pela França contra a Inglaterra[27]. Terminada a ofensiva, por volta de 1811, Portugal vê-se financeiramente exaurido, com uma regência à distância e governado por estrangeiros. Conjuntura fértil à proliferação de ideais

---

[23]   BRAUDEL, F. (1996). A Europa conquista o planeta. Em F. BRAUDEL, *A Europa* (pp. 87-113). Lisboa: Terramar–Editores e Livreiros, Lda.

[24]   CARMONA, S., EZZAMEL, M., e GUTIÉRREZ, F. (1997). Control and cost accounting practices in the spanish royal tobacco factory. *Accounting, Organizations & Society,* 22(5), 411-446.

[25]   MORALES MOYA, A. (1998). La transformación del antiguo régimen: Ilustración y liberalismo. Em J. M. ZAMORA, *História de España* (Vol. XXX, pp. 9-68). Madrid: Editorial Espasa Calpe, S.A..

[26]   MATOS, H. J. (2006). As juntas minhotas nas invasões francessas: A região em armas. *NW Noroeste, Revista de História,* 1(2), 475-501.

[27]   ARAÚJO, A. C. (1998). As Invasões Francesas e a afirmação das ideias liberais. Em J. MATTOSO, *História de Portugal: O Liberalismo* (pp. 21-40). Lisboa: Editorial Estampa.

revolucionários[28], que estiveram na base do pronunciamento militar de 24 de agosto de 1820.

Após a revolução de 1820, apressaram-se as eleições para a formação do governo que seria responsável pela convocação das Cortes Gerais e Extraordinárias com o intuito de se elaborar o primeiro texto constitucional[29]. Neste primeiro texto constitucional, promulgado a 23 de setembro de 1822, foram estipulados os princípios da soberania nacional, da representação e da divisão dos poderes em legislativo, executivo e judiciário[30].

Todavia, a mudança na administração pública começa com os decretos de Mousinho da Silveira, publicados a 16 de maio de 1832. Nessa data foram promulgados três decretos. O decreto número 22, uniformiza o método de apresentação de contas. O decreto número 23 estabelece uma hierarquia e organização provisória da administração pública[31]. No decreto número 24, foi estabelecida a devisão judicial do território.

Entretanto, morre João VI e Isabel Maria (Maria II) ascende ao trono. Assume a regência a 6 de março de 1826, mas apenas jura a Carta constitucional a 31 de julho[32]. Pela Carta foi apresentado uma nova divisão dos poderes (poder legislativo, executivo, judiciário e moderador) e adotado o sistema bicameral, assente em duas câmaras: a dos pares do reino e a de deputados[33]. Relativamente à divisão territorial, manteve-se inalterável.

Porém, o início da regência de Maria II não foi pacífica. Miguel I tentou obter para si o trono e impor de novo o Absolutismo em Portugal. Tal situação apenas culminou com a ação militar movida

---

28   VARGUES, I. N. (1998). O processo de formação do primeiro movimento Liberal: a Revolução de 1820. Em J. MATTOSO, *História de Portugal: O Liberalismo* (Vol. 5, pp. 41-55). Lisboa: Editorial Estampa.

29   Idem, *Ibidem*.

30   Ver artigo 30.º da Constituição de 23 de setembro de 1822.

31   De acordo com o decreto de 16 de maio de 1832, o território fica dividido em províncias, comarcas e concelhos, governados por um prefeito com a junta geral, um subprefeito com a junta da comarca e por um provedor com a câmara municipal do concelho, respetivamente.

32   ROSA, M. L. (2001). Cronologia. Em J. MATTOSO, *História de Portugal: Portugal em Transe* (Vol. 8, pp. 231-317). Lisboa: Editorial Estampa.

33   CANOTILHO, J. J. (1998). As Constituições. Em J. MATTOSO, *História de Portugal: O Liberalismo* (pp. 125-139). Lisboa: Editorial Estampa.

por Pedro IV, após abdicar do trono brasileiro e regressar a Portugal. Desembarca em território nacional em 1832[34], mas apenas recuperou os destinos do país em 1834, após a rendição do seu irmão na Convenção de Évora Monte.

Após a Convenção, os dois anos que se seguiram não foram nada fáceis em termos governativos e apenas se conseguiu reformar a administração central e municipal[35]. Então, por decreto de 18 de julho de 1835 o reino foi dividido, administrativamente, em distritos, concelhos e freguesias, divisão confirmada também pelo decreto de 6 de julho de 1836[36]. Apesar das alterações introduzidas, o governo liberal não era consensual, sendo dissolvido o Parlamento e convocadas as Cortes extraordinárias.

Nesse período, por decreto de 11 de setembro de 1836, foi reposta a Constituição de 1822, até a promulgação do novo texto constitucional. Tal somente sucedeu a 4 de abril de 1838. Neste novo texto confirmou-se os poderes políticos estabelecidos em 1822 e o sistema governativo bicameral, assente em duas câmaras: a dos senadores e a dos deputados[37].

Depois, a 25 de outubro de 1841 foi feito o primeiro esforço no sentido de normalizar os orçamentos municipais. Neste decreto, se estabeleceram as normas de representação do orçamento ordinário. De acordo com as novas regras, os orçamentos deveriam indicar a receita necessária à satisfação da despesa obrigatória e facultativa. Em caso de insuficiência de previsão, o decreto previa a possibilidade de apresentar orçamento suplementar[38].

No entanto, por golpe de estado de 10 de fevereiro de 1842, foi reposta a Carta constitucional de 1826[39]. Nesse mesmo ano, foi decretado a 18 de março um novo CA, texto marcadamente centraliza-

---

[34]   SILVA, A. M. (1998). A vitória definitiva do liberalismo e a instabilidade constitucional: Cartismo, Setembrismo e Cabralismo. Em J. MATTOSO, *História de Portugal: O Liberalismo* (Vol. 5, pp. 77-89). Lisboa: Editorial Estampa.
[35]   Ver ROSA (2001, p. 286).
[36]   Idem, pp. 300-1.
[37]   Ver CANOTILHO (1998, pp. 136-7).
[38]   Decreto de 25 de outubro de 1841.
[39]   Ver CANOTILHO (1998, p. 137).

dor, da autoria de Costa Cabral[40]. Nesse decreto dirigido ao governo local, foram estabelecidos os cargos, a composição da câmara e o modo de preparar, prestar e publicitar as contas. Adicionalmente, foi estabelecida a periodicidade para a submissão do orçamento à apreciação do governador civil de distrito.

Seguidamente, a 12 de dezembro, foram decretadas as instruções regulamentares para a administração, arrecadação e contabilidade dos rendimentos públicos nos distritos[41]. Nestas instruções, foram estabelecidas as regras para a cobrança de impostos no governo local. Adicionalmente, foi estabelecido o método de escrituração (partida simples) e a obrigação de prestar contas até o terceiro dia de cada mês. Porém, estas instruções somente vigoraram até 8 de fevereiro de 1843, data em que foram dadas novas regras para a cobrança e prestação de contas.

Por este tempo, o panorama económico português era de severa crise financeira, à semelhança do que ocorria no estrangeiro, e nem as políticas de austeridade e centralização de Costa Cabral conseguiram mudar a trajetória financeira do país. Tal levou à sublevação setembrista, em 1844 e à revolta da Maria da Fonte, em 1846. Acontecimentos, que faziam advinhar uma situação de guerra civil que acabou por acontecer no final desse mesmo ano e que ficou conhecida por Patuleia[42]. Entretanto, por Carta de lei de 26 de agosto de 1848[43], o governo reforça o dever dos recebedores dos concelhos de prestarem contas mensalmente dos impostos cobrados, obrigando-os a manter em boa ordem a escrituração. Seguidamente, por decreto de 10 de novembro de 1849[44], organizou-se o TC e subordinou-se o governo civil de distrito à fazenda central, introduzindo-se a visita de correição dos concelhos, como mecanismo disciplinador do governo local. Dessa organização resultou a promulgação do primeiro Regimento do TC (doravante RTC), a 27 de fevereiro de 1850[45]. Entretanto, a 28 de

---

[40]   J. V. CAPELA. (1992). Alberto Sampaio e a alternativa paroquial: As insuficiências da administração municipal. *Sociedade Martins Sarmento, Revista de Guimarães, 102*, pp. 419-443.
[41]   Diário do governo n.º 295 de 14 de dezembro.
[42]   DÓRIA, A. A. (1968). Patuleia. Em J. SERRÃO, *Dicionário de História de Portugal, ME-SIN* (Vol. III, pp. 318-322). Lisboa: Iniciativas Editoriais.
[43]   Carta de lei de 26 de agosto de 1848.
[44]   Decreto de 10 de novembro de 1849.
[45]   Decreto de 27 de fevereiro de 1850: RTC.

janeiro de 1850, foi promulgado um Regulamento da Fazenda Pública (doravante RFP)[46], que obrigou o escrivão do concelho a manter uma escrituração regular.

A par destes acontecimentos, a situação política detiorava-se. Na impossibilidade de inverter a queda da economia portuguesa, Costa Cabral parte para o exílio, em 1851[47]. No entanto, o partido regenerador, seu opositor, apoiava também a política de centralização como a única forma de fortalecer a economia do país[48]. Por isso, mantiveram o espírito governativo, com vista ao restabelecimento das finanças públicas. A diferença esteve em Fontes Pereira de Melo, mentor das grandes obras públicas, que dinamizaram[49] a indústria portuguesa.

Entretanto, morre Maria II, em 1853, e o seu marido (Fernando II) assume a regência até a maioridade de Pedro V[50]. Assim, iniciou a segunda metade do século XIX.

Na década de 60, para restabelecimentos das finanças públicas, procede-se a uma nova desamortização[51]. Paralelamente, a 3 de novembro de 1860[52], decreta-se uma maior uniformização da arrecadação e regularidade da escrituração, sendo transferida a recebedoria do concelho para a comarca, por decreto de 15 de dezembro de 1860. Seguidamente, foi decretado a 12 de dezembro de 1863[53] o primeiro Regulamento de Contabilidade Pública (doravante RCP), que vem reedificar o edifício demolido pela portaria de 31 de julho de 1834. O objetivo era uniformizar o modo e método de arrecadar e contabilizar, seguindo no essencial o preceituado no decreto de 28 de janeiro de 1850[54]. Adicio-

---

[46] Decreto de 28 de janeiro de 1850: Regulamento da administração da fazenda pública...
[47] Ver ROSA (2001, pp. 288-9).
[48] RIBEIRO, M. M. (1998). A regeneração e o seu significado. Em J. MATTOSO, *História de Portugal: O Liberalismo* (pp. 101-107). Lisboa: Editorial Estampa.
[49] Idem, *Ibidem*.
[50] Ver ROSA (2001, p. 289).
[51] Idem, pp. 290-1.
[52] Decreto de 3 de novembro de 1860: RFP.
[53] Decreto de 12 de dezembro de 1863: RCP.
[54] Decreto de 28 de janeiro de 1850: RFP.

nalmente, foi estabelecido o limite legal para sujeição da contabilidade municipal ao julgamento do TC[55].

Posteriormente, por decreto de 26 de junho de 1867 foi promulgado outro CA. Este diploma derrogou, transitoriamente, o CA de 1842, restabelecido pouco tempo depois. Porém, somente até à década de 70. Nesse ano, foram promulgados a 4 de janeiro dois decretos: o RFP[56] e o RCP[57]. O RFP foi promulgado para simplificar e tornar mais eficaz a fiscalização da arrecadação de impostos, estipulando os livros e as regras de fiscalização interna e externa. Já o RCP, veio estipular uma nova tempestividade para a prestação de contas externa[58].

Depois, a 21 de julho foi promulgado o CA de 1870, o primeiro código descentralizador, que, entre outros aspetos, vem alterar o limite mínimo pelo qual a contabilidade municipal passa a estar sujeita ao julgamento do TC, em consonância com o RTC de 1869[59].

No entanto, a 6 de maio de 1878 foi promulgado o segundo CA descentralizador[60]. Este novo CA, veio substituir definitivamente a estrutura centralizadora de 1842, representando mais um esforço nacional para acompanhar países como a Bélgica, França, Espanha e Itália. Neste novo código, pretendeu o legislador retirar ao governador civil de distrito o poder de executar as deliberações da junta geral. Essas deliberações passariam a ser executadas por um grupo de cidadãos da junta geral. Porém, mantiveram as suas atribuições consultivas e contenciosas, funcionando como um tribunal ordinário do contencioso administrativo. No concernente aos municípios, entendeu o legislador atribuir independência às câmaras, no tocante às decisões relativas à fazenda local, especialmente na matéria tributária.

---

[55]   Sempre que o rendimento fosse superior a 2 contos de réis, conforme o decreto de 27 de fevereiro de 1850. Limite alterado para 4 contos de réis anuais, tendo por base a média dos três últimos anos, segundo o decreto de 19 de agosto de 1859 e o decreto de 6 de setembro de 1860.

[56]   Decreto de 4 de janeiro de 1870: RFP.

[57]   Decreto de 4 de janeiro de 1870: RCP.

[58]   Idem, título IV, capítulo II, artigos 144.º-151.º.

[59]   O decreto de 21 de abril de 1869 indica um rendimento mínimo anual superior a 10 contos de réis, tendo por base a média dos três últimos anos.

[60]   Decreto de 6 de maio de 1878: CA.

Posteriormente, a 25 de junho de 1881[61], foi publicado o plano de reforma do terceiro RCP e logo em 31 de agosto[62] o RCP, que entrou em vigor a 1 de julho de 1882. Este diploma promulgou as novas regras sobre a arrecadação, escrituração e prestação de contas. No entanto, relativamente à contabilidade municipal não introduziu alteração que fosse notada, sendo também mantido o limite para julgamento das contas estabelecido pelo RTC de 1869[63].

Estes foram os principais acontecimentos históricos e legais ocorridos entre os anos de 1832 a 1882. Agora, passamos a abordar os regulamentos internos alusivos à contabilidade para que possamos saber da organização contabilística da Câmara Municipal de Guimarães.

V. REGULAMENTAÇÃO INTERNA

A câmara vimaranenese, à semelhança de outras intituições, necessitou de produzir regulamentação própria pela qual se pudesse reger. Essas regras serviram para estabelecer procedimento(s) interno(s) não previstos na lei. Um desses regulamentos data de 19 de agosto de 1840[64] e destinou-se a estabelecer as regras para a escrituração dos fóros, laudémios e consentimentos. Através deste regulamento, foi estabelecido a existência de duas relações relativas às contribuições recebidas e não recebidas. A relação dos valores recebidos seria entregue pelo recebedor ao escrivão da câmara, para que este registasse no mostrador dos fóros os montantes arrecadados, e, desse carga ao tesoureiro em livro competente. Já os não recebidos, seriam entregues ao escrivão, para que este procedesse às diligências necessárias, para a sua arrecadação. Este regulamento estipulou, ainda, o tratamento administrativo a dar aos morosos e aos consentimentos dados.

Depois, em 1875, em sede de vereação da câmara decidiu-se aprovar um regulamento[65] que servisse para estruturar e hierarquizar a se-

---

[61]   Decreto de 25 de junho de 1881: Plano de reforma da contabilidade pública.
[62]   Decreto de 31 de agosto de 1881: RCP.
[63]   Decreto de 21 de agosto de 1878.
[64]   AMAP, 10-9-8-15, fls. 134-5.
[65]   AMAP, 10-10-6-7, fls. 142-5.

cretaria da câmara. Através deste regulamento o escrivão assumiria a posição de representante secretaria e à sua responsabilidade estariam: três amanuenses, o contínuo e o guarda. Esta foi a estrutura dada num período em que se procedia à descentralização administrativa, particularmente no tocante às contribuições.

Agora, resta-nos analisar a mudança provocada pela nova legislação na contabilidade e prestação de contas.

VI. CONTABILIDADE E PRESTAÇÃO DE CONTAS

A Câmara Municipal de Guimarães, no período proposto para investigação, utilizou livros[66] para registo e prestações de contas. Alguns desses livros eram administrativos, serviram para registo das atas e das contribuições e impostos. Por isso, os consideramos livros auxiliares à contabilidade. Outros, serviram para registo das operações diárias e movimento de dinheiro, sendo, por nós, considerados livros principais à contabilidade. Porém, dada a escassez de fontes arquivo até meados de 60, foi pelo livro de atas de vereação que aferimos sobre a contabilidade e a prestação de contas na Câmara Municipal de Guimarães até 1860.

Assim, após observar o livro de atas de vereação da câmara, onde foram registadas as eleições, os orçamentos e as aprovações de contas, entre outros atos, tomamos conhecimento da existência da aprovação do orçamento anual da receita e despesa (geral/ordinário e suplementar), desde 1837. Pelo assento efetuado, podemos afirmar tratar-se de um simples registo da previsão das despesas e receitas para o ano económico[67]. A mudança na forma de representar o orçamento anual é apenas notada em 1843, quando começaram a registar a receita ordinária à parte da extraordinária[68], para suprir a despesa necessária[69].

---

[66]   Para além dos livros, foram usados mapas e estatísticas pelos os quais rederam contas ao governo civil de distrito. Esses mapas e estatísticas solicitados às câmaras municipais serviram para controlo e governabilidade das populações, conforme comprovam os copiadores existentes no AMAP (ver, por exemplo, 10-8-7-3).
[67]   AMAP, 19-9-8-15, fls. 69-74.
[68]   Fenómeno também observado por CORONELLA et al. (2013).
[69]   AMAP, 10-9-8-16, fls. 120-23.

Depois, com o passar dos anos, a forma de representar o orçamento sofre nova evolução e a receita começa a ser lavrada por secção e natureza da receita, sendo a despesa registada por secção, natureza (obrigatória ou facultativa) e artigo[70], de acordo com as regras estabelecidas no CA de 1842. Contudo, observamos cumprirem de 'grosso modo' as regras estipuladas no CA de 1842[71], o mesmo sucedendo relativamente aos CA's 1867 e 1870, pelo menos, pelo tempo em que vigoraram[72]. Na verdade, somente o CA de 1878 substituiu o diploma de 1842, como já foi indicado.

Com a promulgação do CA de 1878, observamos os orçamentos serem representados apenas de uma forma mais moderna[73]. Então, concluímos que no essencial foram seguidas as regras estabelecidas no CA de 1842. Agora, resta-nos saber se o mesmo sucedeu com a escrituração.

O decreto de 18 de julho de 1835 estabelecia que as câmaras municipais estavam obrigadas a prestar contas anualmente ao governo civil de distrito. No entanto, não indicava especificamente de que forma o fazer, nem os livros a utilizar. Na verdade, a legislação da época era vaga e apenas indicava o uso de documentos como prova dos fluxos monetários. De igual modo estipulava o CA de 1842, na parte destinada à contabilidade municipal. Aliás, o CA de 1842 apenas indicava que no final do período a câmara municipal teria a obrigação de prestar contas e que posteriores regulamentos ditariam "o modo methodo, e modelos do orçamento e contabilidade municipal, e a fórma do processo para a approvação das contas"[74]. Tal já era indicado na lei de 27 de outubro de 1841, a propósito dos orçamentos municipais. Foi neste contexto, que a 12 de dezembro de 1842[75] foi publicado o decreto que veio oficializar o cargo de recebedor do concelho. Adicionalmente, vem estabelecer a relação de agência entre o administrador do concelho e o governador civil de distrito[76], no tocante às

---

[70]   AMAP, 10-9-8-17, fls. 131v-34v.
[71]   AMAP, 10-9-8-24, fls. 5v-9.
[72]   AMAP, 10-10-6-3, fls. 98-103v.
[73]   AMAP, 10-10-6-10, fls. 47-54.
[74]   Conforme o disposto no artigo 164.º do referido código.
[75]   Decreto de 12 de dezembro de 1842.
[76]   Fenómeno também observado por COOMBS e EDWARDS (1993) e GARRAD e GOLDSMITH (2001).

contribuições e impostos, das quais o município passa a ser obrigado a manter escrituração por partidas simples. Mais se determinou, que o Tribunal do Tesouro Público publicasse as instruções e regulamentos para que essas regras passassem a vigorar a partir de 1 de janeiro de 1843, o que acabaria por suceder em fevereiro do mesmo ano.

Assim, a 8 fevereiro de 1843, foram publicadas as instruções para a administração, arrecadação e contabilidade das contribuições. Neste regulamento, foi estabelecido os modelos de livros a usar para registo dos rendimentos cobrados (livro modelo n.º 1) e das contas do recebedor (livro modelo n.º 15). Destes livros, dispomos no AMAP de alguns exemplares, mas apenas da década de 60 em diante. Até esse período, sabemos do uso da contabilidade pelos atos de administração vertidos no livro de atas de vereação da câmara, na forma de orçamentos, contas[77] e termos de aprovação de contas, assim como dos poucos livros existentes da fazenda[78] e inventários[79].

Depois, por decreto de 28 de janeiro de 1850, foi promulgado o RFP que veio confirmar o uso do livro da conta do recebedor do concelho (modelo n.º 15 A), para escrituração das cobranças de impostos. Este livro seria encerrado no último dia de junho de cada ano. Regras que, na generalidade, foram mantidas pelo RFP decretado a 3 novembro de 1860.

Para além dos RFP, foi promulgado o RCP, por decreto de 12 de dezembro de 1863, diploma que, na parte da arrecadação das contribuições e impostos, nos remete para o RFP de 28 de janeiro de 1850, mantendo-se o escrivão da fazenda responsável por escriturar as contas do recebedor. Disposição de resto mantida pelos RCP's de 1870 e de 1881.

Porém, por decreto de 4 de janeiro de 1870, foram remodelados os livros de registo da cobrança de impostos (modelos n.os 4-A, 8, 8-A, 8-B, 9 e 26) e contas do recebedor (modelos n.os 10 e 11)[80]. Não obstante, observamos apenas no AMAP o livro para registo dos

---

[77] AMAP, 10-9-8-15 (fls. 157v-9) e 10-9-8-17 (fls. 57v-60 e 89-89v).
[78] AMAP, 10-26-16-19, 10-26-6-34.
[79] AMAP, 10-26-11-8, 10-26-12-12.
[80] Para além da publicação de novos modelos de livros de cobrança e contas, foram também reformados os modelos de relação, tabelas e resumos de cobrança.

rendimentos não eventuais[81], que corresponde ao novo modelo n.º 26, e o livro de registo da conta do recebedor, que confere com o novo modelo n.º 10. As possíveis causas para tal, podem estar relacionadas com a estrutura de rendimentos da Câmara Municipal de Guimarães ou mesmo com o deperecimento dos livros, na medida em que não foram encontrados nesse arquivo todos os livros indicados por esse regulamento.

Agora, no concernente à prestação de contas interna, os RFP's e os RCP's, que vigoraram no período definido como amostra, estipulavam que a conta anual seria encerrada no último dia do mês de junho[82]. Regras que foram cumpridas, salvo poucas exceções, sendo a aprovação final das contas lavrada no livro de atas de vereação da câmara municipal e rubricado o livro de contas correntes, seguindo-se o preceituado nos CA's de 1842 e 1878.

Relativamente ao controlo externo, sabemos que as câmaras municipais estavam obrigadas a prestar contas ao governo civil de distrito, através do envio de mapas mensais e anuais, orçamentos e contas no final do ano económico[83]. Contudo, em casos específicos, conforme indicamos atrás, a contabilidade também poderia ser julgada pelo TC[84]. Pelos livros existentes da vereação da Câmara Municipal temos conhecimento de que o controlo externo foi feito pelo governo civil de distrito. Porém, pelo livro copiador da correspondência da Câmara, também temos conhecimento de que foi solicitada documentação à Câmara Municipal de Guimarães para julgamento do TC[85].

VII. CONCLUSÃO

A administração e contabilidade praticada na Câmara Municipal de Guimarães, nos anos de 1832 a 1882, foi regida por legislação diversa até à promulgação dos CA's. Nestes códigos encontramos as

---

[81] AMAP, 10-23-6-4, 10-23-6-15, 10-23-6-16.
[82] Adicionalmente, haveria um controlo interno mensal feito pelo escrivão da fazenda ao recebedor.
[83] À semelhança do observado por COOMBS e EDWARDS (1990) e JONES (1995).
[84] Organização administrativa semelhante à espanhola, conforme obervado por MORAL RUÍZ (1996) e MURCIANO et al. (2011).
[85] AMAP, 10-8-7-3, fl. 142.

regras que estruturaram a contabilidade e administração municipal no século XIX, especialmente nos CA's de 1842 e 1878. No entanto, verificamos que esta legislação não foi suficiente para atender às especificidades da Câmara vimaranense e mesmo da administração pública no geral, sendo usada regulamentação interna e depois promulgados os RFP's de 1850, 1860 e 1870, os RCP's de1863, 1870 e 1881 e os RTC's de1850, 1869 e 1878. Toda esta legislação serviu para disciplinar a fazenda e a contabilidade pública, especialmente a municipal.

Observamos pelo arquivo sobrevivente da Câmara Municipal de Guimarães, que, na generalidade, a legislação foi atendida, notando-se alguma falta de exigência na primeira metade do século XIX e que motivou o recurso à regulamentação interna no tocante a arrecadação de impostos. Lembramos que esse foi um período conturbado da história portuguesa, em que a centralização e a racionalização das instituições foi vista como solução mais eficaz em termos governativos. Depois, na década de 70 assiste-se a um movimento descentralizador, em termos de contribuições e impostos, em que se mostrou necessário o recurso a legislação inferior na forma de regulamento, resultando numa maior e mais evidente organização no final do período amostral. Contudo, mantiveram a escrituração por partidas simples, não sendo, até 1882, conhecida a partida dobrada na contabilidade da Câmara Municipal de Guimarães.

APUNTES SOBRE DIGITALIZACIÓN ECONÓMICA Y SUS PROYECCIONES EN EL ÁMBITO FISCAL

SONIA ELIZABETH RAMOS-MEDINA
Doctoranda en Derecho
Universidad de Salamanca (España)

Sumario: I. Antecedentes: cambios propiciados por la economía digital. II. La creación de valor en la economía digital. III. OECD: las propuestas de solución. IV. Reflexiones finales.

I. ANTECEDENTES: CAMBIOS PROPICIADOS POR LA ECONOMÍA DIGITAL

La economía digital como fenómeno disruptivo, trae consigo una nueva realidad fiscal que exige modificaciones en el ordenamiento tributario[1]. La introducción de tecnologías emergentes asociadas a la 4ª Revolución Industrial incluidas la robótica; Inteligencia Artificial (aprendizaje automático, procesamiento de lenguaje natural); la prestación de servicios digitales y estandarizados de programación informática, almacenamiento y procesamiento de datos masivos (*cloud computing*); la interconexión de sistemas y dispositivos electrónicos; y otras tecnologías informáticas, representan nuevas expresiones de riqueza y plantea desafíos para su tributación efectiva. En el contexto de globalización las relaciones económico-financieras tienden

---

[1] GARCÍA NOVOA, C.: *Cuarta Revolución industrial: La fiscalidad de la sociedad digital y tecnológica en España y Latinoamérica*. Navarra: Thomson Reuters Aranzadi, 2019.

a "deslocalizarse y desmaterializarse" lo que produce una dificultad adicional para la sujeción de gravamen[2].

Algunos antecedentes de este fenómeno se experimentaron en los años cincuenta y sesenta con el surgimiento de los centros financieros *offshore*. El acompañamiento de los avances tecnológicos, como el crecimiento de la tecnología de telecomunicaciones, supone la utilización de líneas telefónicas seguras y de alta calidad para llevar a cabo múltiples servicios comerciales y bancarios con proveedores de cualquier parte del mundo, la proximidad geográfica ya no era un inconveniente.

Con la introducción de internet, se potenciaron las actividades económicas en línea. Esta integración global se establece con una infraestructura de redes digitales fiables y accesibles que, a través del flujo de bits transportan imágenes, texto o sonidos. En los años noventa con la introducción del comercio electrónico, se propició un cambio en la fiscalidad desde la economía tradicional hacía la nueva economía digital; se incorporaron nuevas formas de hacer negocios, expandiendo las oportunidades.

En aquel momento, también se planteó la factibilidad de someter el comercio electrónico a tributación, y de llevarse a cabo, planteaba la dificultad técnica de determinar la sujeción a la legislación nacional y doméstica en materia fiscal cuando no existe un nexo territorial. Su entorno suscitaba preguntas como: ¿De qué manera se recaudarían los impuestos? ¿Quién los recaudaría? ¿A dónde se enviarían?

De entre las soluciones planteadas[3] para gravar las operaciones realizadas a través de Internet se encuentra el impuesto sobre cada bit digital interactivo de información propuesta por CORDELL[4]. A medida que el comercio crecía exponencialmente en las redes digitales,

---

[2]   JABALERA RODRÍGUEZ, A.: «Digitalización económica y nuevas formas de obtención de riqueza: la búsqueda de soluciones para su tributación efectiva», en *Nueva Fiscalidad*, núm. 2, 2020, pp. 135-180.
[3]   Impuesto sobre el módem, Impuesto sobre el consumo de teléfono, entre otros.
[4]   Vid. CORDELL, A. J; IDE, T. R.; SOETE, L.; KAMP, K.: *The new wealth of nations: Taxing cyberspace*. Estados Unidos de América: Between the Lines, 1997. En su argumentación, "el impuesto de bits es congruente con una nueva economía basada en redes digitales".

resultaba de particular importancia desarrollar nuevas herramientas fiscales que fueran efectivas en el entorno digital.

Esta idea se basaba crear una nueva base impositiva proporcionada por los billones de bits digitales de información que circulan en las redes globales; cualquier manifestación física o electrónica de transacciones, un correo electrónico, una transferencia de archivos, una liquidación electrónica de cheques y programas que en su conjunto formen parte del proceso, distribución o consumo en la "nueva economía"[5]. Un nuevo impuesto indirecto, que no grava la riqueza creada sino el volumen de negocios aplicado al tráfico de fibra óptica, cable o satélite.

La proliferación de empresas *offshore* junto con el comercio electrónico, llevaron a instituciones y gobiernos a reaccionar sobre esta nueva realidad. Los primeros esfuerzos realizados por la OECD se centraron en realizar un análisis de la elusión fiscal, para contrarrestar las externalidades sobre las decisiones de inversión, financiación y erosión de bases impositivas.

Uno de los productos de este análisis es el Informe final del Grupo de expertos de alto nivel "La construcción de la sociedad europea de la información para todos nosotros" (1997)[6]. El informe señala varias parcelas de investigación sobre posibles sistemas tributarios alternativos y/o ajustes importantes sobre los ya existentes; todo ello con la finalidad de ajustarse a la entonces nueva y cambiante estructura económica de la sociedad global de la información, caracterizada por una movilidad internacional con distintas formas de evasión de impuestos directos e indirectos. Las propuestas giraron alrededor de la idea de la proliferación de la producción, distribución y consumo global de bienes y servicios intangibles, y los cuestionamientos sobre

---

[5]   CORDELL, A.: «Nothing Fails Like Success: Online Growth in The Offshore World». En *Journal of Internet Banking and Commerce*, 1998, p. 9806-9808. A la oposición que defendía el riesgo de ralentizar la introducción de esta nueva área de actividad económica, el autor respondía con la analogía "¿la imposición del impuesto a la gasolina ralentizó el desarrollo de la industria automotriz?".

[6]   European Commission, Directorate-General for Employment, Social Affairs and Inclusion.: Building the European information society for us all: Final policy report of the high-level expert group. París: Publications Office, 1997.

qué tan apropiados eran los sistemas de imposición, principalmente el de consumo.

Por ejemplo, el informe sostenía que, tras la problemática relacionada con la imposibilidad de calcular o controlar la noción de valor en las operaciones al comercio de servicios de información intangible, planteaba el impuesto sobre el bit como una posible alternativa, aunque proponían seguir estudiando los pormenores y verificando la idoneidad de su puesta en marcha.

Refiriéndose a la relocalización internacional de los flujos de capitales financieros manifestaba la necesidad de disponer de cláusulas más restrictivas con relación a los paraísos fiscales. Las recomendaciones apuntan a que los gobiernos podrían utilizar intermediarios que colaboren en el control de la información, los bienes y servicios prestados. También se analizaron las implicaciones de las exenciones y paraísos fiscales considerados una amenaza para la estabilidad fiscal.

Otro de los campos de análisis se refería a las posibilidades que ofrecían las TIC con la finalidad de reducir la evasión fiscal, dirigida principalmente a los gobiernos europeos quienes habían experimentado una reducción en la recaudación en concepto de impuestos sobre el rendimiento del capital. Al mismo tiempo, a medida que los bienes y servicios y sus respectivos flujos financieros adquieren más movilidad se experimentaba otra preocupación relacionada a la disminución de la base de ingresos de los gobiernos nacionales. Es el caso de la reducción de los puestos de trabajo, la disminución en las cotizaciones, y su consecuente efecto sobre la financiación de los sistemas de seguridad social[7].

---

[7]   RAMOS-MEDINA, S. E.: «Impuestos sobre los robots: el declive del trabajo y el ascenso del capital» [Texto inédito] "Esta preocupación acerca de la sustitución del trabajo humano por el robotizado se ha experimentado a lo largo de la historia. Las revoluciones industriales anteriores: la transformación de la producción manual a la mecanizada y las máquinas de vapor; la introducción de la electricidad, las líneas de ensamblaje y la producción en masa; la electrónica, tecnología de la información y comunicaciones; han impulsado cambios sustanciales que respondieron a las necesidades de cada época, transformando no solo el empleo, sino los sistemas productivos, patrones de consumo, organización de recursos y propiedades. Pero es claro que en las transiciones entre revoluciones se experimentaron procesos de automatización".

Los ejercicios de soberanía fiscal podrían llevar a reclamaciones contrapuestas de dos o más jurisdicciones sobre la misma base imponible, resultando en una doble imposición jurídica. "La doble imposición tiene efectos perjudiciales para el intercambio internacional de bienes y servicios y los movimientos transfronterizos de capital, tecnología y personas"[8] (p. 24). La mayoría de los convenios fiscales bilaterales que existen, se celebran sobre la base de un modelo: el Modelo de Convenio de Doble Imposición (2010) ha contribuido no sólo a conducir o concluir acuerdos bilaterales de los países miembros asignando derechos de imposición a los Estados contratantes, sino contribuyendo a cubrir determinadas lagunas fiscales, tales como el impuesto sobre el rendimiento del capital. En sus arts. 5 y 7 se referían al establecimiento permanente definiéndolo como un lugar fijo de negocios en el cual una empresa realiza toda o parte de su actividad. La existencia de un lugar de negocios será propicia para determinar el derecho de un Estado contratante a gravar los beneficios de una empresa del otro Estado contratante. Señalando como necesaria la presencia física de una empresa en el país desde donde se obtienen beneficios para que puedan ser gravados en la fuente[9].

Para 2013 los países de la OECD y el G20, preocupados en abordar el problema de la base imponible y el traslado de beneficios (*Base Erosion and Profit Shifting -BEPS*), realizaron trabajos conjuntos para combatirlo a través de una serie de recomendaciones técnicas que denominaron "Plan de acción BEPS". El objetivo es garantizar que los beneficios sean gravados ahí donde se realizan las actividades económicas que los generen y donde se crea el valor.

La OECD publicó el informe "Cómo abordar los desafíos fiscales de la Economía Digital"[10], en el que se reconoce: "la economía digital

---

[8]   OECD: *Addressing the Tax Challenges of the Digital Economy*, Action 1–2015 Final Report, OECD/G20 Base Erosion and Profit Shifting Project. Paris: OECD Publishing, 2015. Disponible en: https://bit.ly/3tazLdQ (fecha de última consulta: 1 de marzo de 2022).

[9]   OCDE: *Modelo de Convenio Tributario sobre la Renta y sobre el Patrimonio*. París: Instituto de Estudios Fiscales, 2010. Arts. 5 y 7. Disponible en: https://bit.ly/3BVnrlN (fecha de última consulta: 1 de marzo de 2022).

[10]   OCDE: *Cómo abordar los desafíos fiscales de la Economía Digital*. París: OECD Publishing, 2014. Disponible en: https://bit.ly/3pgRfUz (fecha de última consulta: 1 de marzo de 2022).

es el resultado de un proceso de transformación desencadenado por las tecnologías de la información y la comunicación (TIC)" (p.15), también se reconoce que es objeto de una constante evolución que requiere de una supervisión con perspectiva de futuro para determinar su impacto en los sistemas tributarios.

La rápida introducción tecnológica ha caracterizado a la economía digital como impulsora de una serie de nuevas tendencias como: el Internet de las Cosas (IoT); monedas virtuales con patrones descentralizados basados en blockchain para el registro de transacciones; robótica avanzada e impresión 3D; plataformas de consumo colaborativo; entre otras, crean contextos nuevos para la fiscalidad y exacerban aquellos que no funcionaban de manera correcta.

Si la globalización económica y después la introducción del comercio electrónico supusieron avances importantes, la era digital como fenómeno disruptivo significará el cambio más importante en los sistemas tributarios de las próximas décadas.

II. LA CREACIÓN DE VALOR EN LA ECONOMÍA DIGITAL

La ausencia de presencia física, como rasgo distintivo de la economía digital, representa un desafío para la fiscalidad internacional. En un primer momento, la combinación de residencia y presencia física como requisitos para el establecimiento permanente impide la tributación de empresas allá donde obtienen su beneficio[11]. Posteriormente surge la regla de creación de valor: tributar donde se crea el valor independientemente del lugar de residencia.

Algunos planteamientos cuestionan si será posible, en una economía global, lograr una imposición proporcionada y efectiva, al mismo tiempo que un adecuado reparto de esas contribuciones entre los Estados[12]. Por ello, no es de extrañar que las nuevas propuestas de reforma del sistema fiscal internacional giren en torno al principio

[11]   GARCÍA NOVOA, C.: *Cuarta Revolución Industrial... op. cit.*
[12]   SOLER ROCH, M.T.: «Los retos tributarios del siglo XXI», en *Revista Española de Derecho Tributario*, núm. 183, 2019, p. 9.

de "*fair share of tax*", no solo como un elemento de justicia material e integridad que conecte con ordenamientos tributarios nacionales, sino como un disuasor de tensiones o conflictos políticos que tenga como objetivo instrumentar un nuevo reparto del poder tributario entre los Estados que impacte igualmente a las empresas internacionalizadas[13]. En los últimos años, las políticas fiscales presionan para que las multinacionales contribuyan con su "*fair share taxation*" o parte justa de tributación. Un ejemplo podemos situarlo con las actuaciones del Parlamento de Reino Unido contra Google y Amazon al considerar que no están pagando lo justo (*their fair share*). La idea recogida es la contribución con una porción justa, evitando conductas de evasión, elusión o planificación agresiva[14]. En este sentido, se está pasando del modelo del deber de contribuir a otro en el que se exige contribuir con lo justo y lo equitativo.

Ahora bien, ¿cómo determinar el valor?, ¿cómo medirlo? Y, ¿dónde se genera?

Aunque nos encontramos ante un concepto difícil de identificar, es una pieza clave en la toma de decisiones de operadores económicos[15]. Mas allá de la ausencia de presencia física, en la economía digital existen elementos diferenciales como los vínculos generados por la interacción entre los usuarios que se prolonga en el tiempo. Por lo general es una relación permanente que constituye un valor económico para las empresas que actúan en ámbitos internacionales sin presencial física. Como dice GARCÍA NOVOA, estos vínculos se crean a través del alta de usuarios en redes, la creación de cuentas, las descargas de apps, el uso de cookies; lo que supone un público cautivo que representa un activo fundamental para estas empresas[16].

Es importante reflexionar sobre el dilema de los datos, principalmente al ser considerados la materia prima de la economía digital. La Norma Internacional ISO/IEC 2382-1:1993 define a los datos

---

13   CALDERÓN CARRERO, J.M.: «El paquete europeo (2018) en materia de Fiscalidad de la Economía Digital», en *Carta Tributaria*, núm. 39, 2018, p. 16.

14   Aunque se compruebe la licitud de la planificación fiscal, si está resulta agresiva y lleva a que no se contribuya en la porción justa en cada jurisdicción, sigue siendo una conducta reprobable.

15   JABALERA RODRÍGUEZ, A.: «Digitalización económica…, *op. cit.*

16   GARCÍA NOVOA, C.: *Cuarta Revolución Industrial… op. cit.*

como una "representación reinterpretable de la información de manera formalizada y adecuada para su comunicación, interpretación o procesamiento"[17]. Los datos pueden ser generados por las personas, máquinas o sensores y contener datos personales.

La cuestión relacionada con la recopilación y el uso masivo de datos (*big data*), aunque no es nueva, ha aumentado exponencialmente debido, principalmente a dos cuestiones: potencia informática y capacidad de almacenamiento; y, disminución de los costes de almacenamiento. El *big data* se caracteriza por: volumen, velocidad, variedad, variabilidad, veracidad, validez, vulnerabilidad, volatilidad, visualización y valor.

En la economía digital, generalmente se utiliza la Inteligencia Artificial (IA) para hacer predicciones, recomendaciones o tomar decisiones. Sin embargo, las técnicas de IA no serían nada sin los datos. En la economía digital las empresas recopilan datos de sus clientes, proveedores y operaciones a través de varios métodos. Los datos son la principal fuente de beneficio económico y en realidad no hay forma de someterlos a tributación. Por tanto, como señala ROSEMBUJ "el valor más importante de la automatización es el usuario", "las personas son el ancla para el bien digital, para el bien virtual, para los productos predictivos"[18] (p. 158). Los datos que provee el usuario están creando valor a estos modelos de negocio, el problema aquí es determinar qué valor tienen esas transacciones para poder someterlo a gravamen. Incluso se han introducido conceptos como la economía de datos para referirse al sector de la economía que se encarga de medir la repercusión global del mercado de los datos[19].

Los datos son activos patrimoniales, recursos productivos para determinados modelos de negocios, con un valor económico en el

---

[17]   Organización Internacional de Normalización (ISO) y Comisión Electrotécnica Internacional (IEC).
         ISO/IEC 2382-1:1993. Information technology–Vocabulary–Part 1: Fundamental terms. Disponible en: https://bit.ly/34342Tk (fecha de última consulta: 1 de marzo de 2022).
[18]   ROSEMBUJ, T.: *Inteligencia artificial e impuesto* (2ª ed.). Barcelona: Editorial El Fisco, 2019.
[19]   IDC: European Data Market SMART 2013/0063. Final Report. 2017. Disponible en: https://bit.ly/3vrMwDC (fecha de última consulta: 1 de marzo de 2022).

mercado. Es decir, son activos intangibles de difícil valoración[20]. La dificultad para describir las características, tipos de intangibles y los factores que determinan su valor llevó a la OECD a dedicar el Capítulo VI de las "Directrices de la OCDE aplicables en materia de precios de transferencia a empresas multinacionales y administraciones tributarias"[21].

Desde el enfoque tributario, la importancia de los datos digitales ha planteado diversas interrogantes entre las que se encuentran: si la recogida de datos podría considerarse un nexo con fines tributarios; sobre la titularidad de los datos y su tratamiento fiscal; cómo debemos calificar y valorar los datos; los datos son una manifestación de nueva riqueza digital.

Según lo establece la OECD, la participación del usuario en las actividades digitales genera valor para las empresas, y dicho valor se crea en el Estado donde estén establecidos los usuarios. En 2013, el principio de creación de valor es admitido por el Plan BEPS[22], cuestionándose sobre cómo las empresas de la economía digital añaden valor y obtienen beneficios; la Acción 1 planteó los retos para la fiscalidad internacional producidos por la expansión la economía digital. Dentro de la visión general se identifican como sus características "dependencia de activos intangibles, uso masivo de datos (en particular, los datos personales), adopción generalizada de modelos empresariales multilaterales que captan el valor de las externalidades generadas por los productos libres, y la dificultad de determinar la jurisdicción en la que se produce la creación de valor" (p. 10); Cuestionando también cómo la economía digital se relaciona con los conceptos de fuente y residencia.

---

[20]   GONZÁLEZ CARCEDO, J.: «Valoración de activos intangibles» en *Fiscalidad de los Precios de Transferencia*, CEF, Madrid, 2019.

[21]   OECD: *Directrices de la OCDE aplicables en materia de precios de transferencia a empresas multinacionales y administraciones tributarias*. Paris: OECD Publishing, 2017. Disponible en: https://bit.ly/3puf4bQ (fecha de última consulta: 1 de marzo de 2022).

[22]   OECD: *Action Plan on Base Erosion and Profit Shifting*. Paris: OECD Publishing, 2013. Disponible en: https://bit.ly/3K1vKiA (fecha de última consulta: 1 de marzo de 2022).

Ya en 2015, el informe final *"Addressing the Tax Challenges of the Digital Economy, Action 1"*[23] de la OECD reconocía que las tecnologías digitales permiten la recogida, almacenamiento y utilización de datos, por lo que, las empresas pueden obtenerlos a través de diferentes métodos. Por un lado, estos pueden ser proactivos, solicitando o requiriendo a usuarios, consumidores, operadores o indirectamente a través de terceros, que proporcionen datos, utilizando principalmente la analítica de datos. Por otro, los datos también pueden recopilarse reactivamente, por la cantidad y naturaleza proporcionada a través de una serie de relaciones transaccionales. Independientemente de la fuente, estos datos son fundamentales para el proceso de creación de valor de la economía digital: un intangible. Se han suscitado también otros planteamientos que cuestionan si los beneficios atribuibles a la recogida de datos a distancia deberían tributar en el Estado donde se recogen, además si los datos se caracterizan y se valoran correctamente a efectos fiscales.

El argumento central defiende que las empresas tienen interacción con los usuarios a partir de canales digitales y que esa interacción propulsa la creación de valor. Por tanto, en estos modelos de negocios la creación de valor depende del compromiso y participación de los usuarios[24], sin embargo, no existe un consenso sobre la participación de los usuarios sobre la creación de valor.

En primer lugar, hay quienes consideran que la recopilación de datos y la participación de usuarios puede crear asimetrías para determinados modelos económicos entre el lugar de tributación y aquel donde se genera valor, por lo que no es necesaria una reforma; en segundo lugar están los que consideran que la transformación digital y la globalización plantean desafíos para preservar la eficacia del marco fiscal internacional; por último, hay quienes se muestran conformes con el sistema tributario vigente, descartando las reformas al sostener

---

[23]   OECD: *Addressing the Tax Challenges of the Digital Economy*, Action 1, 2015, *op. cit.*
[24]   OECD: *Tax Challenges Arising from Digitalisation – Interim Report 2018: Inclusive Framework on BEPS*, OECD/G20 Base Erosion and Profit Shifting Project. Paris: OECD Publishing, 2018. Disponible en: https://bit.ly/3HuO81C (fecha de última consulta: 1 de marzo de 2022).

que aun no hay una evaluación de la incidencia de las medidas adoptadas por el proyecto BEPS[25].

Por otro lado, había que recordar, algunos de los cambios como consecuencia de la crisis económica global. Para corregir el déficit y la caída de recaudación se ha optado por incrementar los tipos de algunas figuras existentes o creando otras, se mejoró la lucha contra el fraude o se buscaron nuevas fuentes de recaudación. De esta forma, y con el objetivo de lograr una tributación efectiva, los *innovative tax tools* pretenden localizar manifestaciones extraordinarias de capacidad económica. Además, los *punitive rates* buscan nichos de esa misma capacidad para colaborar a la salida de la crisis[26].

Tras esta visión de contexto cabe plantearse algunas interrogantes: si los usuarios forman parte del proceso de producción, ¿Basta solamente con la presencia en la plataforma digital o se requiere participación activa? ¿Esta participación es exclusiva de determinados modelos de negocios? ¿Hay algún equivalente para la economía tradicional?

III. OECD: LAS PROPUESTAS DE SOLUCIÓN

Dentro del Marco Inclusivo BEPS, en 2019, se publica el informe *"Addressing the Tax Challenges of the Digitalisation of the Economy"*[27] que organiza en dos grandes pilares las propuestas para afrontar los retos de la fiscalidad en la economía digital. El primer pilar explora las posibilidades sobre dónde se deben gravar los beneficios de las multinacionales, examina las atribuciones de los derechos de imposición en el ámbito internacional, la potestad tributaria sobre la renta de las multinacionales, explorando al mismo tiempo, el principio de plena competencia y las reglas: sobre precios de transferencia

---

[25]   OECD: *Tax Challenges Arising from Digitalisation* – Interim Report 2018, *op. cit.*

[26]   GARCÍA NOVOA, C.: *Cuarta Revolución Industrial... op. cit.*

[27]   OECD: *Addressing the tax challenges of the digitalisation of the economy*, Public Consultation Document. 13 February–6 March. Paris: OECD Publishing, 2019. Disponible en: https://bit.ly/3syF73D (fecha de última consulta: 1 de marzo de 2022).

y las que determinan los criterios de conexión y distribución sobre imputación de beneficios a cada jurisdicción.

El segundo pilar atiende cuestiones pendientes relativas a la erosión de las bases imponibles y al traslado de beneficios, su discusión se centra en la tasa de tributación mínima de las multinacionales. Explora los casos en los que la renta es gravada a tasas nulas o muy reducidas y aplica las siguientes: "1) una regla de inclusión de ingresos que grava los beneficios de una filial extranjera si estos estuvieran sujetos a una tasa efectiva por debajo de una tasa mínima; y 2) un impuesto sobre los pagos erosionados que operaría mediante la denegación de una deducción o la imposición basada en la fuente, para ciertos pagos que estén gravados por debajo de esa tasa efectiva mínima"[28].

Las clasificaciones de negocio que han surgido con la economía digital se refieren a modelos sin sustancia operativa sujeta a gravamen en los países que desarrollan sus actividades, entre los que se encuentran: *business to business* (B2B), *busines to consumer* (B2C), *consumer to consumer* (C2C), plataforma de pagos, la prestación de servicios digitales de programación informática, almacenamiento y procesamiento de datos masivos (*cloud computing*).

La primera cuestión que resaltar radica en la obtención de ingresos en jurisdicciones fuente donde el nivel de operaciones es bajo. Planteando la posibilidad de que las actividades realizadas en esas jurisdicciones no cumplan con los parámetros de establecimiento permanente puesto que son de carácter auxiliar o preparatorio. Retomando el art. 7 supra y la acción 1 de BEPS que delimitan al establecimiento permanente, hay propuestas que señalan un ajuste en cuanto que aquellas actividades que se reconocen como preparatorias y auxiliares en la economía clásica podrían corresponder a actividades sustanciales en la cadena de valor de las empresas digitales[29].

El objetivo que persigue este pilar es reconocer el valor creado por las actividades empresariales en el Estado de mercado (*market juris-*

---

[28]   JIMÉNEZ, J. P.; OCAMPO, J. A.; PODESTÁ, A.; VALDÉS M. F.: *Explorando sinergias entre la cooperación tributaria internacional y los desafíos tributarios latinoamericanos en tiempos de COVID-19*. Santiago: CEPAL, 2020.

[29]   PIRES, R.: «PE and direct taxation of electronic commerce on digital economy: an unilateral love letter called BEPS». En *New taxation: Studies in honor of Jacques Malherbe*, 2017, pp. 903-912.

diction) o en aquel que se encuentren los usuarios. Para ello propuso que además se consideraran los siguientes criterios: participación del usuario (*user participation*), intangibles de comercialización (*marketing intangibles*) y la presencia económica significativa (*significant economic presence*).

La capacidad de las cadenas de valor digital para generar un valor sin presencia física o con una presencia física reducida dispar a los ingresos generados, propició el surgimiento del concepto presencia económica significativa como expresión de la presencia digital (*digital presence*). Con ello, la presencia física reducida supone una bifurcación en la definición de base imponible: a través de las reglas de atribución de beneficios (*profit allocation rules*); o a través del reparto de beneficios (*profit split*).

La propuesta sobre la presencia económica significativa señala criterios que evidencian una interacción de un no residente con la economía de ese país a través de la tecnología y otras herramientas automatizadas. Algunos de ellos son: la existencia de una comunidad de usuarios activos, volumen de datos recopilados, un umbral mínimo de ventas, opciones de pago locales, contratos *online*.

Estos elementos fueron objeto de debates que llevaron a publicar con meses de diferencia los trabajos: "*Programme of Work to Develop a Consensus Solution to the Tax Challenges Arising from the Digitalisation of the Economy*"[30] y posteriormente "*Public consultation document–Secretariat Proposal for a "Unified Approach" under Pillar One*"[31]; con el objeto de llegar a un acuerdo político hacia finales de 2019 sobre un enfoque unificado que permitiera preparar su aplicación a finales de 2020.

Sin embargo, en las distintas opciones analizadas en el enfoque unificado se encuentran varios aspectos sin definir o delimitar. Esta

---

[30] OECD: *Programme of Work to Develop a Consensus Solution to the Tax Challenges Arising from the Digitalisation of the Economy*. OECD/G20 Inclusive Framework on BEPS, Paris: OECD Publishing, 2019. Disponible en: https://bit.ly/3M6Mrex (fecha de última consulta: 1 de marzo de 2022).

[31] OECD: Public consultation document–Secretariat Proposal for a "Unified Approach" under Pillar One
9 October 2019 – 12 November 2019. Paris: OECD Publishing, 2019. Disponible en: https://bit.ly/36UabSX (fecha de última consulta: 1 de marzo de 2022).

situación ha propiciado opiniones divididas de los distintos países respecto al gravamen de la economía digital. Lo que conduce a que no haya consenso respecto a la adaptación de la fiscalidad a la economía digital.

En primer lugar, el ámbito de aplicación expone una visión general considerando a aquellos negocios cuyos ingresos son resultado de la venta de productos o prestación de servicios digitales; Luego no se señalan los sectores que podrían estar excluidos dentro del grupo; y finalmente, el informe no establece límites en cuanto al tamaño de estos "grandes negocios"[32].

Respecto a la discusión de la presencia física, independientemente del nivel de presencia física, el enfoque unificado señala la conveniencia en la introducción de un nuevo criterio de sujeción definido por un umbral de ingresos en un mercado en concreto incluyendo aquellos que realizan ventas a través de un distribuidor. Junto a este criterio se propone un mecanismo de atribución de beneficios según tres tipos de importes. El Importe A asigna una parte del beneficio residual imputado a la multinacional. Reconoce a la jurisdicción de mercado el derecho de gravar una parte de ese beneficio. Ese beneficio residual se obtiene después de atribuir a los países donde se realizan las actividades la rentabilidad rutinaria; a su vez, sería necesario determinar el nivel de esta y decidir la porción que correspondería al mercado, resultado de la aplicación de una fórmula basada en ventas. El importe B establece una remuneración fija como compensación a funciones de comercialización y distribución que se realicen en la jurisdicción de mercado. Finalmente, el importe C prevé una atribución a beneficios adicionales a la jurisdicción de mercado, en casos en los que la remuneración fija del importe B no cubra todas las funciones ahí desempeñadas.

Con estos tres tipos de importes se pretende resolver los inconvenientes de la presencia física mediante un nuevo criterio puntualizado en un umbral de ingresos en la jurisdicción del mercado como indicador de presencia continuada y significativa. Además de establecer el derecho sobre una porción de los beneficios residuales de la multinacional.

---

[32]   En el informe país por país se establece un umbral de 750 millones de euros.

IV. REFLEXIONES FINALES

Teniendo en cuenta que el contenido generado por los usuarios y la recolección de datos son ahora una actividad para la creación de valor de las empresas digitales, podemos esperar que surjan propuestas sobre nuevos impuestos en los que la materia imponible sean los datos. La abundancia de datos disponibles que se procesan informáticamente, le convierten en un campo ideal para el empleo de técnicas como el *Big Data Analysis*.

El análisis de *Big Data* proporciona medios para organizar, extraer y analizar grandes volúmenes de datos, estos exceden las capacidades y habilidades humanas para ser verificados de manera manual. Los datos podrían ser capturados, almacenados, analizados, consultados y actualizados para realizar análisis automáticos que identifiquen, entre otros, correlaciones, tendencias, datos inusuales. Por ello se afirma que la explotación de los datos puede crear valor para las empresas de muy diversas formas: segmentación de clientes de acuerdo con sus perfiles; aprender y detectar de manera automática patrones a partir de una serie de datos, permitiendo así personalizar experiencias; adaptarse a los cambios en su entorno identificando tendencias del mercado, aplicar reglas que vinculan las entradas con las salidas; y llevar a cabo mejores decisiones.

Los datos representan el elemento principal en el diseño de las estrategias de los nuevos modelos de negocios. La cadena de valor de los datos en sus distintas etapas podría ser considerada una manifestación de nueva riqueza digital: generación y recopilación, distribución, utilización, cesión. Además, los datos son fundamentales para el desarrollo de algoritmos y su recogida ha cambiado por completo en la Industria 4.0: datos en tiempo real recopilados a través de sensores físicos o seguimientos en línea, bases de datos históricas o bases de conocimiento.

La idea de sujeción de datos como objeto de gravamen, fue introducida en Francia en 2013. En aquel momento ya se planteaba la posibilidad de establecer un impuesto sobre la recopilación, gestión y uso comercial de los datos personales. Collin y Colin propusieron un impuesto con finalidad extrafiscal, al incentivar a las empresas a respetar la normativa de protección de datos y realizar un uso responsable de datos personales de usuarios franceses.

230 Sonia Elizabeth Ramos-Medina

En este sentido, la propuesta de Ben-Shahar hace eco al establecimiento de un impuesto que grave la recogida y uso de datos personales. Su argumento central es que la economía digital ignora cómo la información que proporcionan los usuarios puede afectar o otros, incluso a los bienes e intereses públicos.

También cabe señalar los esfuerzos por establecer condiciones equitativas entre proveedores residentes y no residentes que comercialicen los mismos bienes y servicios, con los gravámenes de igualación. Además de las propuestas para establecer tributos cuya finalidad sea gravar el valor, a través del número de usuarios activos o el volumen de datos recabados.

En este sentido, cabe plantearse propuestas de introducción de impuestos específicos como un ejercicio continuo y constante. La digitalización económica ha abierto varias alternativas de sujeción de gravamen. Sin embargo, la velocidad a la que viaja la economía digital y los sistemas tributarios podría conducir a rezagos importantes en la formulación y ejecución de normas fiscales. En cualquier caso, la economía centrada en los datos requiere ser entendida antes de construir un sistema tributario internacional apropiado.

IMPACTO DEL SISTEMA TRIBUTARIO COLOMBIANO: UN ANÁLISIS COMPARATIVO DEL RECAUDO Y LAS TRANSFERENCIAS A PARTIR DE LAS ALTERNATIVAS Y LECCIONES APRENDIDAS DE LAS REFORMAS TRIBUTARIAS 2000-2019

DIEGO FERNÁN MEZA LÓPEZ
Contador público. Doctorando en la USAL. Corporación Universitaria Remington. Medellín, Colombia.

JUAN JOSÉ ESPINAL PIEDRAHITA
Economista. Profesor en la Universidad Católica Luis Amigo. Medellín, Colombia.

Sumario: I. Introducción. II. Revisión de literatura alternativa y lecciones aprendidas de las reformas tributarias entre 2000-2019. III Análisis comparativo. IV Resultados. V. Conclusiones.

I. INTRODUCCIÓN

La economía colombiana a lo largo de los últimos 20 años ha enfrentado un sinnúmero de cambios importantes relacionados con su estructura tributaria, las cuales han permitido al gobierno nacional ejercer una política fiscal con principios basados en la justicia, equidad y solidaridad que conlleven a reducir su déficit fiscal (Rodríguez, 2011).

Es por ello que las continuas reformas tributarias que se han desarrollado en el país han fomentado una excesiva y compleja relación tributaria que afecta la aplicabilidad y eficiencia en relación con la capacidad de recaudación y las transferencias del gobierno (Espitia et, al. 2017). En este sentido, la complejidad normativa del sistema tributario muchas veces se ha fundamentado en algunas leyes obsoletas, inapropiadas, imprecisas, contradictorias e inestables, que conllevan indirectamente a la desconfianza de los contribuyentes dada la baja distribución que generan muchas veces los recaudos (Cárdenas, 2010).

Este estudio busca dar a conocer el impacto que tienen las diferentes reformas tributarias en Colombia, a partir de las alternativas y lecciones aprendidas que nos han dejado estas múltiples políticas fiscales. Tal como afirma (Cárdenas, 2010), es fundamental contar con reformas integrales, donde se adopten tarifas justas y unificadas, la eliminación de una gran cantidad de exenciones, beneficios y concesiones tributarias. Es así que las reformas tributarias de las últimas décadas han llevado a generar inseguridades en las relaciones entre los agentes (contribuyentes y la sociedad) y el principal (Estado).

Por lo anterior, uno de los mayores retos del gobierno colombiano según los objetivos propuestos en las reformas tributarias analizadas han sido la generación de empleo formal, reducir los índices de pobreza tanto multidimensional como extrema, mejorar la distribución del ingreso que se concentra en los quintiles más altos de la población y minimizar los índices de elusión y evasión como las mayores afectaciones del sistema tributario. Por ello es que Colombia mediante estas políticas fiscales busca reducir el impacto de estas variables mediante la generación eficiente de recaudo de los tributos y la transferencia de estos recursos (Rincón, 2018), aunque esto depende de los ciclos económicos muchas de las reformas no promulgan la progresividad de los impuestos afectando la equidad en la redistribución tributaria (González, 2016; Ardila, Rubio & Rengifo, 2017).

El objetivo de este estudio es analizar el impacto de las reformas tributarias basados en los instrumentos fiscales de la recaudación de impuestos y las transferencias del gobierno. Esto permitirá definir una serie de alternativas y lecciones aprendidas que han generado estas políticas fiscales con el fin de evidenciar sus variaciones. Para ello se realizó una revisión rápida de literatura que permita la construcción del marco de referencia del sistema tributario en Colombia, haciendo énfasis en los conceptos teóricos que permitan el desarrollo de una metodología que logre comparar los instrumentos fiscales entre diferentes países de ingresos similares y el comportamiento de la variación que han generado las reformas tributarias sobre la recaudación y las transferencias del gobierno.

El desarrollo de este trabajo, en su primera sección, se concentra en la revisión de literatura sobre el sistema tributario en Colombia, las consecuencias de la recaudación y las trasferencias del gobierno; en la siguiente sección se desarrolla la metodología para el desarrollo de la comparación de eficiencia de los instrumentos fiscales entre países de ingresos similares y las elasticidades de los instrumentos fiscales debido al impacto que generaron las diversas reformas tributarias, luego se define el análisis propuesto en los resultados, finalmente se plantean las conclusiones encontradas.

II. REVISIÓN DE LITERATURA ALTERNATIVAS Y LECCIONES APRENDIDAS DE LAS REFORMAS TRIBUTARIAS ENTRE 2000-2019

Han transcurrido más de 20 años desde que el decreto 624 de 1989 que permitió adoptar el Estatuto Tributario para regular los impuestos de orden nacional (Cárdenas, 2010). En Colombia han realizado aproximadamente dos reformas tributarias por cada período presidencial, cada una de estas ha traído consigo incrementos en las tarifas y bases tributarias de manera directa e indirecta (Cárdenas, 2010). Es así que la literatura reconoce que los impuestos indirectos son regresivos mientras los directos son progresivos, lo que parece indicar que en general la política tributaria después de la constitución del 1991 viene alejándonos de los objetivos en materia de equidad propuesta por la carta Magna (López, Torres & Molina, 2011).

Es así que los impuestos indirectos tienen muchos y serios reparos porque, al gravar los productos, independientemente de la capacidad del contribuyente, imponen una carga onerosa a los ciudadanos de menores recursos (López, et al. 2011). De ahí, la tendencia de los países desarrollados hacia el establecimiento de impuestos directos, es decir progresivos (Toscano, 2013). La no consecución de políticas tributarias no progresivas tiende a tener un impacto sobre el bienestar social y la equidad en términos de distribución de recursos.

Asimismo, no solo los impuestos indirectos afectan el bienestar social, sino que al observar los período entre reformas no es el más propicio, pues no permite el desarrollo de una reforma cuando se está presentado los motivos para imponer otra, esto impide que las mismas actúen debidamente (Sánchez, 2005), produciendo problemas de coordinación entre ellas, incluso no guardan relación con el ciclo económico y los criterios macroeconómicos de la eficiencia impositiva (Cárdenas, 2010; Rossignolo, 2015). Por ello estas reformas generan inconformidad en los ciudadanos dadas las desigualdades generadas, ya que día a día la tributación recae sobre algunos y no se hace mucho para solucionar el problema de la evasión, más aún cuando las transferencias realizadas por el gobierno no son claras lo que conlleva a la poca credibilidad y transparencia de los gobiernos.

El estudio de García & García (2018) afirman que las variaciones porcentuales de los índices de pobreza difieren del comportamiento de los recursos tributarios, siendo más notorio el de pobreza monetaria extrema por cuanto aumenta en la medida en que sube el recaudo tributario y disminuye cuando este cae (García & García, 2018; Melo, Ramos & Enrique, 2020). Por su parte, el índice de pobreza monetaria presenta reducciones mínimas con grandes incrementos en los recursos tributarios en algunos años y en otros muestra una relación directa.

Es por ello la inconformidad en el país, pues los impuestos afectan el ingreso disponible y reducen la demanda de bienes. En el caso de los consumidores, esto significa un alza en el precio de los bienes que adquieren las personas, por su lado los productores perciben un menor precio con relación a sus precios debido al incremento de los costos de producción. Los impuestos bajo un sentido estrictamente equitativo deben de repartirse entre la población, que de cierta forma mitigue las pérdidas irreparables a la eficacia del aparato productivo (Bejarano, 2008, Buitrago, 2014).

Por tanto, los sistemas tributarios son el producto de coyunturas orientadas por la necesidad de aumentar el recaudo y para cumplir expectativas de orden político, social y económico basados en las transferencias. Dos principios fundamentales que contempla todo sistema tributario son la eficiencia y la equidad, bajo estos pilares los países realizan revisiones integrales de sus sistemas tributarios y plasman sus modificaciones a través de las reformas tributarias, guiados por objetivos centrales (Jaimes, 2017; Betancur & Balbín, 2017).

En la revisión de la literatura se encontraron 10 reformas tributarias implementadas en el país a lo largo de las últimas dos décadas comprendidas entre los años 2000-2019. Según esto para aumentar su recaudo y reducir brechas de carácter social y económico. A continuación, se realiza un cuadro donde se evidencian los cambios a lo que fue expuesto el sistema tributario en el país.

Cuadro 1. Colombia, reformas fiscales entre 2000 y 2019

LEY	AÑO	DESCRIPCIÓN
Ley 633 Reforma Tributaria	2000	Esta reforma se creó en un momento de crisis económica. Trajo el gravamen a los movimientos financieros con una tarifa de 3x1.000. Se gravó el transporte aéreo internacional.
Ley 788 Reforma Tributaria	2002	En esta reforma quedó en firme la sobretasa de 10% de renta para 2003 y de 5% para 2004. Se aplicó una tarifa de 20% sobre la telefonía celular y una ampliación en la base de IVA.
Ley 863 Reforma Tributaria	2003	Para tener más ingresos, el gobierno normatizó la ampliación de la base gravable del impuesto a la renta. Se creó el impuesto al patrimonio y se aumentó de 3x1.000 a 4x1.000.
Ley 1111 Reforma Tributaria	2006	En este articulado se planteó la eliminación a la sobretasa a partir de 2007. Se puso un aumento de 30% a 40% de la reducción de renta por inversión y algunos bienes pasaron a 16% del IVA.
Ley 1370 Reforma Tributaria	2009	En el impuesto al patrimonio la tarifa aumentó a 2,4% para mayores de $3.000 millones y de 4,8% para más de $5.000 millones. Se bajó la reducción de renta por inversiones.
Ley 1430 Reforma Tributaria	2010	Esta reforma tributaria dio paso a la eliminación de la deducción en renta por inversión, así como a la sobretasa de 20% al consumo de energía eléctrica al sector industrial.

Ley 1607 Reforma Tributaria	2012	En este articulado se creó el Impuesto sobre la Renta para la Equidad, el impuesto a las ganancias ocasionales, y algunos servicios fueron gravados con tarifa de 5%.
Ley 1809 Reforma Tributaria	2016	Esta ley impuso el aumento del IVA de 16% a 19%, como está actualmente. Además, se normatizaron las penas de prisión de entre cuatro y nueve años por la elusión
Ley de financiamiento	2018	En esta Ley se propuso una reducción gradual del impuesto de renta a 30% en 2020, y un descuento total del IVA por la adquisición de bienes de capital y descuento de mitad del ICA.
Ley de crecimiento	2019	Tiene como base el texto anterior, pero tras declararse inexequible, esta incluyó devolución del IVA para hogares vulnerables, tres días sin IVA al año y reducción en aportes de pensionados.

Fuente: Elaboración SIAN

A nivel nacional dentro de los últimos 20 años, Colombia ha necesitado diez reformas tributarias para avanzar hacia el equilibrio en la economía pública en el corto y mediano plazo, algunas de ellas dadas en momentos de crisis económica, o incluso, por hacer más viables los planes de desarrollo del gobierno en curso, otras van en función de reformas anteriores o simplemente para aumentar su recaudación y reducir grietas de carácter económico, social y físico en el país (Ver esquema 2).

III. ANÁLISIS COMPARATIVO

Se realiza una metodología cuantitativa de tipo descriptivo y exploratorio que permite en principio, realizar una comparación entre diferentes países de ingreso similares basados en el nivel de recaudación y las transferencias que realizan los gobiernos, esto con el fin de medir la eficiencia de los sistema tributarios de los países seleccionados, luego, se desarrolla un análisis de la sensibilidad del recaudo y las transferencias con relación a las reformas tributarias desarrolladas en Colombia entre 2000 y 2019.

Para el desarrollo de la metodología que fundamental una revisión rápida de literatura (*rapid review*) para evaluar artículos completos sobre los impactos generados de las diferentes reformas tributarias en el país, dicha evaluación estuvo centrada en el proceso para capturar información basada en aspectos que describan las alternativas y lecciones aprendidas de estas políticas fiscales. La búsqueda se hizo en bases de datos internacionales y nacionales, y se complementó con búsqueda manual. La síntesis de la información se hizo en tablas que incluían estudios relevantes sobre el objeto de estudio, y las búsquedas se hicieron entre el año 2000 y 2019.

Los documentos seleccionados en la revisión integran resultados de investigación sobre el tema de estudio, sea en el título, resumen o palabras clave, las bases consultadas fueron: Dialnet, ABI/inform Collection, ProQuest Central y Jstor; en donde se enfatiza la búsqueda de artículos publicados en cuadernos de economía de la Universidad Nacional, lecturas de economía de la Universidad de Antioquia y revista de economía del Rosario, dado que estos proporcionan material sobre el tema de estudio, al igual que la revista tiempo y economía de la Universidad Tadeo Lozano y revista de desarrollo y sociedad de la Universidad de los Andes. También se hizo búsqueda manual en Scholar Google, al igual que en las bases de la Scielo.

Para los términos de búsqueda se utilizaron las palabras clave tanto en español como en inglés: sistemas tributarios, reforma tributaria, obligaciones fiscales, impuestos directos e indirectos, personas naturales y jurídicas, impacto económico social o político, transferencia de impuestos.

Luego de la revisión de literatura se define la población del estudio mediante la selección de países de nivel de ingreso similares a Colombia, para ello se toma la clasificación que realiza el World Bank data por grupos de países y préstamos, y se definen los criterios de selección basados en variables demográficas, financieras y políticas, así se determinará la muestra de países con los que se hace la comparación. Con el conjunto de países seleccionados se evaluará la eficiencia del recaudo y transferencias con el fin de comparar al país con sus pares según nivel de ingreso.

Para el análisis comparativo se desarrolló un método de eficiencia de los instrumentos fiscales (recaudo y transferencias), por medio de un Análisis Envolvente de Datos (DEA), en este se debe definir unos inputs (entradas) y unos outputs (salidas). Las salidas estarán basadas en la información de las transferencias que realiza el gobierno en términos de subsidios para el bienestar social, las entradas estarán basadas en la recaudación que obtienen dadas las contribuciones de impuestos específicos y generales. Este análisis de eficiencia se realizará mediante instrumentos estadísticos y comparativos utilizando el paquete de Solver y Visual Basic, los resultados obtenidos con este método permite definir la eficiencia de los instrumentos fiscales como una combinación ponderada de las entradas y salidas.

En este sentido, la estrategia empleada por el método DEA permite calcular para cada resultado un conjunto de pesos que maximice su eficiencia, siempre y cuando este conjunto de pesos, aplicados a cualquier otro instrumento fiscal del conjunto, no resulte en una eficiencia mayor a 1. Es decir, en la solución de este modelo, la eficiencia de cada instrumento fue maximizada respecto a las eficiencias de todas los demás, teniendo un límite superior de 1, por lo cual, los países que se encuentren sobre la frontera de posibilidades de producción son eficientes, por lo cual reúne la mejor combinación de instrumentos fiscales en comparación con las demás (Ahn,Charnes & Cooper 1988).

Para este método no se requiere de ninguna hipótesis sobre la forma funcional, ni tampoco sobre la distribución de los errores, por lo cual el método es no paramétrico. Simplemente se calcula una medida de eficiencia relativa a una frontera "extrema" (frontera de posibilidades de producción), construida a partir de los instrumentos fiscales, con la única condición de que todas las unidades de decisión queden envueltas por dicha frontera (Aparicio, 2007).

Formalmente, el DEA evaluará un conjunto de n países según su recaudo fiscal (*unidades de decisión*), que tienen un impacto m sobre las transferencias s. Concretamente, cada instrumento fiscal j donde $j =1, 2, ...n$, se puede describirse como $(Xj;Yj)$, donde los inputs son los $Xj= (x1j, x2j,...,xmj)$ y los outputs son los $Yj= (y1j, y2j,..., ysj)$. Asumiremos adicionalmente que tanto los inputs como los outputs son estrictamente positivos.

Dado que nos encontraremos con un conjunto de inputs y outputs, se debe determinar un término agregado para los instrumentos fiscales producidos, esto nos permitirá determinar unos inputs y outputs globales de forma que se puede generalizar la función de la siguiente manera:

$$\frac{\sum_{r=1}^{s} \square yr.\mu r}{\sum_{i=1}^{m} \square xi.vi} \qquad \textit{Ecuación 1}$$

Donde la ecuación 1, muestra las variables µr y vi son los pesos utilizados por DEA, que pueden ser interpretados económicamente como el valor de los output producido y costes de generar los inputs, respectivamente. Finalmente, la filosofía DEA aboga por establecer como única restricción requerida para estos pesos, que sean no negativos. Esta libertad es usada para el cálculo de la medida de eficiencia para cada unidad de medida de forma que sea maximizado el ratio del output global entre el input global. De esta forma, el modelo DEA se estima de la siguiente forma:

$$Max \; Eo = \frac{\sum_{r=1}^{s} \square yr.\mu r}{\sum_{i=1}^{m} \square xi.vi}$$

$$s.a \qquad \frac{\sum_{r=1}^{s} \square yr.\mu r}{\sum_{i=1}^{m} \square xi.vi} \leq 1 \qquad \forall j$$

$$\mu r \geq 0 \qquad \qquad \forall r \qquad \textit{Ecuación 2}$$

$$vi \geq 0 \qquad \qquad \forall i$$

Según las restricciones de la ecuación 2, la ratio del output global frente al input global no debería nunca exceder la unidad para ninguna de las unidades de medidas observadas. Además, el objetivo del anterior programa se centra en la determinación de unos pesos (µr y vi) que maximicen el ratio de las unidades de medida que está siendo evaluada. Obviamente se espera que la eficiencia relativa hallada para cada instrumento fiscal se encuentre entre el intervalo $0 < Eo \leq 1$.

Finalmente, para medir la sensibilidad o elasticidad de los instrumentos fiscales, se utilizará el método de Mínimos Cuadrados Ordinarios (MCO), para medir por medio de una regresión lineal múltiple, la correlación entre los recaudos y las transferencias (variables independientes) respecto al efecto de las reformas tributarias (variable dependiente) realizadas en el país. Es decir, este método permitirá generar un modelo lineal en el que el valor de la variable dependiente o respuesta (Y) se determina a partir de un conjunto de variables independientes llamadas predictores ($X1$ y $X2$). Este modelo de regresión lineal múltiple se empleará con el fin de predecir el efecto de las reformas tributarias (variable dependiente) o para evaluar la influencia que tienen los predictores sobre ella (recaudo y transferencias). La ecuación 3, refleja la construcción de la regresión lineal múltiple es:

$$\Delta RFi = (\beta 0 + \beta 1 LogRecaudoi + \beta 2 LogTranferenciasi) + \varepsilon i \quad Ecuación\ 3$$

Donde es el intercepto en el origen cuando es igual a cero, es el efecto promedio que tiene el incremento en una unidad de las variables predictivas (recaudo y transferencias) sobre la variable manteniendo constante el resto de las variables, lo cual se conoce como coeficiente parcial de regresión, finalmente, es el residuo o error, es decir la diferencia entre el valor observado y el estimado por el modelo. Este último modelo se estimará mediante el programa econométrico STATA 12, adicional a esto se realizan pruebas colinealidad, normalidad de errores, autocorrelación y heteroscedasticidad para validar las propiedades y validez del modelo.

IV. RESULTADOS

Un sistema tributario en el Estado Social de Derecho debe ser garante de la reducción de inequidades y desigualdades a través de normas justas, equitativas, eficientes y progresistas, abortando aquellas inútiles y distorsionadoras, asegurando la asignación de bienes y servicios públicos, la distribución de recursos a las poblaciones más vulnerables, y la estabilización de la economía, alejándose de los intereses y filosofía política de quienes gobiernan. (Musgrave, 1959).

Es así que Colombia ha desarrollado una serie de reformas tributarias durante los últimos 20 años, buscando reducir el impacto de los ciclos económicos y mejorando la recaudación con miras a optimizar las condiciones socioeconómicas de la población mediante las transferencias coherentes que acarrea la sociedad colombiana. Como se observa en la gráfica 1, el país ha tenido algunos auges económicos, especialmente en el año 2007 y 2011, que podría tomarse como efecto de las Reformas Tributarias de los años posteriores, es decir por la Ley 1111 de 2006 y la Ley 1430 de 2010, pero según datos del DANE los efectos de dichas reformas impactaron el crecimiento económico en 0,4% y 1% del PIB respectivamente.

Aunque el efecto de las reformas tributarias no se puede medir en el año de su creación, más aún cuando estas son aprobadas a finales de año, se evidencia que los efectos de las reformas tributarias en los últimos 20 años no han sido significativos con relación al crecimiento económico del país, pues al observar los años siguientes a las reformas, los impactos no son claros. Si se observa el año 2006 y 2007 se obtienen altos crecimientos económicos pero el impacto de la Ley 1111 de 2006 no es muy amplio (0,4% del PIB) pero se puede decir que los efectos son claros para 2007, aunque para el año 2008 y 2009 la economía cae a su punto más bajo del período de estudio, por tanto se necesitó en 2009 y 2010 de otras reformas tributarias para mejorar la recaudación y transferencias evidenciando que estas reformas tributarias no son espacios fiscales amplios para mejor la economía del país.

Gráfico 1. Colombia, ciclo político y efectos de las reformas tributarias con relación al PIB entre 2000-2019

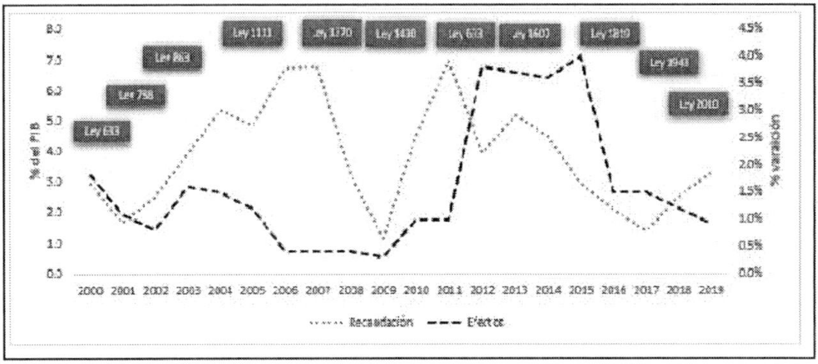

Fuente: Elaboración SIAN a partir de datos del World Bank

Respecto a las recaudación y las transferencias del gobierno, las reformas tributarias evidencias que se han generados altos niveles de recaudación (González, 2016), pero estos han crecido en menor proporción que las transferencias, esto se evidencia en los años 2005 a 2006, 013 a 2014 y 2016 a 2017 (ver gráfico 2). Aunque en los demás años se observa un incremento en la recaudación, Para el año 2019 a 2020 bajo el contexto del Covid 19 se alcance una disminución de la recaudación teniendo poco espacio para cubrir las necesidades de la población vulnerable mediante las transferencias del gobierno. De igual forma, se espera que con la Ley de financiamiento (Ley 1943 de 2018) y la Ley de crecimiento (Ley 2010 de 2019) se aporte al cierre de la brecha entre recaudación y transferencias del gobierno (MFMP, 2019).

Gráfico 2. Colombia, relación recaudación y transferencias del gobierno entre 2000-2018

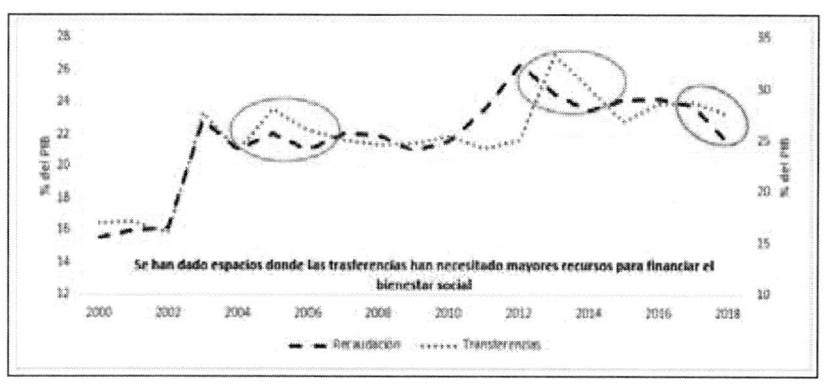

Fuente: Elaboración SIAN a partir de datos del World Bank

Cuando se observa un contexto más amplio y se comparan a Colombia con 12 países del mismo nivel de ingresos (World Bank, 2019)[1] a partir del método DEA, donde las entradas son la recaudación de los gobiernos de cada país (inputs), definido como el in-

---

[1]   Solo se toma la información hasta el año 2018, dado que hasta este año se tienen actualizadas las bases de datos en el Banco Mundial respecto a las variables de análisis.

greso proveniente de impuestos, contribuciones sociales y otros ingresos (World Bank, 2019) y tomando como salidas (outputs), las transferencias de los gobiernos soportados en aquellos gastos del gobierno, tales como los pagos de dinero por actividades operativas del gobierno para la provisión de bienes y servicios, incluyendo la remuneración de empleados (como sueldos y salarios), interés y subsidios, donaciones, y beneficios sociales (World Bank, 2019), se puede evidenciar que el país es ineficiente en términos de recaudación y la manera como realiza las transferencias (ver gráfico 3).

Gráfico 3. Análisis Envolvente de Datos para 13 países de ingreso medio alto: omparación de eficiencia de instrumentos fiscales para el período entre 2016-2018

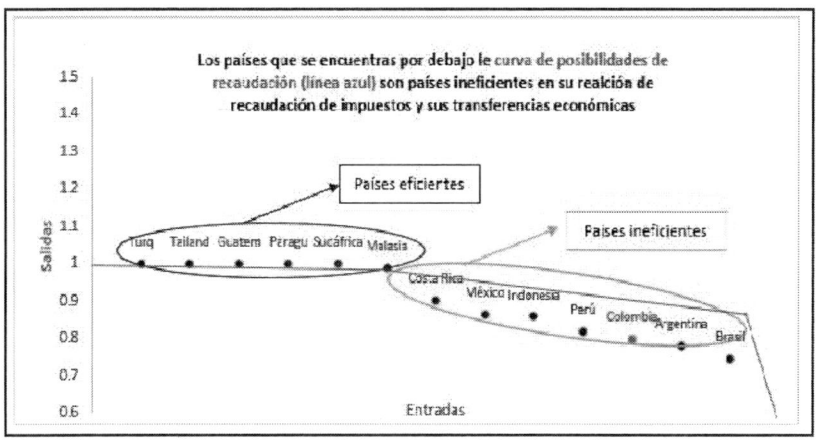

Fuente: Elaboración SIAN a partir de datos del World Bank

En este caso, los países eficientes se encuentran sobre la frontera de posibilidades de producción (línea azul) y los países que se encuentran por debajo de esta describen una relación ineficiente entre las entradas (recaudación) y las salidas (transferencias). Para analizar este proceso tomando estas entradas y salidas, la eficiencia de estos instrumentos fiscales demarca su eficiencia si los recursos disponibles permiten alcanzar el máximo resultado, o bien, si hace posible obtener un resultado deseado con el menor uso de los recursos (GES, 2017). En este caso, el país presenta una débil asignación de recursos medidos en las transferencias del gobierno dada la no combinación óptima de bienes y servicios sociales, los cual no permite maximizar los beneficios para sociedad dado el nivel de recaudación, fomentado mayor inequidad en la distribución de dichos ingresos del gobierno nacional.

Finalmente, se presentan los resultados de la regresión lineal múltiple utilizando el método MCO (ver cuadro 1). Se puede observar que existe una relación positiva entre las variables, por tanto, se espera que por un aumento en una unidad del recaudo, se incremente en la misma proporción las transferencias del gobierno. Además, cuando se analiza la información con respecto a los efectos de las reformas tributarias, se evidencia que existe una correlación del 99% entre las reformas tributarias desarrolladas en los últimos 20 años con respecto a la recaudación y las transferencias.

Cuadro 1. Colombia, relación entre las Reformas Tributarias respecto al recaudo y las transferencias del gobierno

Source	SS	df	MS					
				Number of obs =				19
				$F(2, 16)$ =				1135.60
Model	931.229187	2	465.614594	Prob > F			=	0.0000
Residual	6.56028644	16	.410017903	R-squared			=	0.9930
				Adj R-squared			=	0.9921
Total	937.789474	18	52.0994152	Root MSE			=	.64033
Ref_Tributaria	Coef.	Std. Err.	t	P>|t|		[95% Conf. Interval]		
Recaudo	.9227145	.0970173	9.51	0.000		.7170469		1.128382
Transferencias	1.062288	.0642006	16.55	0.000		.9261887		1.198387
_cons	.1467851	1.124776	0.13	0.898		-2.237634		2.531204

Fuente: Elaboración SIAN a partir de datos del World Bank

Es decir, que al realizar una reforma tributaria en el país, se espera que la recaudación se incremente en un 0.9% del PIB manteniendo todas las demás variables constantes, mientras que las transferencias se incrementarían en un 1.1% del PIB manteniendo todo los demás constante, por tanto se espera que cada reforma tributaria tenga un impacto positivo en el crecimiento de las recaudaciones de impuestos específicos y generales, además esto conlleva que las transferencias que subsidian las necesidades sociales del país se incrementen, aunque esto parece no verse de manera clara.

V. CONCLUSIONES

El sistema tributario de un país debe servir de herramienta que brinde bienestar social, tanto a los que contribuyen como a aquellos quienes gozan de los beneficios del Estado, debe ser una herramienta simple que proteja y garantice el buen desarrollo de la economía de un país, esto se construye a través de la confianza que genere el Estado con la emisión de normas oportunas, consecuentes y precisas, que además de incentivar la formalidad generen progreso para la sociedad.

Con la imposición constante de reformas tributarias. se generan inseguridades en el contribuyente y muchas veces se incentiva la evasión y elusión fiscal (Cárdenas, 2010; Castañeda, 2016). Es por ello que el Gobierno nacional debe diseñar un sistema tributario en el marco social y democrático del Estado Social de Derecho, solo así logrará ser valorado y obedecido, pues de otra forma se generan exclusiones del retorno social. Por lo cual, su diseño debe ser justo y equitativo, creando una cultura tributaria que permita a los ingresos recibidos ser utilizados en el bienestar de la comunidad haciendo todo lo posible por reducir costos y al mismo tiempo diseñar estrategias para disminuir la corrupción, racionalizar el gasto público e impulsar el sector productivo (González, 2016).

Una economía global caracterizada por cambios y transformaciones constantes deben marcar la diferencia mediante normas que sean razonables o excesivamente gravosas, que creen incentivos contraproducentes o contribuyan a la igualdad de condiciones, que velen por la transparencia y promuevan una competencia justa o bien produzcan un efecto contrario. Al desarrollar el análisis comparativo con el método DEA, se refleja la ineficiencia en la relación de recaudación de impuestos y las transferencias del gobierno, por ello es necesario desarrollar mecanismos justos y equitativos que incentiven a los contribuyentes a formalizar sus aportes, para ello es fundamental la confianza que generan los retornos óptimos para el bienestar social.

Finalmente, las constantes reformas tributarias desarrolladas en los últimos 20 años, aunque contienen la finalidad básica de procurar que los ingresos recaudados permitan financiar el gasto público basado en las transferencias del gobierno, estas amplias leyes tributarias muchas veces definidas bajo los principios de ética y luego jurídica, parece evidenciar mediante el método de MCO que se pone en duda su función redistributiva o de transformación social, tomando al tributo como el instrumento preferible para garantizar el bienestar social de los colombianos, pues lo recaudado no alcanza a tener un equilibrio con las necesidades de la población medida en sus transferencias.

LAS HACIENDAS LOCALES EN EL ESTADO MEXICANO: IMPULSO NECESARIO PARA REPLANTEAR SUS POTESTADES TRIBUTARIAS FRENTE A UN FEDERALISMO QUE EJERCE CADA VEZ MÁS PULSACIONES DE CARÁCTER CENTRAL

PATRICIA LÓPEZ LÓPEZ

Profesora especialista en Derecho Tributario
Universidad Nacional Autónoma de México

Sumario: I. Introducción y justificación del tema objeto de estudio. II. De la imposición a la propiedad inmobiliaria. III. Conformación de las haciendas públicas en el sistema tributario español. IV. De la imposición a la propiedad inmobiliaria en el caso del Estado mexicano. Distribución competencial de la tributación. V. Recaudación a la propiedad inmobiliaria en los países miembros de la OCDE. VI. Propuesta de inclusión en la legislación del Estado mexicano de las disposiciones de la imposición y administración a la propiedad inmobiliaria en el caso español.

I. INTRODUCCIÓN Y JUSTIFICACIÓN DEL TEMA OBJETO DE ESTUDIO

El escenario nacional hace advertir una gran necesidad de que se replantee la conformación de las haciendas locales en el Estado mexicano, lo que se ha destacado en fechas recientes –una de las grandes debilidades del sistema tributario mexicano– de que esta debilidad justo se focaliza en la baja recaudación que éste tiene en los niveles subnacionales, máxime cuando esto se contrasta con restantes países de la OCDE (del que forma parte), y en los que la imposición a la propiedad inmobiliaria corresponde a dichos niveles en los países pertenecientes. Siendo que en el caso del Estado mexicano –se denomina Impuesto Predial– y se encuentra constitucionalmente establecido dentro de las competencias que corresponden a uno de los niveles subnacionales, como lo es nivel tributario municipal.

Las cifras dejan de manifiesto que si bien el impuesto a la propiedad inmobiliaria en promedio representa para los países un 6%, en el caso de México es muy bajo, alcanzando apenas el 2%.

Ello, entre otros elementos ha puesto de manifiesto la necesidad imperiosa de replantear el mismo a efecto de avanzar, pues como se ha expresado las necesidades de recursos por todos los niveles subnacionales es urgente, en el caso del nivel en el que la Constitución Política de los Estados Unidos Mexicanos lo deja depositado competencialmente hablando, que es el municipio, y al que cada vez más, le es necesaria la obtención de recursos para dar atención en servicios básicos a la población a la que le es obligatorio dar respuesta.

Lo anterior, se hace aún más urgente ante una política imperante que se ejerce desde el centro, en la que al haber contracción en la recaudación federal, el reparto de transferencias intergubernamentales (Federación a niveles subnacionales ha disminuido), lo que ha llevado a pasar de una opacidad en el ejercicio de la potestad tributaria de esos niveles a la búsqueda de más y mayores recursos, y para ello creación de nuevos hechos imponibles y fortalecimiento de los existentes.

Ya de tiempo atrás, se ha intentado impulsar las haciendas en los niveles subnacionales, particularmente el nivel municipal, por citar algún caso en que se ha impulsado, éste lo ha constituido el aumento de recaudación por estos niveles, y que lo constituyó la Décima Reforma Constitucional al artículo 115 Constitucional (fundamento constitucional del Municipio en México), la cual tuvo lugar en el año de 1999 y con la que se pretendió impulsar un aumento en la base de la contribución a través del establecimiento de un artículo transitorio de dicha reforma que tuvo por efecto establecer sin invadir la autonomía de que disponen las legislaturas locales (por tratarse de un Estado Federal -lo que queda determinado en el ordenamiento constitucional-), que sólo establece que las legislaturas de los estados a más tardar en el ejercicio fiscal del 2002, tendrían que hacer adecuaciones de valores unitarios a valores de mercado, con lo que se pretendía que en cumplimiento al mandato constitucional se aumentara la base, ello debido a que habían pasado ya, muchos años en los que no se habían hecho actualizaciones de los valores catastrales, los que quedan a cargo del catastro de la municipalidad que corresponda. Dicha opacidad legislativa había generado en esos años un detrimento de las haciendas en ese nivel municipal, sin embargo por tema de costo político, no se había llevado a cabo.

Hoy, es más que urgente la atención a las necesidades de la población a la que hay que dar respuesta, dicho sea de paso referir son ellos, los destinatarios finales y únicos de los recursos a través de servicios, por lo que resulta de inminente atención que en México se realicen las reformas necesarias que hagan que se ajusten los parámetros que por recaudación representan en otras jurisdicciones a lo recaudado por el impuesto a la propiedad inmobiliaria (cualquiera el nombre con el que se le designe –caso español el Impuesto de Bienes Inmuebles IBI–), siendo justo éste y su experiencia recaudatoria que se tomará como parámetro a dar seguimiento, por lo que constituiría el IBI en el caso español, la que se tomará como parámetro en pro del fortalecimiento de los recursos indispensables para las haciendas locales en el caso de México, en este entendido, ello constituye objeto de la investigación, el impuesto a la propiedad inmobiliaria, lo que se hará en un estudio comparado que incluya: los sujetos, el objeto, la base, la construcción de la tarifa o tasa, y un caso muy importante en esta imposición lo que se refiere a las exenciones y sus límites en el caso de la propiedad de carácter dominical.

II. DE LA IMPOSICIÓN A LA PROPIEDAD INMOBILIARIA

El caso del impuesto predial, es necesario advertirlo desde sus orígenes, fundamento constitucional, evolución y elementos, lo que permitirá conocerlo, en virtud de desentrañarlo y así estar en aptitud de entender ¿cómo es que se constituye el primer ingreso en el rubro tributario a nivel municipal? Para llevar a cabo ello se aplica el método exegético en principio, pasando por el histórico y analítico, lo que permitirá conocer a profundidad dicha contribución, ya que se estudiará desde su estructura, origen y evolución de la norma e inclusive sus reformas a través de los diversos fallos de gran trascendencia que ha pronunciado la Suprema Corte de Justicia de la Nación.

Al constituir el Municipio, la célula de la cual parte nuestro sistema federal, el punto de partida para el análisis de la conformación de la hacienda pública, lo es el nivel municipal, la cual se encuentra prevista en el artículo 115 fracción IV, inciso a) de la Constitución Política de los Estados Unidos Mexicanos, al reconocer ello de la siguiente forma:

> IV. Los municipios administrarán libremente su hacienda, la cual se formará de los rendimientos de los bienes que les pertenezcan, así como de las contribuciones y otros ingresos que las legislaturas establezcan a su favor, y en todo caso;
>
> a) Percibirán las contribuciones, incluyendo tasas adicionales, que establezcan los Estados sobre la propiedad inmobiliaria, de su fraccionamiento, división, consolidación, traslación y mejora así como las que tengan por base el cambio de valor de los inmuebles.
>
> Los municipios podrán celebrar convenios con el Estado para que éste se haga cargo de algunas de las funciones relacionadas con la administración de esas contribuciones[1].

Cabe destacar que existe una salvedad al reconocimiento de lo que constituye el núcleo esencial de la imposición a la propiedad inmobiliaria y que se hace consistir en que el legislador constitucional, reconoce dos principios a saber: el de inmunidad[2] y de unidad de caja, los que resultan ser orientadores de que se haya plasmado en dichos términos, es que, asimismo de su propio texto al trasladarlo a su aplicación, éstos incidan en sentido negativo, en razón de que para gozar de "la exención", los destinatarios tienen que tener presente la forma en la que el legislador local (Municipal o de la Ciudad de México) lo debe de incluir en sus legislaciones.

Adicionalmente, ello ocasiona un colapso cuando se enfrenta a la complejidad de la legislación y los principios en ella recogidos, destacando por solo citar el más importante, el de aplicación estricta de la norma en tratándose de las excepciones al hecho imponible, caso éste de la exención.

---

[1]   Constitución Política de los Estados Unidos Mexicanos, DOF de 5 de febrero de 1917. Última reforma publicada en DOF 28 de mayo de 2021. Esta Constitución reforma la de 5 de febrero de 1857.

[2]   JARACH, D., *El hecho Imponible. Teoría General del Derecho Tributario Sustantivo*, tercera edición. Abeledo Perrot, Buenos Aires, Argentina, 2004, p. 197.

III. CONFORMACIÓN DE LAS HACIENDAS PÚBLICAS EN EL SISTEMA TRIBUTARIO ESPAÑOL

De conformidad con el artículo 60 del Real Decreto Legislativo 2/2004, de 5 de marzo, por el que se aprueba el texto refundido de la Ley Reguladora de las Haciendas Locales, "el impuesto sobre Bienes Inmuebles es un tributo directo de carácter real que grava el valor de los bienes inmuebles en los términos establecidos en esta Ley".

Así, la Ley establece que el Impuesto Sobre Bienes Inmuebles es un impuesto directo que grava los bienes inmuebles en los términos de la Ley Reguladora de las Haciendas Locales que lo establece. De la que en adelante se refiere específicamente a lo que se define como hecho imponible así como los supuestos de no sujeción, en los términos que se aprecia en el artículo 61 del ordenamiento en consulta, el que a continuación se cita:

1. Constituye el hecho imponible del impuesto la titularidad de los siguientes derechos sobre los bienes inmuebles rústicos y urbanos y sobre los inmuebles de características especiales:

a) De un derecho real de superficie.

b) De un derecho real de usufructo.

c) Del derecho de propiedad.

2.-La realización del hecho imponible que corresponda de entre los definidos en el apartado anterior por el orden en él establecido determinará la no sujeción del inmueble urbano o rústico a las restantes modalidades en el mismo previstas. En los inmuebles de características especiales se aplicará esta misma prelación, salvo cuando los derechos de concesión que puedan recaer sobre el inmueble no agoten su extensión superficial, supuesto en el que también se realizará el hecho imponible por el derecho de propiedad sobre la parte del inmueble no afectada por una concesión.

3. A los efectos de este impuesto, tendrán la consideración de bienes inmuebles rústicos, de bienes inmuebles urbanos y de bienes inmuebles de características especiales los definidos como tales en las normas reguladoras del Catastro Inmobiliario.

4. En caso de que un mismo inmueble se encuentre localizado en distintos términos municipales se entenderá, a efectos de este impuesto, que pertenece a cada uno de ellos por la superficie que ocupe en el respectivo término municipal.

5. No están sujetos a este impuesto:

252 Patricia López López

a) Las carreteras, lo caminos, las demás vías terrestres y los bienes del dominio público marítimo– terrestre e hidráulico, siempre que sean de aprovechamiento público y gratuito para los usuarios.

b) Los siguientes bienes inmuebles de propiedad de los municipios en que estén enclavados:

Los de dominio público afectos a uso público.

Los de dominio público afectos a un servicio público gestionado directamente por el ayuntamiento, excepto cucando se trate de inmuebles cedidos a terceros mediante contraprestación.

Los bienes patrimoniales, exceptuados igualmente los cedidos a terceros mediante contraprestación".

Como se ha podido apreciar del texto del artículo antes transcrito, no solo se aprecia el hecho imponible, es decir, el supuesto de hecho previsto por el legislador como generador de contribuciones, sino adicionalmente los casos en que aquél, refiere no están sujetos al mismo. En estos, un elemento común que en el caso del derecho español está previsto para los bienes demaniales[3], lo que se advierte en el caso de México que como ya se ha podido destacar, queda determinado desde el marco competencial establecido en la Constitución y del que se ocupa el artículo 115, fracción IV y que desde la perspectiva de esta disposición se reconoce de forma categórica refiriendo "Solo estarán exentos los bienes de dominio público de la Federación, estados y Municipios" caso que en el tema de las exenciones así determinadas en el caso español, queda establecido como se puede apreciar en el artículo 62, que a continuación se transcribe:

1. Estarán exentos los siguientes inmuebles:

a) Los que sean propiedad del Estado, de las comunidades autónoma o de las entidades locales que estén directamente afectos a la seguridad ciudadana y a los servicios educativos y penitenciarios, así como los del Estado afectos a la defensa nacional.

b) Los bienes comunales y los montes vecinales en mano común.

c) Los de la Iglesia Católica, en los términos previstos en el Acuerdo entre el Estado Español y la Santa Sede sobre Asuntos Económicos, de 3 de enero de 1979, y los de las asociaciones confesionales no católicas

---

[3] Los que en el derecho español (también denominados bienes demaniales o, en conjunto, demanio), son aquellos de titularidad pública, afectados al uso general o al servicio público, y los expresamente declarados por la Constitución.

legalmente reconocidas, en los términos establecidos en los respectivos acuerdos de cooperación suscritos en virtud de lo dispuesto en el artículo 16 de la Constitución.

d) Los de la Cruz Roja Española.

e) Los inmuebles a los que sea de aplicación la exención en virtud de convenios internacionales en vigor y, a condición de reciprocidad, los de los Gobiernos extranjeros destinados a su representación diplomática, consular, o a sus organismos oficiales.

f) La superficie de los montes poblados con especies de crecimiento lento reglamentariamente determinada, cuyo principal aprovechamiento sea la madera o el corcho, siempre que la densidad del arbolado sea la propia o normal de la especie de que se trate.

g) Los terrenos ocupados por las líneas de ferrocarriles y los edificios enclavados en los mismos terrenos, que estén dedicados a estaciones, almacenes o a cualquier otro servicio indispensable para la explotación de dichas líneas. No están exentos, por consiguiente, los establecimientos de hostelería, espectáculos, comerciales y de esparcimiento, las casas destinadas a viviendas de los empleados, las oficinas de la dirección ni las instalaciones fabriles.

2. Asimismo, previa solicitud, estarán exentos:

a) Los bienes inmuebles que se destinen a la enseñanza por centros docentes acogidos, total o parcialmente, al régimen de concierto educativo, en cuanto a la superficie afectada a la enseñanza concertada".

La definición del elemento subjetivo del hecho imponible, queda establecido en el caso del IBI, de conformidad a lo dispuesto por el artículo 63 de la Ley Reguladora de las Hacienda Locales, en el que se establece que son sujetos pasivos a título de contribuyente, las personas naturales, jurídicas así como las entidades a que se refiere el artículo 35.4 de la Ley 58/2003, de 17 de diciembre, Ley General Tributaria, y que cumplan con la condicionante prevista en dicho artículo de ser quienes ostenten la titularidad del derecho que en cada caso sea constitutiva del hecho imponible del impuesto[4].

En lo concerniente a la base imponible, ha de expresarse que la misma está constituida por el valor catastral de los bienes inmuebles, el que se

---

[4]   Art. 63: "1. Son sujetos pasivos, a título de contribuyentes, las personas naturales y jurídicas y las entidades a que se refiere el artículo 35.4 de la Ley 58/2003, de 17 de diciembre, General Tributaria, que ostenten la titularidad del derecho que, en cada caso, sea constitutivo del hecho imponible de este impuesto".

determinará y notificará siendo susceptible de impugnación en términos de lo previsto por las normas reguladoras de Catastro Inmobiliario[5].

En lo concerniente al devengo y periodo impositivo, éste se establece en el artículo 75, el cual establece:

1. El impuesto se devengará el primer día del período impositivo.

2. El período impositivo coincide con el año natural.

3. Los hechos, actos y negocios que deben ser objeto de declaración o comunicación ante el Catastro Inmobiliario tendrán efectividad en el devengo de este impuesto inmediatamente posterior al momento en que produzcan efectos catastrales. La efectividad de las inscripciones catastrales resultantes de los procedimientos de valoración colectiva y de determinación del valor catastral de los bienes inmuebles de características especiales coincidirá con la prevista en las normas reguladoras del Catastro Inmobiliario.

Uno de los elementos fundamentales de la investigación lo constituye la gestión tributaria del impuesto y lo que tiene que ver con la liquidación y recaudación, de las que es necesario precisar que se encuentran previstas en el artículo 77, que éstas y la revisión de los actos dictados en vía de gestión tributaria del IBI son competencia exclusiva de los ayuntamientos y comprenderán las funciones de reconocimiento y denegación de exenciones y bonificaciones, realización de las liquidaciones conducentes a la determinación de las deudas tributarias, en la emisión de los documentos de cobro y resolución de los expedientes de devolución de ingresos indebidos, resolución de los expedientes de devolución de ingresos indebidos, la resolución de recursos que se hagan valer en contra de los actos y actuaciones para la asistencia e información a contribuyentes que se refieran a las materias que comprende el apartado del IBI. En este sentido baste referir el criterio sostenido en la jurisprudencia[6].

---

[5] "Art. 65. Base Imponible.
La base imponible de este impuesto estará constituida por el valor catastral de los bienes inmuebles, que se determinará, notificará y será susceptible de impugnación conforme a lo dispuesto en las normas reguladoras del Catastro Inmobiliario".

[6] Véase STSJ 1330/2018-ECLI: ES: TSJICAN: 2018:1330. ID CENDOJ: 35016330012018100236.

IV. DE LA IMPOSICIÓN A LA PROPIEDAD INMOBILIARIA EN EL CASO DEL ESTADO MEXICANO. DISTRIBUCIÓN COMPETENCIAL DE LA TRIBUTACIÓN

En el gran tema de la distribución competencial para imponer contribuciones, que así le ha llamado la Suprema Corte de Justicia de la Nación (SCJN), el que es propio del sistema reconocido desde la conformación del Estado mexicano, ello en razón de ser una república, representativa, democrática, laica y federal que, definida así, está compuesta de estados libres y soberanos en todo lo concerniente a su régimen interior, y por la Ciudad de México, unidos en una federación establecida según los principios de esta ley fundamental.

En tal sentido, es la Constitución en la que se establece la distribución competencial para cada nivel de gobierno, siendo el nivel subnacional –el municipal–, al que le corresponde gravar la propiedad inmobiliaria, como así queda establecido en el art. 115 fracción IV, inciso a) de la Constitución Política de los Estados Unidos Mexicanos (CPEUM), que es del siguiente texto:

IV. Los municipios administrarán libremente su hacienda, la cual se formará de los rendimientos de los bienes que les pertenezcan, así como de las contribuciones y otros ingresos que las legislaturas establezcan a su favor, y en todo caso:

a) Percibirán las contribuciones, incluyendo tasas adicionales, que establezcan los Estados sobre la propiedad inmobiliaria, de su fraccionamiento, división, consolidación, traslación y mejora así como las que tengan por base el cambio de valor de los inmuebles.

Los municipios podrán celebrar convenios con el estado para que éste se haga cargo de algunas de las funciones relacionadas con la administración de esas contribuciones[7].

---

[7]   Constitución Política de los Estados Unidos Mexicanos, DOF de 5 de febrero de 1917. Última reforma publicada en DOF 28 de mayo de 2021. Esta Constitución reforma la de 5 de febrero de 1857.

Quizá para otros niveles subnacionales como el estatal, no sea tan claro el tema de la distribución competencial, pues es de advertir que este nivel en respeto a las facultades exclusivas de la federación coronadas por el principio de la competencia residual –propio de los sistemas federales– y por las prohibiciones absolutas y relativas, así como el respeto a la no intromisión en la conformación de la hacienda municipal, el estatal es el menos preciso. Contrario a lo anterior, el nivel municipal es muy claro como lo pudimos apreciar en la competencia tributaria, siendo la que nos ocupa, la de la propiedad inmobiliaria es muy precisa, ya que permite hacer recaer los hechos imponibles de ese nivel de gobierno en el gravamen a la propiedad inmobiliaria, que aunque permite advertir será muy amplio el espectro competencial en todo lo que orbite a la propiedad inmobiliaria y que en el contexto de lo que nos ocupa en las presentes líneas, solo lo constituye la imposición a la propiedad inmobiliaria, llamada en el Estado Mexicano como "Impuesto predial", dejando sentado que el mismo queda determinado competencialmente al nivel municipal.

V. RECAUDACIÓN A LA PROPIEDAD INMOBILIARIA DE LOS PAÍSES MIEMBROS DE LA OCDE

En el caso de la recaudación que por imposición a la propiedad inmobiliaria tienen los países miembros de la OCDE, es de conformidad a la información dada a conocer por regiones de los países que forman parte de dicha organización.

En este sentido, el caso de México se encuentra en el Grupo de América Latina y el Caribe y la información que se obtiene, es la que proviene de la consulta al Informe, Estadísticas Tributarias en América Latina y el Caribe, que forma parte de la Facilidad Regional de la Unión Europea para el Desarrollo en Transición para ALC, iniciativa liderada por la Unión Europea e implementada conjuntamente con la OCDE y su Centro de Desarrollo y la CEPAL.

A ese respecto, la información tributaria de los países miembros se estima en proporción al Producto Interno Bruto (PIB), el que considera los ingresos tributarios incluidas las cuotas de seguridad social, así dicho informe precisa "en el promedio de América Latina y el Caribe se incluye el promedio no ponderado de los 26 países de la región incluidos en esta publicación excepto Venezuela por problemas de disponibilidad de datos"[8].

De igual manera se da cuenta de que "en 2019, en promedio la recaudación tributaria en América Latina y el Caribe se situó en 22.9 % del PIB. En la región se registraron variaciones considerables; desde el 13.1 % del PIB en Guatemala al 42.0 % de Cuba. A excepción de Cuba, todos los países de América Latina y el Caribe presentaron una recaudación tributaria inferior al promedio de la OCDE que se situó en 33.8 %. El incremento en el promedio de la proporción de recaudación tributaria y el PIB en América Central y México entre 2018 y 2019 fue más modesto, de 0.2 puntos porcentuales"[9].

Debe destacarse que en el apartado de estructura tributaria de la región ALC y la OCDE, se consideran a los inmuebles que recaen sobre bienes inmuebles y nóminas y se encuentran ubicados en el apartado que se reconoce como "otros", los que se advierten como una fuente de menor importancia en el promedio de los ingresos en la región de ALC, sin dejar de hacer referencia a la llamada "poca disponibilidad" de información en el tema de la imposición sobre la propiedad.

Ahora bien, es de destacar que para México y en trabajos que se han presentado recientemente por y con motivo de una gran convocatoria al Grupo de la Transición Hacendaria que tuvo lugar en la Cámara de Diputados a la que concurrieron las diferentes fuerzas políticas representadas en dicha Cámara, en la que al finalizar la Legislatura pasada a finales de agosto de 2021, se puso en conocimiento que en Políticas de Recaudación se tiene la siguiente información, que por su importancia se cita:

> Sin embargo, a pesar de dichas virtudes, la recaudación de predial en México es 0.3% del PIB en 2018, mientras que en países como Reino Unido, Canadá y Estados Unidos recaudan el 4.1, 3.9%y 2.9 de su PIB, respectivamente. Países con ingresos similares a México, como Argentina,

---

[8] OCDE. (2021). Estadísticas tributarias en América Latina y el Caribe, OECD, Publishing, Paris, https://doi.org/10.1787/96ce5287-en-es, p. 65. Consultado el 18 de febrero.
[9] *Op. cit.*, p. 66.

Brasil y Chile recaudan 2.8%, 2.0% y 1.0% respectivamente. De esta manera se observa que para alcanzar a Estados Unidos se tendría que multiplicar 9.7 veces o para empatar a países como Brasil serían necesarias 6.7 veces. Lo anterior nos muestra el gran potencial de recaudación de hasta 4.0 % del PIB en el largo plazo y de entre 1.0% y 2.0% en el mediano plazo.

La diversidad que existe entre los estados y también entre los municipios, como la ubicación geográfica, la población, el tipo y nivel de actividad económica o el grado de urbanización, impactan directamente en la recaudación. A nivel subnacional, en el año 2019 la CDMX (0.61%), Quintana Roo (0.58%), Querétaro (0.55%), Baja California Sur (0.44% y Colima (0.43%), fueron los estados con mayor recaudación del predial respecto a sus PIB estatales. Por otro lado, Campeche (0.04%), Tabasco (0.07%), Veracruz (0.13%), Oaxaca (0.13%) y Tlaxcala (0.13%) tienen la recaudación más baja (Finanzas Estatales, INEGI).

La Ciudad de México es la entidad con mayor PIB del país, pero sus alcaldías no son responsables de recaudar el impuesto predial, sino que es el gobierno estatal quien lo hace. Lo anterior provoca que su porcentaje de recaudación respecto de su PIB estatal sea por mucho, mayor al de los otros estados con 0.61%[10].

A este respecto en dicho trabajo reportado por este grupo de la Transición Hacendaria hace unas señalizaciones de a qué atiende la baja recaudación en la imposición a la propiedad inmobiliaria específicamente en el denominado Impuesto Predial, que por su importancia se destaca a continuación:

Las causas de una baja recaudación del impuesto predial se pueden abordar desde tres enfoques (Gutérrez & Moreno Jaimes, 2015)

*Administrativo: Una administración con poca experiencia o con sistemas de contabilidad, información y control inadecuados inciden en la baja recaudación. Además, la ausencia de rendición de cuentas y corresponsabilidad recaudatoria ocasiona que los gobiernos tengan pocos incentivos para asignar el gasto de manera óptima.

*Económico: Los ingresos por impuesto predial dependen de variables económicas como el PIB per cápita, el cual muestra el nivel de desarrollo de la región y por lo tanto indica la capacidad de pagar y recaudar

[10] INFORME DEL GRUPO DE TRABAJO PARA LA TRANSICIÓN HACENDARIA. Nuevas Políticas Públicas Contra la Desigualdad. Agosto 2021. LXIV Legislatura de paridad de género. Coordinador Dip. Alfonso Ramírez Cuellar. pp. 201-202.

impuestos. Sin embargo, existen unidades territoriales con características económicas similares que generan niveles de recaudación distintos.

*Político: Los impuestos no son populares por naturaleza, por lo que requieren la construcción de consensos entre gobierno y sociedad para ser cobrados. Adicionalmente, los agentes económicos tienen el incentivo a minimizar, eludir o evadir el pago de impuestos y los gobiernos tienen el incentivo de gastar sin la responsabilidad de recaudar.

Además de los tres enfoques, es importante señalar que en México el bajo nivel de recaudación municipal está relacionado con las transferencias federales[11].

En este sentido, y como se ha destacado en este estudio, se señalan de forma muy puntual las que se denominan como causas de una baja recaudación en el impuesto predial que nos ocupa en este trabajo y que atienden como se ha podido apreciar a: factores de tipo administrativo, económico y político. En este sentido, es importante considerar que en el caso del de tipo administrativo atiende a la poca experiencia de las administraciones en los niveles municipales y que a la conclusión de los gobiernos de elección popular y a su transición lo avanzado se abandona (problema sistémico, por faltad de continuidad), lo que conlleva a qué tampoco exista *aconuntability* (transparencia y rendición de cuentas), en el tema económico destaca la falta de homologación en los niveles de recaudación por regiones lo que hace patente una gran desigualdad por determinadas zonas del territorio nacional y por último en lo político el desincentivo para desatender el tema es originado por un problema propio del sistema federal implantado en el caso del Estado Mexicano, a saber: las transferencias intergubernamentales de la federación a los niveles subnacionales, lo que genera una opacidad tanto en la potestad tributaria como en la competencia tributaria y justo ésta última, es la que impacta en las cifras de lo que se obtiene proveniente de la recaudación por imposición a propiedad inmobiliaria en México.

1.2 Problemática.

Actualmente la actividad catastral no refleja suficientes beneficios fiscales para la mayoría de los municipios, tampoco favorece la administración de la propiedad, la planeación y el ordenamiento urbano.

---

[11]   *Op. cit.*, pp. 202 y 203.

De acuerdo a datos de la Organización para la Cooperación y Desarrollo Económico (OCDE), México ocupa la última posición en materia de recaudación fiscal como porcentaje del Producto Interno Bruto (PIB) entre los miembros de la Organización [...]

La Modernización Registral y Catastral no es sólo la digitalización del acervo y creación no es sólo la digitalización del acervo y creación de folios electrónicos o la elaboración y/o actualización de cartografía catastral, sino que también se deben generar procesos para ubicar la problemática en la parte administrativa de cartografía catastral, sino que también se deben generar procesos para ubicar la problemática en la parte administrativa, técnica y jurídica para proyectar una solución integral y permanente que aporte en la integración de un sistema de información especializada que apoye las diversas actividades relacionadas con el desarrollo urbano y aquellas de índole netamente fiscal[12].

VI. PROPUESTA DE INCLUSIÓN EN LA LEGISLACIÓN DEL ESTADO MEXICANO DE LAS DISPOSICIONES DE LA IMPOSICIÓN Y ADMINISTRACIÓN DEL GRAVAMEN A LA PROPIEDAD INMOBILIARIA EN EL CASO ESPAÑOL

De la exposición de motivos de la Ley Haciendas Locales (LHL), se advierte que parte de la intención del legislador, radicaba[13] en perfeccionar el aprovechamiento de la materia imponible y con ello facilitar la gestión del sistema así creado.

---

[12]   LINEAMIENTOS del Programa de Modernización de los Registros Públicos de la Propiedad y Catastros 2021.Dof 05/03/2021. Disponible en: https://www.dof. gob.mx/nota_detalle.php?codigo=561290&fecha=05/03/2021. Consultado el 18 de febrero de 2021.

[13]   Elementos que quedaron expresados en la Exposición de Motivos de la LHL uno de los criterios lo fue la "oportunidad de modernizar y racionalizar el aprovechamiento de la materia imponible reservada a la acción tributaria local. El autor de la exposición de motivos se entusiasma aún más cuando alude al campo de los recursos tributarios, diciendo que la reforma ha introducido cambios verdaderamente sustanciales tendentes a racionalizar el sistema tributario local, a modernizar las estructuras de los tributos locales y a perfeccionar el aprovechamiento de la materia imponible reservada a la tributación local, procurando a la vez facilitar la gestión del sistema diseñado." *LEX MENTOR* Fiscal 2003. p. 1225.

Uno de los temas a considerar incorporar en la legislación mexicana en los niveles subnacionales a que en los niveles municipales es lo previsto por la LHL en el art. 64 a efecto de que sea una constante para los hechos imponibles en todas las legislaciones a ese nivel y que se refiere al reconocimiento que en el ámbito subjetivo se tiene en el hecho imponible a saber y que se refiere a una ampliación a efecto de considerar en ese ámbito no solo a las personas naturales (aquí físicas) sino a las jurídicas, lo que amplía el hecho imponible y lo fortalecería.

De igual forma se debe considerar como en el sistema español, el que los sujetos pasivos se consideran las herencias yacentes, comunidades de bienes y demás entidades que, carentes de personalidad jurídica, constituyen una unidad económica o patrimonio separado susceptibles de la imposición[14].

Y uno de los elementos fundamentales que arroja nuestra investigación, lo constituye la administración de la imposición a la propiedad inmobiliaria en la experiencia española, en este caso baste citar el Real Decreto 1390/1990 de 02 de noviembre sobre colaboración de las administraciones públicas en materia de gestión catastral y tributaria, elemento toral una vez que se ha analizado las consideraciones de la baja recaudación que México tiene de dicha imposición y que como se destacó se centra sobre problemas estructurales a saber: administrativo, económico y político, de las que se advierte deben ser atendidas en su origen que lo es la materia de la gestión catastral. Es de tener presente y como se ha arribado en este trabajo a que la gran problemática de la baja recaudación de la imposición a la propiedad inmobiliaria se cierne en la buena o mala gestión de la figura del catastro y justo a que la información que el conforma y los datos expresivos de sus variaciones que son competencia municipal, ello a efecto de conformar la calificativa del uso de los inmuebles y características de dichos bienes inmuebles con lo que la gestión del impuesto permitiría obtener mejores resultados en pro de la recaudación que hoy se obtiene, que en la experiencia española se instrumenta a través de la Colaboración administrativa del Real Decreto 1390/1990 de 2 de noviembre sobre colaboración de las administraciones públicas en materia de gestión catastral, de la que vale la pena mencionar experiencias

---

[14]   *Op. cit.*, p. 1305.

caso de la Diputación de Badajoz en la que se parte de lo considerado en la Constitución Española artículos 9, donde se establece que los ciudadanos y los poderes públicos están sujetos a la Constitución y al resto del ordenamiento jurídico y el propio contenido del artículo 31 del ordenamiento supremo que establece que todos contribuirán al sostenimiento de los gastos públicos de acuerdo con su capacidad económica mediante un sistema tributario y que a partir de ello el artículo 3° de la Ley General Tributaria deja establecido que la ordenación de los tributos ha de basarse en la capacidad económica de las personas a satisfacerlos y en los principios de justicia, generalidad, igualdad y progresividad y en la equitativa distribución de la carga tributaria y no confiscatoriedad.

En este sentido es que no pueda pactarse convenio que pudiera trastocar los ordenamientos jurídicos que rigen la relación tributaria en el nivel municipal en España[15] (elementos a que nos hemos referido), pero que en respeto a ello se lleve a cabo una gestión delegada que tenga por efecto optimizar la gestión delegada como se lleva a cabo en el caso español, lo que indudablemente replantearía la gestión tributaria en pro de eliminar los problemas sistémicos: administrativos, económicos y políticos (éstos últimos atemperarlos, pues si se optimiza habrá menos dependencia de las transferencias intergubernamentales).

---

[15] Ordenamiento Jurídico Fiscal municipal. El Sistema Tributario Municipal se contiene en la siguiente normativa: Ley 58/2003, de 17 de diciembre; General Tributaria, Ley 7/1985, de 2 de abril, de bases del Régimen Local, Real Decreto Legislativo 781 /1986, de 18 de abril, por el que se aprueba el Texto refundido de las disposiciones legales vigentes en materia de Régimen Local, Real Decreto Legislativo 2/2004, de 5 de marzo, por el que se aprueba el Texto Refundido de la Ley Reguladora de las Haciendas Locales, Real Decreto Legislativo 1/2004, de 5 de marzo, por el que se aprueba el Texto Refundido de la Ley de Catastro Inmobiliario, Ordenanza fiscal reguladora del IBI, Convenio con el Organismo Autónomo de Recaudación y Gestión Tributaria de la Excelentísima Diputación Provincial de Badajoz delegando la gestión tributaria y recaudatoria del impuesto (IBI).

Parte III.
INNOVACIONES EN DERECHO PROCESAL

ALCANCE DEL RECURSO DE APELACIÓN DE LA ACUSACIÓN EN EL PROCESO PENAL ESPAÑOL

ERNESTO SAGÜILLO TEJERINA

Magistrado
Doctorando por la Universidad de Salamanca (España)

Sumario: I. Planteamiento. II. Motivos de apelación: *1. Insuficiencia o falta de racionalidad en la motivación fáctica. 2. Apartamiento manifiesto de las máximas de experiencia. 3. Omisión de todo razonamiento sobre alguna prueba relevante o indebidamente anulada.* III. La consecuencia de la estimación del recurso. IV. Crítica de la solución legal. V. Conclusiones.

I. PLANTEAMIENTO

Desde 2002, el sistema de apelación penal en España se ha configurado —primero jurisprudencialmente y después en la regulación positiva— como un recurso asimétrico dependiendo de cuál sea la pretensión que se busque en la alzada cuando se pretenda la revisión de los hechos: el tratamiento es distinto según el apelante busque un pronunciamiento en beneficio del condenado en la instancia —lo que habitualmente sucederá cuando quien recurra sea el propio condenado— o aspire a agravar la posición del acusado —petición que responderá a un recurso de la acusación—.

El origen de esta diferenciación se encuentra en la doctrina emanada del TC tras la sentencia 167/2002. Con dicha sentencia y las posteriores que profundizaron en la misma línea se produjo una situación de profundo desconcierto. Surgieron numerosas dudas e interrogantes que afectaron tanto a la doctrina como a los tribunales encargados de dictar las sentencias de apelación, que no se ponían de acuerdo sobre las posibilidades que tenían a la hora de abordar los recursos, singularmente los formulados por las acusaciones. Dos fueron las principales opciones que se barajaron:

Una, la posibilidad de celebrar una vista en la alzada en la que se concediese audiencia al acusado y, eventualmente, se repitiesen las pruebas personales. Esta solución chocaba con el vacío legal que no preveía tales posibilidades.

La segunda, considerar que el recurso estaba destinado a decaer en cuanto pretendiera debatir cuestiones fácticas.

Esta segunda solución terminó por imponerse en la inmensa mayoría de las resoluciones judiciales. De esta manera, las consecuencias de la doctrina emanada del TC tuvieron un reflejo claro en la práctica del recurso de apelación de las acusaciones que persiguiesen una distinta valoración de los hechos probados cuyo efecto fuese agravar o empeorar la situación del acusado. Consistía en que se interponía el recurso, que resultaba plenamente admisible al no haberse modificado la ley, se le daba el trámite procedimental previsto y se llegaba a un resultado indefectiblemente desestimatorio del mismo atendiendo a que la doctrina constitucional impedía valorar de nuevo las pruebas practicadas en la instancia sin una vista en segunda instancia en la que se practicase bien la totalidad bien parte de la prueba personal; dado que esta repetición de prueba no estaba prevista en la tramitación de la apelación, no era posible practicarla con el resultado de verse confirmada la sentencia de primer grado.

Lo evidentemente insatisfactorio de dicho planteamiento -pues no tenía sentido que perviviese un recurso cuyo único destino era ser sistemáticamente desestimado- hizo que se buscasen vías alternativas que permitiesen, cuando menos, atemperar esa radical solución. En la jurisprudencia, se abrió paso una tercera solución. Diversos tribunales, incluido en alguna ocasión el TS[1], entendieron que, si la sentencia absolutoria incurría en algún defecto evidente en la motivación de la valoración fáctica que ponía de manifiesto su clara in-

---

[1]   Entre las sentencias del TS, cabe citar la 548/2009, de 1.jun., 178/2011, de 23.feb., 62/2013, de 29.ene, 631/2014, de 29.sep., o 397/2015, de 29.may., 647/2016, de 14.jul., 146/2014, de 14.feb.

suficiencia, la contradicción o la falta de valoración de otros medios, ello suponía un quebrantamiento de forma en una actuación judicial y permitía aplicar el art 790.2.II LECrim: se había producido la infracción de una garantía procesal –la motivación de la sentencia exigida constitucionalmente– con una consecuencia de indefensión -al infringirse el derecho a la tutela judicial efectiva del art 24.1 CE- que no era susceptible de ser subsanada en segunda instancia -atendiendo a la doctrina del TC-. La consecuencia jurídica atribuida a tal infracción suponía que dicho acto procesal, el constituido por la sentencia de instancia, devenía nulo y, por tanto, la causa debía ser devuelta a la instancia para que se evacuase nueva sentencia subsanando el error.

Esta solución contaba con dos inconvenientes no menores. El primero, la exigencia de que la nulidad tenía que ser solicitada por la parte recurrente, pues, conforme al art 240.2.II LOPJ, con ocasión del examen de un recurso, no puede declararse una nulidad de actuaciones no pedida por alguna de las partes. Dicho precepto, vigente desde 2003, constituía un claro condicionamiento a la labor de los tribunales pues, a la postre, ponía en manos de una interpretación imaginativa, voluntarista, de la LECrim, incluso de la mayor o menor aptitud o puesta al día jurisprudencial de los profesionales recurrentes, las posibilidades de éxito del recurso. A partir de aquí, algunos tribunales adoptaron soluciones más o menos ingeniosas –y ciertamente dudosas tanto desde el punto de vista de la interpretación estricta del precepto precitado como por tratarse de una aplicación contra reo– para abrir el abanico de posibilidades de dicho recurso. Así, se modulaba el tenor literal del 240.2.II LOPJ, de manera que, si en el contenido del recurso se detectaba la infracción y se identificaban las consecuencias lesivas que sufría la parte recurrente como consecuencia de la sentencia recurrida, se entendía implícitamente solicitada la nulidad como única solución que permitía reponer a la parte apelante en los derechos lesionados.

El segundo problema era que, en la mayor parte de los casos, la consecuencia posterior a la anulación de la sentencia era que la causa volvía al mismo juez que ya había dictado la sentencia perjudicial para el recurrente por lo que la nueva sentencia que se dictaba, sin perjuicio de corregir el error en el razonamiento, era finalmente del mismo tenor que la anulada con lo que la nulidad inicial quedaba en poco más que una victoria moral.

Ante la consolidación de esta situación de inseguridad jurídica, la doctrina comenzó a clamar por un cambio legal que ofreciese una salida al problema. Varias fueron las soluciones propuestas.

La primera, la más drástica, era la prohibición a las acusaciones del recurso por cuestiones de hecho, limitándose su posible contenido a cuestiones de aplicación de la ley, ya procesal, ya sustantiva.

En el otro extremo, se ha defendido la apelación como un novum iudicium, con posibilidad de reproducir toda la prueba de la instancia en una nueva vista en la alzada.

Una tercera vía, relacionada con la anterior, consistía en mantener la apelación con posibilidad de eventual audiencia del acusado o, más ampliamente, con admisión limitada de prueba en segunda instancia para aquellas que la acusación entendiera erróneamente valoradas por el órgano a quo.

Como cuarta posibilidad, estaba la revisión de la prueba con fundamento en la reproducción de la grabación en soporte en audio y video del contenido del juicio celebrado en la instancia. La doctrina constitucional fue contundente en negar tal posibilidad (SSTC 120/2009, 2/2010).

Otra alternativa más vendría dada por la posibilidad de condena en segunda instancia siempre que se previese un recurso contra esta condena ex novo.

Por último, se postulaba la postura jurisprudencial antes referida sobre la posibilidad de declarar la nulidad por defectos en la motivación con retroacción de la causa al momento de dictar sentencia.

Tras varias propuestas y proyectos de Ley frustrados, la solución dada por la Ley 41/2015 ha sido la implantación de un modelo de apelación distinto según la pretensión de la parte que formule el recurso. La primera consecuencia es la desigualdad y asimetría determinada por el contenido de la sentencia de instancia y la parte que recurre. A diferencia de lo que sucede con el recurso de la defensa, no sujeto a límite, únicamente cabe apelación por motivos tasados en el caso del recurso de la acusación que pretenda alterar los hechos declarados probados por la sentencia de instancia.

En segundo lugar, como efecto de esa regulación, se produce la restricción de la potestad jurisdiccional del órgano de apelación cuando recurra alguna parte acusadora, que se limita a una declaración anulatoria.

II. MOTIVOS DE APELACIÓN

La reforma operada por Ley 41/2015[2] pone fin a los debates sobre la posibilidad y el ámbito de la apelación de sentencias absolutorias y abre la puerta a la revisión de los fallos absolutorios o los condenatorios insuficientes, a los ojos de la acusación, si bien lo hace acotando las posibilidades de éxito respecto al motivo más esgrimido en estos recursos[3], el error en la apreciación de la prueba.

Estos motivos de nulidad, como la insuficiencia de motivación, la ponderación no racional de la prueba, el apartamiento manifiesto de las máximas de experiencia, o la omisión de razonamiento sobre alguna de las pruebas practicadas, no tienen que ver tanto con la valoración de la prueba como con la correcta estructura de la motivación de su valoración. En la interpretación de esos motivos, no puede bastar para acordar la nulidad una simple discrepancia, diferencia de criterio o distinto enfoque; la línea divisoria entre estas situaciones y las que señala la nueva normativa es enormemente difusa y puede dar lugar a una situación de inseguridad, y, paradójicamente, arbitrariedad notable[4]. Los motivos se describen a base de conceptos jurídicos indeterminados, con la dificultad de precisión

---

[2]   La nueva redacción dada al artículo 790.2.III LECrim dice: "Cuando la acusación alegue error en la valoración de la prueba para pedir la anulación de la sentencia absolutoria o el agravamiento de la condenatoria, será preciso que se justifique la insuficiencia o la falta de racionalidad en la motivación fáctica, el apartamiento manifiesto de las máximas de experiencia o la omisión de todo razonamiento sobre alguna o algunas de las pruebas practicadas que pudieran tener relevancia o cuya nulidad haya sido improcedentemente declarada".

[3]   URBANO CASTRILLO, E., "La nueva regulación de los recursos de apelación y casación penales", *Revista Aranzadi Doctrina,* nº 8/2016, parte Estudio, Ed. Aranzadi, S.A.U., Cizur Menor, 2016.

[4]   LÓPEZ LÓPEZ, A. M., "El nuevo recurso de apelación competencia de la Sala de lo Civil y Penal del Tribunal Superior de Justicia", *Diario La Ley,* Sección Doctrina, 24 de enero de 2017. Ed. La Ley, 2017.

que lleva aparejado el uso de los mismos[5]. Los motivos que se enu-
meran tienen un carácter que podríamos denominar casacional o
paracasacional: hacen referencia al respeto de derechos fundamentales (indebida anulación de una prueba válida) o a la infracción de
garantías constitucionales (ausencia o defecto grave de motivación)
o de normas básicas de la lógica (en la aplicación de máximas de experiencia), motivo este último que es el único que deja un resquicio
a una discrepancia en la tarea de valorar las inferencias que llevan
de un determinado hecho a su consecuencia.

Hay autores[6] que sostienen que se trataría de la estimación del
motivo de error en la apreciación de la prueba. Tal planteamiento
parte de la propia dicción de la ley, "cuando la acusación alegue
error en la valoración de la prueba" y esta alegación debe hacerse
"para pedir la anulación de la sentencia", y continúa "será preciso que justifique [la concurrencia de alguno de los motivos que se
expresan a continuación]". A partir de aquí se plantea qué debe
probar la parte recurrente: desde luego, un objetivo ineludible del
recurso lo constituye la acreditación de que la sentencia recurrida
ha incurrido en alguno de los defectos relatados en el precepto legal.
Ahora bien, ya que lo que alega es el "error en la valoración de la
prueba", la pregunta que surge inmediatamente es: ¿también debe
probar o justificar que existe error en la valoración de la prueba?
Resultaría que, pese a todo, el error en la valoración de la prueba
sigue siendo el "motivo" del recurso y lo que se modifica no es sólo
la consecuencia de su apreciación (nulidad en lugar de revocación)
sino también cómo se prueba ese error: por medio de alguna de las
concretas justificaciones que describe la ley.

Ciertamente, debe partirse de un error –al menos, como posibilidad– en la apreciación de las pruebas: es decir, si las pruebas han sido correctamente valoradas de manera que los motivos recaen sobre
circunstancias intrascendentes, no tendría sentido anular la sentencia de instancia. El error debe ser relevante en el balance probatorio:
el juez se ha desentendido de aquellas pruebas que eran susceptibles

---

[5]   HURTADO ADRIÁN, A., "Apelación de sentencia (con mayor atención) absolu-
       torias". *Diario La Ley* nº 9638, Sección Tribuna, 22 de mayo de 2020.

[6]   ETXEBARRIA GURIDI, F. J., en AA.VV. (Montero Aroca, J., y otros), *Derecho
       Jurisdiccional III. Proceso Penal.* Ed Tirant lo Blanch, Valencia, 2017, p. 479.

de fundar la condena o ha considerado la duda razonable cuando la misma no existía o el órgano a quo opta por una alternativa no sostenible racionalmente. Por tanto, cabrá exigir al recurrente que ponga de manifiesto cómo la estimación del motivo alegado sería apta para permitir –basta que sea en abstracto puesto que el tribunal ad quem carece de facultades para declararlo– modificar el tenor de fondo de la sentencia recurrida y ello sucedería porque el órgano a quo incurrió en error al valorar la prueba.

Ahora bien, si el giro jurisprudencial y la posterior modificación legal se hace para poner de manifiesto la limitación de las facultades del tribunal ad quem al carecer de inmediación en la valoración de las pruebas, no deja de ser contradictorio que se obligue a dicho órgano a validar un error en la valoración del ad quem como requisito para que pueda prosperar el recurso. Sería tanto como obligarle a efectuar una apreciación de las pruebas cuando la ley le dice que no puede alterar la valoración efectuada por el órgano a quo.

Entramos así en un laberinto de difícil salida: carece de sentido anular una sentencia si no se desprende la posible trascendencia de la estimación del motivo concreto pero el tribunal ad quem no puede entrar en la apreciación del valor probatorio de los medios aportados a la causa. Ante ello, la solución debe tender a un examen de la procedencia de la causa de error alegada y a un análisis meramente teórico, abstracto, de la aptitud de ese error para provocar un cambio relevante en los hechos declarados probados e incidir en una futura decisión que se dicte solventando esa equivocación.

En cualquier caso, debe acreditarse un fallo en el correcto enlace entre la prueba y sus consecuencias fácticas: o no se han efectuado correctamente las inferencias desde los hechos base acreditados a los hechos obtenidos a partir de aquellos o no se justifica de manera racional o suficiente la valoración de los hechos base. De esta forma, la tarea del órgano de apelación se refiere a ese estudio de la senda de la lógica, de la racionalidad, sin que sea imprescindible obtener consecuencias definitivas de cara a la posible determinación de un error o no en la apreciación de la prueba.

Se trata, por tanto, de limitar las posibilidades del recurso y de excluir de la posibilidad de prosperar a aquellos recursos que simplemente se limiten a mostrar su disconformidad –más o menos razonada– con la apreciación de las pruebas efectuada por el órgano de instancia. Al recurso se le exige algo más: que demuestre que se ha incurrido en la vulneración de alguna de las exigencias plasmadas en los motivos del recurso.

A continuación, se entra en el examen concreto de los motivos recogidos en el texto del artículo 790.2.III de la LECrim.

1. Insuficiencia o falta de racionalidad en la motivación fáctica

La insuficiencia se entiende como una motivación parcial, una justificación que no preste a elementos de prueba relevantes la debida atención. La falta de racionalidad se reconduciría a la lógica en la actividad valorativa.

Ello enlaza con la tradicional discusión en la doctrina y jurisprudencia sobre cuál es el estándar de motivación que precisan las sentencias absolutorias y si es exigible el mismo grado de profundidad de análisis exigido a las sentencias condenatorias. En la absolutoria debe diversificarse el tratamiento de la motivación ausente o la motivación ilógica o absurda de la motivación lógica pero discutible. La ausencia o irracionalidad del discurso probatorio reflejará una sentencia carente de motivación que conllevará su nulidad de pleno derecho y el reenvío de la causa al juez de instancia para que cumpla su deber de motivación factual, dado que existirá una afectación del derecho a la tutela judicial efectiva (art. 24. 1 CE); por el contrario, la argumentación asentada en razones discutibles no legitima al tribunal de apelación a revocar el pronunciamiento absolutorio y emitir otro de contenido condenatorio porque el derecho a la acción que asiste a la parte acusadora no viene integrado por el derecho a obtener una resolución de fondo condenatoria (a modo de presunción de inocencia invertida) sino, en todo caso, a recibir una resolución de fondo motivada y este último derecho se satisface con la emisión de una sentencia fundada en un discurso justificativo lógico[7].

---

[7] SUBIJANA ZUNZUNEGUI, I.J., "El enjuiciamiento penal: quién decide, dónde se decide, cómo se decide y cómo se revisa lo decidido", en *Rev. Aranzadi de Derecho y Proceso Penal,* nº 48/2017.

En relación con la inexistencia de arbitrariedad o error patente, las sentencias absolutorias precisan de una motivación distinta de la que exige un pronunciamiento condenatorio, pues en estas últimas es imprescindible que el razonamiento sobre la prueba conduzca como conclusión a la superación de la presunción de inocencia. Excluido ese extremo, no aparece que haya de ser distinto el nivel de motivación de una y otra. Se trata, al fin y al cabo, de una misma operación: apreciar los medios de prueba y obtener una conclusión sobre la aptitud de los mismos para verificar la realidad de los hechos objeto del enjuiciamiento. En ello consiste la motivación fáctica y esta no puede hacerse depender del resultado final –absolutorio o condenatorio– sino que se trata de una tarea previa: la valoración de los elementos probatorios –todos– introducidos en debida forma en el juicio oral y la deducción, a partir de los mismos, de unas determinadas consecuencias fácticas.

2. Apartamiento manifiesto de las máximas de experiencia

El legislador introduce un concepto nuevo íntimamente relacionado no tanto con la necesidad de la motivación fáctica y la validez más o menos formal de la misma sino que se adentra en exigir unos criterios que deben guiar esa motivación. Esos criterios de los que no puede existir un "apartamiento manifiesto" son las máximas de experiencia. Ello exige clarificar qué sean tales máximas de experiencia.

Hay quien los relaciona con el principio de coherencia que debe guiar la argumentación judicial[8]. Para otros, hay que utilizar únicamente las máximas sobre las que se disponga de amplio consenso en la cultura media del lugar y momento y la inferencia ha de tener en cuenta la naturaleza específica de la máxima que se utiliza[9]. También se sostiene que se trata de premisas de los razonamientos o argumentos

---

8   ATIENZA RODRÍGUEZ, M., "Cómo evaluar las argumentaciones judiciales" en *Dianoia: anuario de Filosofía,* Vol. 56, nº 67, 2011, p. 113-134.

9   TARUFFO, M*., La prueba de los hechos* (trad. Jordi Ferrer Beltrán). Ed. Trotta, Madrid. 2005, p. 424.

que se esgrimen en el juicio de hecho[10]. Serían, pues, definiciones o juicios hipotéticos de contenido general, desligados de los hechos concretos que se juzgan en el proceso, procedentes de la experiencia, independientes de los casos particulares de cuya observación se han inducido y que, por encima de esos casos, pretenden tener validez para otros nuevos. Concebidas como meras reglas de razonamiento, resulta que pueden ser aplicadas a generalidad de casos. Cumplen papel similar al de las normas jurídicas, en muchos casos en relación al juicio fáctico. Y equivaldrían a las reglas de la sana crítica o reglas del criterio humano[11]. En su mayoría, son presunciones de sentido común y generalizaciones extraídas de la experiencia cotidiana[12].

El juego de las máximas de experiencia revela su relevancia cuando es necesario acudir a la prueba de indicios para conseguir la conexión entre los hechos base acreditados y el hecho presunto. Pertenece al juicio de hecho, pero su trascendencia sobre el juicio normativo es evidente. Justifica el control casacional indirecto basado en las exigencias de la lógica. Por ejemplo, se produce cuando se habla del "enlace directo y preciso según las reglas del criterio humano"[13].

Una vez excluido el error en la apreciación de la prueba como motivo del recurso de apelación, pese a la dicción general del artículo 790.2.I LECrim, que es excepcionada en el párrafo III del mismo precepto, la impugnación de las máximas de experiencia es la única vía para la introducción de los hechos en el recurso de apelación.

El problema es que, al no estar positivizada la máxima de experiencia, el control se limita a comprobar si la valoración efectuada por juzgador a quo excedió o no los límites legalmente establecidos y los que derivan de la propia lógica de manera que no impide el control, pero sí lo restringe.

---

[10] ALCALÁ ZAMORA, N., y LEVENE, R., hijo. *Derecho Procesal. Tomo III*, Ed Guillermo Kraft, Buenos Aires, 1945, p. 24, con mención a STEIN.

[11] SILGUERO ESTAGNAN, J., *El control de los hechos por el Tribunal Supremo (Su aplicación en el recurso de casación civil)*, Ed. Dykinson, Madrid, 1997, p. 150, con referencia a CALAMANDREI.

[12] IGARTUA SALAVERRÍA, J., *Valoración de la prueba, motivación y control en el proceso penal*, Ed. Tirant lo Blanch, Valencia, 1994, p. 210.

[13] *Ibid.*, p. 195.

En relación con ello, surge la duda de la posible vuelta, a través de las máximas de experiencia, a un sistema de prueba tasada. En este sentido, se ha dicho que existen normas tasadas jurisprudencialmente que establecen condiciones en orden a considerar una prueba como tal y dotarla de valor probatorio[14]. O que, cuando el TS establece determinadas pautas valorativas, por ejemplo, las condiciones de credibilidad del testimonio de la víctima, está introduciendo elementos de prueba tasada –que no son otra cosa que la plasmación legal de máximas de experiencia– con riesgo de afectación del principio de libre valoración de la prueba[15]. De ahí que se haya afirmado que, en el sistema de valoración libre, las máximas de experiencia deben determinarse por el juzgador desde parámetros objetivos, no legales[16].

3. Omisión de todo razonamiento sobre alguna prueba relevante o indebidamente anulada

Se trata en realidad de un doble motivo. El primero, se refiere a las pruebas relevantes admitidas y practicadas. Lo que se entienda por prueba "relevante" es difícil de fijar a priori con carácter general pues dependerá del caso concreto. Mas debe referirse a que la prueba cuya valoración se ha omitido fuese –atendido su contenido– apta para, por sí misma o en compañía de otras pruebas, fundar un hecho perjudicial para el acusado y que pudiese gozar de trascendencia para tornar el sentido de la sentencia y considerar acreditado el hecho objeto de acusación o agravar la responsabilidad del acusado. En esta primera parte, se enuncia un motivo eminentemente objetivo: por un lado, se ha practicado una prueba, cualquiera que esta sea, susceptible de aportar elementos incriminatorios contra el acusado, y, por otro lado, esa prueba no ha sido valorada en la sentencia (por ejemplo, no se cita en la motivación fáctica la declaración de la víctima

---

[14]   ASENCIO GALLEGO, J. M., "Presunción de inocencia y presunciones iuris tantum en el proceso penal", en *Revista General de Derecho Procesal*, 36, 2015.

[15]   CARMONA RUANO, M., "Recursos contra sentencias. revisión del hecho probado" *en La Ley del Jurado: problemas de aplicación práctica. Estudios de Derecho Judicial*, núm. 45/2003. CGPJ, Madrid, pp. 827-870.

[16]   ETXEBARRÍA GURIDI, F. J., *op. cit.*, p. 391.

del delito cuando esta es la principal prueba de la acusación). O, si ha sido valorada, no ha sido en absoluto motivada su valoración (en el mismo ejemplo, la sentencia recurrida se limita a afirmar que el juez se ha creído o no se ha creído dicha declaración sin añadir ulteriores razonamientos), si bien en este segundo supuesto entraría en colisión con el motivo referido a la insuficiencia de la motivación fáctica.

La segunda parte del motivo hace referencia a que haya sido declarada la nulidad –y, por tanto, excluida del material susceptible de valoración– una diligencia probatoria que debiese haber sido tenida en cuenta por no concurrir el motivo por el que se ha anulado. Encuentra este motivo su base legal en el art 11.1 LOPJ, la prohibición de la prueba ilícita. La declaración de nulidad debe haberse efectuado, como regla general, como consecuencia de una petición formulada al inicio del juicio oral. En aplicación del art 786.2 LECrim, al inicio del juicio oral –en la que ha sido denominada audiencia sanadora o saneadora–, se abre un turno de intervención de las partes en el cual estas pueden alegar una serie de óbices procesales a la celebración del juicio. Uno de ellos se refiere a la posible declaración de nulidad de algún medio de prueba y, en su caso, de todas aquellas demás pruebas que deriven de la anulada. Junto a ello, también puede suceder que el juzgador de instancia declare en la sentencia –a petición de parte o incluso de oficio– la nulidad de algún medio de prueba debidamente introducido en el juicio y es que no resulta posible fundar una condena en una prueba obtenida con vulneración de derechos fundamentales pues ello violaría la garantía básica del derecho a un proceso con todas las garantías del art 24 de la Constitución; de ahí que resulta posible su anulación en cualquier momento del proceso antes de la sentencia firme.

Esta declaración de nulidad podrá ser revisada en apelación. Si el tribunal de apelación llega a una consecuencia distinta del juez a quo y considera que la prueba ha sido indebidamente anulada, debería proceder, en un segundo momento, a evaluar la aptitud abstracta de dicha prueba para alterar el resultado favorable al reo. Sólo si se encuentra esa capacidad, debería ser anulada la sentencia al efecto de que se dicte otra que sí valore la indebidamente anulada –y, en su caso, las obtenidas a partir de la misma–.

III. LA CONSECUENCIA DE LA ESTIMACIÓN DEL RECURSO

3.1. La Ley sólo permite[17] anular la sentencia apelada y devolver lo actuado al órgano de instancia; la sentencia de apelación ha de concretar si la nulidad ha de extenderse al juicio oral y si es precisa una nueva composición del órgano de instancia para el enjuiciamiento de la causa.

La consecuencia general de la nulidad de actuaciones es la supresión del ordenamiento jurídico de aquel acto afectado así como de los derivados del mismo. En el ámbito procesal, se concreta en la reposición de las actuaciones al estado en que se encontraban cuando se produjo la falta. Al aplicar el artículo 240.2.II LOPJ al que se hizo referencia ut supra, resulta que el primer requisito para estimar el recurso de la acusación es que solicite la nulidad de la sentencia de instancia. Si, en lugar de contener esa petición, el recurso pide la revocación de la sentencia absolutoria por otra condenatoria o solicita la agravación de la condena, el mismo estará abocado al fracaso.

La declaración de nulidad de una sentencia ha venido tradicionalmente anudada a la apreciación de errores in procedendo frente a lo que sucedía en el supuesto de errores in iudicando; en estos segundos, el tribunal ad quem dictaba la sentencia procedente con arreglo a derecho; los vicios in iudicando cometidos al redactar sentencia, pese a su carácter procesal, tenían el mismo tratamiento que los errores de fondo.

Tal planteamiento se modifica con esta reforma: la apreciación de alguno de los motivos del recurso conlleva el efecto propio

---

17   Reza el artículo 792.2 LECrim: "La sentencia de apelación no podrá condenar al encausado que resultó absuelto en primera instancia ni agravar la sentencia condenatoria que le hubiera sido impuesta por un error en la apreciación de las pruebas en los términos previstos en el tercer párrafo del artículo 790.2. No obstante, la sentencia, absolutoria o condenatoria, podrá ser anulada y, en tal caso, se devolverán las actuaciones al órgano que dictó la resolución recurrida. La sentencia de apelación concretará si la nulidad ha de extenderse al juicio oral y si el principio de imparcialidad exige una nueva composición del órgano de primera instancia en orden al nuevo enjuiciamiento de la causa".

de los vicios in procedendo. Se equipara al padecimiento de un error in procedendo. Esto es, entre las tres soluciones posibles a la concurrencia de un defecto de motivación[18], el legislador opta por la retroacción de actuaciones, el retorno a la instancia para que se dicte la nueva sentencia y se asegure así una nueva posibilidad de recurso de apelación.

Para los defensores de esta solución, dado que la sentencia dictada por el órgano a quo y anulada tendría carácter absolutorio, el magistrado no se habrá forjado un prejuicio contra el acusado, por lo que su derecho al juez imparcial no queda comprometido. Y no siempre habrá de temer la acusación una falta de neutralidad en favor del acusado pues las circunstancias del caso pueden disipar el temor si, por ejemplo, se trata de la omisión de la valoración de un medio de prueba cuya nulidad fue incorrectamente declarada[19].

Esta solución no ha sido unánimemente alabada. Ya antes de la reforma se había dicho que el reenvío para que el tribunal a quo realice –eventualmente– una nueva valoración fáctica, no es una solución factible puesto que tal órgano judicial ya la ha llevado a cabo[20]. La solución alternativa consistiría en que la causa pase a otro juez o tribunal con celebración de nuevo juicio y repetición de las pruebas ya practicadas. Pero la prueba del segundo juicio no puede tener la misma eficacia pues se encuentra afectada y condicionada por lo que resultó en el primer juicio; la prueba queda degradada por el transcurso del tiempo. Reiterarla en segunda instancia -aquí lo aplicamos a reiterarla en un nuevo juicio- es tanto como realizar una puesta en escena ficticia, una simulación barnizada y condicionada, no auténti-

---

[18]   Las tres posibilidades son: retroacción de actuaciones al momento de dictar sentencia, absolución definitiva del acusado o subsanación del defecto de motivación por el órgano ad quem, procediendo este a dictar la sentencia procedente.

[19]   MARCHENA GÓMEZ. M. y GONZÁLEZ CUELLAR, N., *La reforma de la Ley de Enjuiciamiento Criminal en 2015*, Ediciones Jurídicas Castillo de Luna, Madrid, 2015, p. 538.

[20]   SÁNCHEZ MELGAR, citado por SÁNCHEZ ROMERO, R., *La garantía jurisdiccional de inmediación en segunda instancia*, Ed.. Dykinson, Madrid, 2017, p. 80.

ca, de lo que se aconteció por primera vez en la instancia, donde se respetaron todas las garantías procesales[21].

3.2. La indeterminación de la ley sobre la forma de elección ante la doble posible consecuencia de la declaración de nulidad deja en manos del tribunal ad quem su concreción. Según el texto legal, procederá anular la sentencia recurrida y devolver las actuaciones al órgano a quo, concretándose en la sentencia de apelación si la nulidad se extiende al juicio o no.

Surge la cuestión de si cabe establecer algún criterio fiable sobre cuándo debe adoptarse una u otra solución dado que la ley no facilita ninguno. Se parte de que, con carácter general y en el caso de sentencias absolutorias y déficits de motivación, la respuesta debería ser la nulidad de la sentencia y no del juicio. La aplicación de los principios sobre nulidad de actuaciones debe considerar la interpretación restrictiva de la institución y así se permite conservar aquellos actos procesales no afectados por la nulidad. En consecuencia, tratándose de una insuficiencia o falta de racionalidad de la motivación fáctica de la sentencia o de la omisión de razonamiento sobre alguna de las pruebas practicadas, la solución procesal más exquisita pasaría porque se acuerde el dictado de una nueva sentencia por el mismo órgano del que emanó la resolución anulada. Asimismo, cuando se detecta una valoración de la prueba que se aparta de las reglas de la experiencia y que es manifiestamente irrazonable y arbitraria ello no afecta en absoluto a lo actuado en el juicio por lo que no habría razón para su repetición.

Frente a ello, otros sostienen que la solución general debe ser la contraria. Para autores como López López[22], la regla ha de ser la de celebrar un nuevo juicio oral ante otro tribunal distinto al que celebró la primera vista. También para Etxebarría Guridi debería existir una nueva composición del tribunal a quo para

---

21 SÁNCHEZ ROMERO, R., *op. cit.*, p. 116.
22 En este sentido, LÓPEZ LÓPEZ, A. M., *op. cit.* Esta solución se adopta, por ejemplo, en la STS 793/2013, de 20.oct.: aquel previo examen y contacto con las pruebas condicionaría de manera irreparable una nueva aproximación valorativa al objeto del proceso y así lo exige la doctrina sobre imparcialidad objetiva

garantizar la imparcialidad[23]. Ello lógicamente exigiría la reiteración de toda la prueba. Y se daría salida a uno de los enredos que se plantean en la práctica: cuando el juez o tribunal ha dictado una sentencia absolutoria, resulta muy difícil que, cuando le sea devuelta la causa, condene donde antes absolvió.

No puede dejar de reconocerse la dificultad de justificar la extensión de esta segunda solución como norma común. Primero, porque el mismo juez está en condiciones de dictar de nuevo la sentencia dado que no hay ninguna razón que le inhabilite para ello: se trata de un error cometido por él y él debería ser el primero en repararlo –así sucede en el ámbito laboral en caso de estimación de recurso de suplicación por infracción en las normas que regulan la sentencia[24]–. Segundo, porque cuando la nulidad se ciñe a la sentencia y no afecta al juicio, no estaría justificada su repetición; la nulidad, como acabamos de señalar, debe interpretarse restrictivamente, no debe extenderse a trámites válidos, no afectados por vicio alguno.

3.3. En el supuesto en que la causa sea devuelta al mismo tribunal que dictó la sentencia anulada, una segunda cuestión se refiere a cuál es la vinculación del órgano a quo con la sentencia que ha resuelto el recurso[25]. Esto es, si la declaración de nulidad se queda simplemente en este pronunciamiento -y, lógicamente, en la necesidad de corregir lo mal hecho- o es posible añadir algún determinado contenido vinculante para el juez a quo sobre la forma en que debe solventar el defecto apreciado. No se encuentra una norma que avale esta segunda posibilidad. Queda así indefinida la forma en que el tribunal de instancia queda cercado en su nuevo pronunciamiento por lo dispuesto por el tribunal ad quem. Si la nulidad de la sentencia obliga a una valoración ex novo, ello no tiene por qué equivaler a un cambio en los razonamientos jurídicos de valoración de prueba

23 ETXEBARRÍA GURIDI, F. J., op. cit., p. 480.
24 Ley 36/2011, de 10 de octubre, Reguladora de la Jurisdicción Social, art. 202.2.
25 Si se retrotraen las actuaciones para que sea otro órgano el que celebre el juicio oral, tal pregunta no es relevante. El nuevo tribunal gozará de la libertad de criterio propia de cualquier órgano a quo para celebrar el juicio y dictar sentencia.

y en el fallo de la sentencia[26]. Ello lleva a cuestionar también el principio reconocido constitucionalmente de seguridad jurídica, en tanto el nuevo pronunciamiento emitido por el tribunal de instancia podría volver a ser objeto de recurso otro de apelación y el tribunal ad quem podría volver a adoptar la misma decisión[27].

Esta reflexión conduce a una ulterior pregunta, si pueden existir sucesivas anulaciones de la misma sentencia. Es decir, si la sentencia de instancia puede ser anulada por segunda o sucesivas veces por incurrir en el mismo defecto. La respuesta es afirmativa y existen ejemplos en la práctica[28]. Estas sucesivas anulaciones tienen un posible doble efecto negativo:

> Primero, en cuanto atañen a la libre valoración de la prueba y, por ende, puedan afectar a la propia imparcialidad e independencia del juzgador. Debe negarse que la anulación produzca dicho efecto; otra respuesta cabría dar en el supuesto de una anulación que incluyese pautas sobre cómo debe subsanarse el defecto encontrado.

> Segundo, fruto de lo anterior, las dilaciones que se generen en el procedimiento[29].

Se ha sostenido[30] que hubiera sido deseable que el legislador incorporase algún límite a las posibilidades de anular la sentencia y devolverla al órgano a quo. Al volver a la primera instancia, la nueva sentencia es susceptible otra vez de recurso en los mismos

---

[26]   DELGADO MUÑOZ, L. J., "La segunda instancia penal tras la ley 41/2015 de modificación de la LECrim. El recurso de apelación contra las sentencias dictadas en primera instancia por las audiencias provinciales y la sala de lo penal de la audiencia nacional" en *Revista General de Derecho Procesal*, núm. 46, 2018.

[27]   *Ibid.*

[28]   Así sucede en la STS 170/2015 de 20.mar. En ella, el TS, tras la segunda anulación de una misma sentencia, abre la posibilidad de que, en esos casos extremos, deba celebrar otro tribunal no contaminado ni predeterminado por las circunstancias que lo rodean, lo que exigirá la celebración de un nuevo juicio oral, es decir, opta por la segunda de las posibles opciones legales.

[29]   DELGADO MUÑOZ, L. J., *op. cit.*

[30]   ETXEBARRÍA GURIDI, F. J., *op. cit.*, p. 479.

términos de forma ilimitada, con lo que se concede al acusador una posición de ventaja frente al acusado. Además, se plantea el problema de la debida imparcialidad, no sólo del órgano a quo al devolver el asunto a la primera instancia, sino también del propio órgano ad quem en el caso de que se vuelva a recurrir en apelación la nueva sentencia que sustituye a la anulada. Se discrepa en este último aspecto pues no se aprecia que se pueda afectar la imparcialidad del órgano ad quem cuando el mismo no está procediendo a la valoración de prueba sino de la razonabilidad del discurso valorativo.

IV. CRÍTICA DE LA SOLUCIÓN LEGAL

4.1. La primera crítica se efectúa desde el punto de vista gnoseológico. Si la labor del juez consiste en la valoración de unas pruebas para llegar a una conclusión sobre si han sucedido o no determinados hechos, ello sucede en instancia y en apelación. El juez o el tribunal examinará las pruebas, bien mediante su presencia directa o bien a través de su plasmación documental y grabación en vídeo y se hará una idea más o menos exacta de lo sucedido. Aun involuntariamente podríamos decir, valorará los medios probatorios y llegará a sus conclusiones. Entonces, resultará que, si estima que los hechos han ocurrido de una determinada manera, ello pasará incólume a la sentencia. Sin embargo, si su conclusión es otra, entonces deberá analizar si puede encajar su decisión en alguno de los motivos legales del recurso y ello sabiendo que no podrá plasmar su conclusión sobre la forma de ocurrir los hechos sino sólo efectuar una consideración acerca de lo realizado por el juez de instancia.

Ciertamente, se puede rebatir que la función del juez ad quem en esta clase de recursos no es valorar la prueba, sólo juzgar la racionalidad del juicio del a quo. Por ello, podría fallar sin necesidad de presenciar el juicio, sin conocer cuál ha sido la prueba practicada. En el ámbito teórico, ello es admisible. No obstante, es difícilmente concebible en la práctica. El objetivo de los motivos enunciados por el legislador no puede ser meramente formal. Si prospera alguno de los motivos del recurso, es porque la Sala ad quem considera que, con ello, es posible que se modifique la conclusión de la sentencia de instancia. Otra solución no contribuiría sino a dilatar de manera innecesaria e improductiva el proceso penal.

4.2. Una segunda crítica atiende a la indeterminación de la consecuencia concreta de la nulidad. Una vez que la causa se devuelva a la instancia, no se efectúa indicación sobre cuándo la sentencia deberá ser dictada por el mismo juez que ha emitido la anulada y cuándo por un nuevo juez o tribunal. La solución se deja a la casuística judicial y al criterio del órgano ad quem.

Podemos añadir otros riesgos a partir de cómo se efectúe esta decisión. Por ejemplo, es posible que el acusado llegue a ser juzgado por segunda vez pese a que, en el primer juicio, no existiese irregularidad alguna que justifique este nuevo enjuiciamiento. Esta solución resulta insatisfactoria no sólo desde el punto de vista de las dilaciones. Tampoco es adecuada desde la consideración de la prohibición del bis in idem y del doble sometimiento a juicio por los mismos hechos.

V. CONCLUSIONES

1ª. Tras la doctrina derivada de la STC 167/2002, se plantea la solución que debe darse al recurso de apelación interpuesto por las acusaciones que pretenda la revisión fáctica. En ausencia de reforma legal, dos fueron las principales posibilidades, la celebración de vista en la alzada con audiencia del acusado (y/o repetición de prueba) y la imposibilidad de modificar los hechos probados. Con los años, se fue abriendo paso una tercera posibilidad, la anulación de la sentencia de instancia por incurrir en infracción en la motivación fáctica con retroacción de actuaciones.

2ª. Entre las distintas opciones, el legislador en la Ley 41/2015 ha optado por un sistema asimétrico en cuanto limita las posibilidades de recurso de la acusación por cuestiones fácticas. Por un lado, delimitando los motivos por los que se puede estimar el recurso. Por otro, caracterizándolo como un recurso meramente anulatorio, nunca revocatorio.

3ª. En cuanto a los motivos, la insuficiencia se entiende como una motivación parcial, una justificación que no presta la debida atención a elementos de prueba relevantes. La falta de racionalidad se conduce a la ausencia de lógica en la actividad valorativa. El apartamiento de las máximas de experiencia se relaciona con una utilización evidentemente errónea de aquellas reglas que permiten aplicar las inferencias propias de la valoración de las pruebas, singularmente –pero no sólo– en los casos de prueba indiciaria. La omisión de todo razonamiento exige que se trate de una prueba debidamente practicada, relevante y que haya sido ignorada en la valoración judicial. Sobre la indebidamente anulada, remite a la cuestión de la prueba ilícita.

4ª. Uno de los aspectos más criticables de la reforma es la indefinición de la consecuencia resultante en caso de estimación del recurso y anulación de la sentencia con retroacción de actuaciones. La repetición del juicio debería ser excepcional por cuanto el acusado ha sido ya objeto de un previo enjuiciamiento en el cual se respetaron las garantías exigibles. No obstante, es difícil negar que el juez que haya dictado la sentencia anulada alberga un prejuicio sobre los hechos que motivaron la misma y en relación con los cuales ya efectuó su pronunciamiento tras presenciar el juicio y valorar las pruebas.

REVICTIMIZACIÓN EN LA PRUEBA TESTIMONIAL DE MUJERES EN CASOS DE VIOLENCIA DE GÉNERO: ANÁLISIS DE GARANTÍAS Y NORMAS PROCESALES PENALES EN ECUADOR Y ESPAÑA

CINTHYA CARRAZCO MONTALVO
Doctoranda en Derecho
Universidad de Salamanca (España)

Sumario: I. Introducción. II. Violencia de género y el reconocimiento a las víctimas en la legislación española y ecuatoriana. III. El testimonio de la víctima en procesos penales: una perspectiva comparada de Ecuador y España. IV. Conclusiones.

I. INTRODUCCIÓN

La Constitución de la República del Ecuador (CRE) aprobada en 2008 reconoce el derecho constitucional a la no revictimización en la obtención y valoración de las pruebas a víctimas de infracciones penales[1]. En términos más específicos, cuando se trata de víctimas de violencia basada en género, determina que la ley establecerá procedimientos especiales y expeditos para el juzgamiento y sanción de dichos delitos[2]. En la misma, línea entre garantías constitucionales del debido proceso penal se encuentra prevista la posibilidad de ser

---

[1]   Artículo 78 Constitución de la República del Ecuador, 2008.
[2]   Artículo 81 Constitución de la República del Ecuador, 2008.

llamado a declarar en juicio penal en casos de violencia de género contra el cónyuge, pareja o parientes hasta el cuarto grado de consanguinidad o segundo de afinidad, siendo constitucionalmente admisibles las declaraciones voluntarias de víctimas de un delito en este tipo de hechos, independientemente del grado de parentesco que tengan[3].

Cuerpos legales como el Código Orgánico Integral Penal (COIP) y la Ley Orgánica para prevenir y erradicar la violencia contra las mujeres (LOPEVCM), desarrollan con mayor precisión la garantía de no revictimización con énfasis en las actuaciones procesales de casos de violencia de género relacionadas con la prueba testimonial en la declaración de la víctima. Sin embargo, las reglas de la práctica testimonial en el derecho penal acusatorio ecuatoriano enfrentan problemas en el doble propósito de, por un lado, garantizar el derecho a la defensa que implica contradecir pruebas; y, de otro lado proteger a la víctima sin someterla a nuevos maltratos; esto aun cuando se prevé la figura del testimonio anticipado, el uso de Cámaras de Gesell para evitar contacto de víctimas y presuntos agresores, entre otras posibilidades.

La LOPEVCM define la revictimización como:

> "Nuevas agresiones, intencionadas o no, que sufre la víctima durante las fases de atención y protección, así como durante el proceso judicial o extrajudicial, tales como: retardo injustificado en los procesos, desprotección, negación, falta injustificada de atención efectiva, entre otras respuestas tardías, inadecuadas o inexistentes por parte de las instituciones estatales competentes[4]"

Los tipos de violencia reconocidos como infracción penal en legislación ecuatoriana son: violencia física (contravención y delito)[5], violencia psicológica, violencia sexual. Según la Fiscalía General del Estado desde agosto 2014 en que el COIP entró en vigencia hasta

---

[3]   Artículo 77 numeral 8 Constitución de la República del Ecuador, 2008.
[4]   Artículo 4 numeral 10 LOPEVCM, 2018.
[5]   La contravención de violencia física es aquella en que la víctima no pasa de 3 días de incapacidad para el trabajo y se sustancia a través de procedimiento expedito en los juzgados de violencia. El delito de violencia física es cuando la incapacidad pasa de 3 días y se sustancia con la intervención de Fiscalía General del Estado (FGE).

agosto 2021, han ingresado 350.280 noticias del delito[6] por casos de violencia física, psicológica y sexual contra mujeres y miembros del núcleo familiar, de las cuales 89.616 se judicializaron[7]. Es decir, apenas el 25% llegaron a una etapa judicial. En España durante 2021 ingresaron 40.491 por violencia de género a los juzgados españoles[8].

En España la promulgación de la Ley Orgánica 1/2004 de medidas de protección integral contra la violencia de género, significando un aporte clave para el trabajo de combatir la violencia contra las mujeres. Así mismo, tanto la Ley 4/2015 del estatuto de la víctima del delito como la Ley de Enjuiciamiento Criminal especifican los derechos procesales de las víctimas, con algunas consideraciones aún recientes sobre delitos de violencia de género.

Tanto en Ecuador como en España los prejuicios y estereotipos de género en funcionarios judiciales, abogados patrocinadores, partes procesales o incluso del mismo juzgador suelen hacerse presentes al momento de practicar la prueba testimonial en delitos de violencia de género, sobre todo cuando de aplicar el interrogatorio y contra interrogatorio se trata, así como de valorarlo. Una constatación es que a las mujeres víctimas por su condición de género se suele restar credibilidad del hecho de violencia y la forma no especializada de practicar el testimonio termina en nuevos maltratos institucionales, además es recurrente el silencio de la víctima y abandono de los procesos judiciales.

Frente a este contexto, este trabajo desarrolla un análisis de las normas procesales vigentes para el testimonio de víctimas de violencia en Ecuador y España para establecer si las garantías procesales existentes son suficientes para una práctica no revictimizante de la prueba testimonial en delitos de violencia de género y para la valoración de esta declaración como elemento probatorio sustancial.

---

[6]   Se contabilizan como noticias de delito tanto las denuncias directas de las víctimas en FGE así como las intervenciones de la policía nacional con un parte policial del hecho.

[7]   Fuentes Sistema Integrado de Actuaciones Fiscales y Sistema Automático de Trámite Judicial

[8]   Observatorio contra la violencia doméstica y de género del Consejo General del Poder Judicial.

II. VIOLENCIA DE GÉNERO Y EL RECONOCIMIENTO A LAS VÍCTIMAS EN LA LEGISLACIÓN ESPAÑOLA Y ECUATORIANA

La violencia de género como problema estructural en que se expresan y exacerban relaciones de poder dirigidas principalmente a las mujeres ha ido cobrando especial relevancia en tanto problema de derechos humanos al que los estados y las sociedades tienen que dar respuestas efectivas. Una de las propuestas de algunas agendas de movimientos de mujeres y respuestas estatales a esta problemática grave ha sido incorporar en el derecho penal y procesal penal una serie de previsiones para el tratamiento en la investigación y sanción de la violencia de género contra las mujeres.

En el año 2004 el Congreso Español expide la Ley Orgánica 1/2004, de 28 de diciembre, de Medidas de Protección Integral contra la Violencia de Género, en que se reconoce la violencia de género en una dimensión que atañe a lo público, superando –al menos en términos formales- la concepción de que la violencia contra mujeres es un asunto doméstico de la vida privada. En Ecuador, la Asamblea Nacional aprueba en 2018 la Ley Orgánica para prevenir y erradicar la violencia contra las mujeres en que además de reconocer varias formas y expresiones de violencia de género, se dirige a la protección integral de mujeres en todo su ciclo de vida y en toda su diversidad.

En el caso de la legislación especializada española, el alcance de la violencia de género se comprende como "todo acto de violencia física y psicológica, incluidas las agresiones a la libertad sexual, amenazas, coacciones o privación arbitraria de libertad, como manifestación de discriminación, situación de desigualdad y relaciones de poder de hombres sobre mujeres, que se ejerce sobre éstas por quienes sean o hayan sido sus cónyuges o quienes hayan o estén ligados a ellas por relaciones similares de afectividad, aun sin convivencia, incluyendo la violencia que se ejerza sobre familiares o allegados menores de edad de las mujeres con el objetivo de causarlas perjuicio o daño"[9].

---

[9]   Artículo 1, Ley Orgánica 1/2004, de Medidas de Protección Integral contra la Violencia de Género, España

En la legislación ecuatoriana se define a la violencia de género contra las mujeres como "cualquier acción o conducta basada en su género que cause o no muerte, daño y/o sufrimiento físico, sexual, psicológico, económico o patrimonial, gineco-obstétrico a las mujeres, tanto en el ámbito público como privado"[10].

El alcance y conceptualización que las dos leyes le dan a la violencia de género es similar en el sentido de la protección a las víctimas mujeres de las distintas formas de violencia física psicológica, sexual. Sin embargo, se diferencian en varios aspectos: la ley española determina como una condición para la configuración de esta violencia las relaciones de afectividad de quienes la ejercen con las mujeres víctimas, en que incluye como sujetos pasivos de la violencia a familiares, niñas, niños y adolescentes con la finalidad de causar daño a las mujeres[11]; la ley ecuatoriana es más amplia en el sentido de que cualquier persona puede ejercer violencia basada en género contra las mujeres, independientemente de la relación con las víctimas, extendiendo incluso la protección a las acciones de violencia gineco obstétrica que generalmente se produce por el personal de salud en la atención a las mujeres.

Las dos leyes determinan una serie de garantías para las víctimas de violencia de género en diversos ámbitos como salud, vivienda, seguridad, laboral, judicial. El interés de este apartado es analizar el reconocimiento jurídico a las víctimas de violencia de género en el ámbito procesal penal, para lo que se revisaran las previsiones en este ámbito tanto de las leyes especializadas de violencia como de las leyes de la investigación y enjuiciamiento penal de delitos, respectivamente.

Las víctimas de violencia de género tienen derecho a recibir atención prioritaria y especializada en todos los ámbitos, incluyendo el judicial. En este sentido, una importante previsión para la garantía de este derecho es el establecimiento de sistemas judiciales especializados

---

[10] Artículo 4, Ley Orgánica para prevenir y erradicar la violencia contra mujeres, Ecuador 2018.

[11] Violencia vicaria, aquella violencia que se ejerce sobre los hijos para herir a la mujer. Es una violencia secundaria a la víctima principal, que es la mujer. Es a la mujer a la que se quiere dañar y el daño se hace a través de terceros, por interpósita persona. (Sonia Vaccaro, *La justicia como instrumento de violencia vicaria*, en Nuevas formas de violencia de género, Consejo de Cultura de Galicia, p.9)

con juzgados, fiscalías, defensorías específicas, dirigidas atender, investigar y sancionar casos de violencia de género. Además, las normas penales tanto en España como en Ecuador se han orientado a través de reformas a tipificar delitos de violencia de género o determinar circunstancias agravantes por esta violencia en tipos penales ya reconocidos, prevén excepciones y particularidades a figuras como la suspensión de la pena, sustitución de penas, prohibición de conciliación, medidas especiales de protección a víctimas de violencia con procedimientos específicos, prohibición de revictimizar, entre otros cambios[12].

Todos estos cambios muestran por un lado el tratamiento relativamente diferenciado de la violencia de género en el derecho penal, como categoría de estudio y análisis especialísima en razón de las particularidades que atañen a este tipo de violencia; por otro lado, en la línea de lo que sostiene Villa Sieiro, muestra una tendencia del derecho penal sustantivo de agravación, sea ampliando el catálogo de conductas tipificadas, o aumentando las penas, creando nuevas y con medidas orientadas a la disuasión y prevención de agresiones y la adaptación de su ejecución a estas necesidades[13].

Particularmente, sobre la víctima de violencia de género y su posición en el proceso penal, es de resaltar el reconocimiento del derecho a la no revictimización con particularidades a observar en casos de violencia de género. La legislación española en la LOMPIVG[14] incluye medidas de tutela institucional y judicial para hacer efectivo el derecho de las víctimas acceder a la justicia a través de la prestación de servicios públicos especializados y orientados a sus necesidades, evitando violencias y maltratos institucionales. Más específicamente el Estatuto de la víctima del Delito aprobado con Ley 4/2015 de 27 de abril, desarrolla el derecho de las víctimas a la protección incluye la obligación de adoptar las medidas necesarias para evitar victimización secundaria o reiterada por parte de los funcionarios encargados de investigación, persecución y enjuiciamiento de delitos. Mientras

---

[12]   Título IV Tutela Penal. Ley Orgánica 1/2004, de Medidas de Protección Integral contra la Violencia de Género, España.
[13]   VILLA SIEIRO, Sonia, *Aproximación a la tutela penal y procesal penal ante la violencia de género en el Derecho español*, Universidad de Oviedo, p. 11.
[14]   Ley Orgánica de Medidas de Protección Integral contra la Violencia de Género.

que Ecuador en 2008 constitucionalizó la no revictimización como un derecho de las víctimas de infracciones penales en general[15] y en la LOPEVCM[16] se desarrolló el derecho en casos de violencia de género conceptualizándolo, reconociendo como principio del Sistema Nacional de Protección Integral a Víctimas de Violencia y con la determinación de la obligación estatal del Consejo de la Judicatura de evitar prácticas revictimizantes en los servicios judiciales.

En suma, las legislaciones especializadas ecuatoriana y española con sus diversos aterrizajes, contienen un enfoque que busca garantizar la protección especial a los derechos de las mujeres víctimas de violencia de género en sus distintos ámbitos y dimensiones. Un aspecto a resaltar es que el ámbito penal de la violencia de género en ambas legislaciones reconoce a las víctimas de esta violencia como sujetos pasivos de la infracción, así como la necesidad de dar tratamientos especializados y diferenciados a los establecidos para el derecho penal general, determinando medidas orientadas a la integralidad del proceso y al aspecto sustantivo de este, con regulaciones como ya se explicó que tipifican, agravan o prevén especificidades al tratamiento de estos delitos, pero que en el aspecto meramente procesal y los derechos de las víctimas en su doble estatus, las previsiones legislativas de las normas especializadas son aún genéricas.

III. EL TESTIMONIO DE LA VÍCTIMA EN PROCESOS PENALES: UNA PERSPECTIVA COMPARADA DE ECUADOR Y ESPAÑA

La prohibición de revictimizar particularmente a víctimas de violencia de género constituye una garantía normativa y procesal prevista para el tratamiento de estos casos. El reconocimiento del derecho a la no revictimización particularmente garantizado en la obtención y valoración de pruebas, se relaciona entre varios aspectos, con el estatus particular y especial que la víctima de violencia de género adquiere en el proceso penal, por su doble posición como sujeto pasivo de estos delitos en su condición de víctima y como testigo directo,

---

[15] Artículo 78 Constitución de la República del Ecuador, 2008.
[16] Ley Orgánica para prevenir y erradicar la violencia contra las mujeres Ecuador.

pues no es lo mismo ser testigo ajeno de un hecho delictivo a ser la víctima de este[17], adquiriendo especial relevancia esta doble posición en delitos de violencia de género cuyo cometimiento generalmente se produce en la intimidad sin presencia de terceros testigos y muchas ocasiones sin dejar evidencia material.

Esta doble posición implica poner especial atención al tratamiento que se da al testimonio de la víctima, en tanto testigo y víctima, de infracciones penales relacionados con violencia basada en género, tanto en la práctica de esta prueba en el proceso penal como en la valoración de la misma. Coincidiendo con González Monje[18], un sistema probatorio que se adapte a las particularidades de los delitos de violencia de género implica establecer una diferenciación entre las víctimas que actúan como testigos en estos delitos en relación a los testigos propiamente dichos, conjugando esta doble posición en garantías procesales específicas que posibiliten una práctica y valoración probatoria que responda aquellas particularidades especiales de este tipo de procesos penales.

En este sentido, se revisarán las medidas a nivel legislativo para la práctica y valoración de la prueba testimonial de víctimas de violencia de género en Ecuador y España, dándole especial relevancia al carácter diferencial y especial que se prevé a las mujeres en tanto posición de víctima y testigo del proceso penal.

A nivel legislativo penal, en Ecuador a partir de 2014 rige el Código Orgánico Integral Penal (COIP) en que se integran las normas sustantivas y procesales en materia penal, con las respectivas especificidades. En España rige la Ley de Enjuiciamiento Criminal, modificado por última vez en julio 2021 y la Ley 4/2015 de 27 de abril del Estatuto de la Víctima del Delito. De estas normas se han extraído varias previsiones sobre la prueba testimonial de la víctima de violencia de género.

Sobre la dispensa del deber de declarar en el proceso penal en contra de cónyuge, parientes por consanguinidad o afinidad, la legislación

---

[17]   GONZÁLEZ MONJE, Alicia, *La declaración de la víctima de violencia de género como única prueba de cargo: últimas tendencias jurisprudenciales en España.* Revista Brasileira de Direito Processual Penal, Porto Alegre, vol.6, n. 3, p. 1631.
[18]   Ibid., p. 1632.

ecuatoriana plantea una excepción a esta cuando se trata de casos de violencia de género[19], admitiendo la declaración voluntaria de las víctimas de estos delitos o de sus parientes, independientemente del grado de parentesco que tenga. Mientras que en la legislación española aunque se plantean excepciones a la dispensa del deber de declarar no se consideran estas excepciones en casos de violencia de género[20], lo que ha ocasionado, siguiendo a González Monje, acogimiento de las víctimas a esta dispensa con una consecuente falta de colaboración en la persecución del delito que perpetúan patrones de impunidad[21]. Este aspecto es fundamental en el tratamiento procesal de la violencia de género, pues las condiciones particulares que enfrentan sus víctimas, se caracterizan por la general cercanía afectiva de estas con los agresores en sus círculos familiares, imposibilidad de salir del círculo o ciclo de violencia[22], entre otros, condiciones que al no ser tomadas en cuenta en la legislación procesal penal, provocan que las víctimas se vean arrinconadas acogerse a la dispensa del deber de declarar contra sus agresores, tal como ha sucedido en el caso español.

En relación a las condiciones de la práctica del testimonio, resalta la posibilidad de practicar la prueba testimonial preconstituida o anticipada. En las dos legislaciones esta opción, en términos generales, es excepcional y se contempla para personas gravemente enfermas, que vayan a salir del país, estén físicamente imposibilitadas, exista motivo para temer su muerte o incapacidad antes del juicio oral, garantizando el derecho a la contradicción. Sin embargo, en la legislación ecuatoriana se amplía esta opción para víctimas de violencia de género[23] como atribución de la o el juez y como función de la fiscalía, posibilidad que

---

[19] Excepción planteada en la Constitución de la República artículo 77 numeral 8 y en el COIP artículo 502 numeral 4, Ecuador.
[20] Artículo 416 Ley de Enjuiciamiento Criminal. España.
[21] GONZÁLEZ MONJE, Alicia, *op. cit.*, p. 1634.
[22] CUERVO, M.; MARTÍNEZ, J., *Descripción y caracterización del ciclo de violencia que surge en la relación de pareja*, p. 85.
[23] Artículo 643 numeral 5 COIP. Reglas del procedimiento en contravenciones de violencia contra la mujer o miembros del núcleo familiar el juez competente está facultado para receptar el testimonio anticipado de la víctima de estas infracciones. Artículo 444 numeral 7 Atribuciones de Fiscalía, solicitar al juez/jueza la recepción de testimonios anticipados aplicando inmediación y contradicción, de las víctimas de delitos sexuales, trata de personas y violencia contra la mujer.

se da con la finalidad de evitar revictimización y adaptar la práctica probatoria a las necesidades de las víctimas de violencia de género en el proceso penal, en específico esta medida ejecutada con celeridad permitiría reducir la impunidad por abandono del proceso por parte de la víctima.

Otras garantías para las víctimas testigos en el proceso penal constituyen, en el caso español: el acompañamiento del representante legal y persona de su elección en la práctica de la diligencia, recepción de declaraciones de las víctimas sin dilaciones injustificadas y en el número de veces menor posible[24], adopción de medidas para evitar que se formule a la víctima preguntas innecesarias relativas a su vida privada que no tengan relevancia en el hecho delictivo enjuiciado[25], recibir las declaraciones de las víctimas en dependencias adaptadas para ese fin, por profesionales que hayan recibido formación especial para reducir o limitar perjuicios a la víctima, que cuando se trate de víctimas de violencia de género y trata con fines de explotación sexual, se lleve a cabo por una persona del mismo sexo de la víctima, siempre que así lo solicite, medidas que eviten el contacto visual de la víctima y el presunto agresor, pudiendo hacer uso de tecnologías de la comunicación[26].

En el caso ecuatoriano, la legislación penal establece diferencia de reglas para receptar el testimonio de la víctima, persona procesada y de terceros. Las garantías principales para el testimonio de víctimas son: rendirlo evitando confrontación visual con la persona procesada, a través de medios virtuales, Cámaras de Gesell u otros apropiados, sin impedir derecho a la defensa y contrainterrogar; adopción de medidas especiales orientadas a facilitar el testimonio de la víctima con énfasis en niñas, niños, adolescentes y casos de violencia contra la mujer; medidas para evitar hostigamiento, intimidación a la víctima especialmente en casos de violencia sexual y violencia contra la mujer; acompañamiento de personal capacitado en atención a víctimas en crisis para rendir el testimonio[27]; posibilidad de objetar actuaciones

---

24   Artículo 433, Ley 4/2015, 27 de abril, Estatuto de la víctima del delito.
25   Artículo 709, Ley de enjuiciamiento penal y Artículo 21 Estatuto de la Víctima del Delito.
26   Artículo 25, Ley 4/2015, 27 de abril, Estatuto de la víctima del delito.
27   Artículo 510, Código Orgánico Integral Penal.

que vulneren el debido proceso por comentarios relacionados con el comportamiento anterior de la víctima[28].

Algunas constataciones que se desprenden de la revisión comparada de garantías en el nivel legislativo para el testimonio de la víctima de violencia de género, en el caso español y ecuatoriano, es que el legislador ecuatoriano ha desarrollado con mayor especificidad la diferencia en el tratamiento procesal de la posición de la víctima testigo, respecto al testigo como tercera persona, lo que representa un importante avance para acercarse a la formulación de derecho procesal penal adaptado a las particularidad de los delitos de violencia de género, que como se ha podido destacar existen reglas específicas de la prueba testimonial para el tratamiento de estos delitos.

Sin embargo, estas formulaciones no garantizan ni son suficientes para que en términos procesales se respeten los derechos a protección especial, no revictimización, tutela judicial efectiva a las víctimas de violencia de género en la práctica probatoria de delitos de violencia, enfrentado problemáticas estructurales como estereotipos de género que normalizan la violencia en la sociedad, operadores de justicia que desincentivan denuncia y continuidad del proceso penal, desvalorización el relato y la condición especial de la víctima que acude a los servicios judiciales con acciones de maltrato institucional por los funcionarios responsables del proceso, dilaciones injustificadas, percepción de impunidad, situación de vulnerabilidad con violencias interseccionales sobre las víctimas, deficiencia en las investigaciones y enjuiciamiento de casos de violencia de género en que la única prueba es la declaración de la víctima, entre otras. Como ya hemos visto las condiciones para practicar el testimonio de la víctima de violencia de género en el proceso penal han sido de alguna manera esbozadas y determinadas en distintas medidas en las dos legislaciones analizadas. Sin embargo, los estándares de valoración probatoria del testimonio de la víctima es una cuestión que en la legislación ecuatoriana y española no ha sido desarrollada, supliéndola con desarrollo jurisprudencial en ambos casos.

---

[28] Artículo 569 numeral 5, Código Orgánico Integral Penal.

IV. CONCLUSIONES

Las garantías procesales existentes en la legislación ecuatoriana y española, aun cuando han experimentado avances en el camino de especializar el sistema procesal a las particularidades de delitos de violencia de género, no son suficientes para proteger el derecho a no revictimización de mujeres que sufren esta violencia. En el desarrollo del trabajo se ha constatado que el desarrollo sustantivo de definiciones, conceptos y previsiones para la protección de mujeres en el marco del reconocimiento jurídico de la violencia de género en la legislación se ha efectuado con una visión progresiva de derechos, con sus diferencias y particularidades concretas en cada caso (ecuatoriano y español), pero que han posibilitado colocar en la esfera de lo público y de los problemas de interés general el fenómeno de la violencia de género.

En el aspecto adjetivo procesal de cómo hacer efectivas las garantías y declaraciones sobre protección de las mujeres víctimas de violencia en el proceso penal, la legislación apenas presenta desarrollos nacientes, con figuras muy concretas para rendir el testimonio, pero sin contar con criterios de valoración y aplicabilidad que diferencie el tratamiento que se da a los delitos de violencia de género de los delitos en general. Incluso las medidas para rendir testimonio de víctimas, que en la legislación ecuatoriana están más desarrolladas que en la española, se enfrentan a escenarios de práctica procesal y patrones socioculturales que impiden su efectividad, tales como: careos con víctima testigos de violencia de género, preguntas de contrainterrogatorio a las víctimas que tienden a culpabilizarlas de la situación de violencia, entre otras.

Esto tiene como consecuencia que las víctimas de violencia de género sean quienes tengan que adaptarse a estas limitaciones sistemáticas en lugar que las instituciones se adapten a sus necesidades especiales para garantizar derechos de acceso a la justicia, tutela efectiva, no revictimización y a una vida libre de violencias. De manera que, el camino de denuncia y judicialización que toman las víctimas que han logrado romper el silencio e intentan salir del círculo de violencia, permita alcanzar la reparación integral de sus derechos, empezando por un proceso judicial sensibilizado y especializado, con real aplicación de enfoque de género en lo sustantivo y adjetivo. Estos retos son posibles solo si van de la mano de medidas efectivas para combatir los patrones socio culturales y estereotipos que asumen la violencia de género como aspecto privado, reproducen roles patriarcales y cargan culpas y responsabilidades sobre los hombros de las mujeres.

BENEFICIOS Y DESAFÍOS QUE HA TRAÍDO LA ORALIDAD Y EL SISTEMA DE AUDIENCIAS, A LA PRUEBA PERICIAL EN ECUADOR, EN MATERIA TRIBUTARIA

CARLOS R. FERRÍN DE LA TORRE
Doctorando en la Universidad de Salamanca (España)

Sumario: I. Introducción. II. Actualidad de la prueba pericial en general y en materia tributaria en particular. III. Los beneficios y los desafíos o tareas pendientes.

> *Lo primero que vale señalar respecto de la prueba*
> *"pericial" (...) es que siempre conlleva el ofrecimiento*
> *de información especializada que debería contribuir*
> *a la correcta toma de decisión sobre los hechos*
> *en un proceso judicial*[1]

I. INTRODUCCIÓN

En octubre de 2008, la República del Ecuador adopto una nueva Constitución, la misma que en su art. 168 numeral 6, dice: "La sustanciación de los procesos en todas las materias, instancias, etapas y diligencias se llevará a cabo mediante el sistema oral".

---

[1] VÁSQUEZ, Carmen: *De la prueba científica a la prueba pericial*. Madrid: Marcial Pons, 2015, p. 37.

Lo antes referido ya aparecía en la Constitución de 1998 (art. 194), sin que haya tenido una mayor aplicación, más allá de una tibia oralidad en material laboral.

No obstante, la oralidad planteada en la Constitución del 2008 ha tenido una fuerte implementación, tanto es así que el 22 de mayo de 2016, entro en plena vigencia el Código Orgánico General de Procesos (COGEP), que regula la actividad procesal en todas las materias excepto la constitucional, electoral, de extinción de dominio y penal.

El COGEP puso en vigencia un sistema oral por audiencias para el saneamiento del proceso, la fijación de los puntos controvertidos, el debate probatorio y la práctica de la prueba, las alegaciones iniciales y finales, y el anunció sucinto y verbal de la decisión; dejando la escritura para la demanda, la contestación a la demanda, la sentencia amplia y con mayor fundamentación, y para otros actos procesales de impulso y prosecución de la causa.

La prueba pericial no fue ajena a los cambios que vinieron con la implementación de la oralidad que trajo el Código Orgánico General de Procesos (COGEP).

II. ACTUALIDAD DE LA PRUEBA PERICIAL EN GENERAL Y EN MATERIA TRIBUTARIA EN PARTICULAR

Actualmente la prueba pericial debe ser presentada junto con la demanda y con la contestación a la demanda, con la posibilidad de solicitar auxilio judicial para tener acceso a los elementos sobre los cuales versara la pericia que se pretende presentar como prueba, en caso que dichos elementos se encuentren en poder de un tercero o de alguna autoridad administrativa o judicial.

Los peritos son elegidos libremente por las partes procesales de la lista de peritos registrados en el ente regulador de la actividad pericial (Consejo de la Judicatura) y entre los peritos constan tanto personas naturales como jurídicas.

El informe pericial debe cumplir con un contenido mínimo que señala el Código Orgánico General de Procesos (COGEP) en su art. 224 y además de la información personal y de acreditación del perito, se deben explicar los hechos u objetos sometidos a análisis; el detalle de los exámenes, métodos, prácticas e investigaciones a las cuales ha sometido dichos hechos u objetos; los razonamientos y deducciones efectuadas para llegar a las conclusiones que presenta ante los juzgadores, las cuales deben ser claras, únicas y precisas.

Una novedad que implementó el COGEP, con relación a la prueba pericial, es la obligación que tiene el perito de acudir a la audiencia de juicio o única (según se trate de procedimiento ordinario o sumario, respectivamente), dentro de la cual deberá sustentar su informe pericial ante los juzgadores y ante las partes procesales, y responder el interrogatorio de la parte que propuso el informe pericial, el contrainterrogatorio de la contraparte, así como las aclaraciones que le puedan solicitar los juzgadores, con la posibilidad que se pueda abrir un debate entre peritos en caso de divergencias con otro informe pericial.

Para asegurar la comparecencia del perito a la audiencia de juicio o única, y así pueda sustentar su informe pericial, la Secretaria del proceso judicial debe notificar al perito de la fecha, hora y lugar de la audiencia de juicio en el correo electrónico (email) que tenga señalado en el informe pericial; además la parte que propuso la prueba pericial debe hacer todo lo que esté a su alcance para asegurar la presencia del perito en la audiencia.

Cuando el perito no comparezca por caso fortuito o fuerza mayor, debidamente comprobado y por una sola vez, se suspenderá la audiencia, después de haber practicado las demás pruebas y se determinará la fecha y hora para su reanudación.

En caso de inasistencia injustificada del perito a sustentar su informe en audiencia, el informe pericial carecerá de efectos probatorios y el perito se expone a perder su acreditación.

En la audiencia las partes pueden interrogar al perito, bajo juramento y siguiendo las normas para los testigos, sobre su idoneidad e imparcialidad y sobre el contenido del informe; y, las partes tendrán derecho a interrogar nuevamente al perito, si lo consideran necesario.

El perito (al igual que los testigos) puede negarse a responder preguntas que puedan acarrearle responsabilidad penal personal, así como a su cónyuge o conviviente o a sus familiares hasta cuarto grado de consanguinidad o segundo de afinidad; o, que lo conlleven a violar su deber de guardar reserva o secreto por razón de su estado u oficio, empleo, profesión, arte o por disposición expresa de la ley.

Las partes pueden objetar, motivadamente, cualquier pregunta, en particular las que acarreen responsabilidad penal, sean capciosas, sugestivas, compuestas, vagas, confusas, impertinentes por opiniones o conclusiones, estando permitidas las preguntas hipotéticas a los peritos dentro de su área de experticia. Sin embargo, están permitidas las preguntas sugestivas sobre temas introductorios que no afecten los hechos controvertidos o recapitulen información ya aportada por el perito. También pueden objetarse las respuestas que van más allá, no tienen relación con las preguntas realizadas o son parcializadas.

Realizada la objeción a la pregunta o a la respuesta, la parte que la formuló deberá fundamentarla y los juzgadores deben pronunciarse (motivadamente), aceptándola o negándola de inmediato.

Un aspecto nuevo que también trajo el COGEP, con relación a la prueba pericial, tiene que ver con el informe pericial para mejor resolver que los juzgadores pueden ordenar en caso que los informes periciales presentados por las partes sean recíprocamente contradictorios o esencialmente divergentes sobre un mismo hecho.

La prueba pericial, al igual que los otros medios de prueba, para ser admitida debe reunir los requisitos de pertinencia, utilidad, conducencia y se debe practicar según la ley, con lealtad y veracidad. Debiéndose solicitar e incorporar dentro de los términos señalados en la Ley (referidos al inicio). La prueba pericial debe ser practicada en audiencia con la comparecencia del perito.

La prueba pericial deberá ser apreciada en conjunto con los demás medios de prueba presentados por las partes procesales, de acuerdo con las reglas de la sana crítica. Y el juzgador tiene la obligación de expresar en su resolución la valoración de todas las pruebas que le hayan servido para justificar su decisión.

III. LOS BENEFICIOS Y LOS DESAFÍOS O TAREAS PENDIENTES

Uno de los grandes beneficios que aportó la oralidad a la prueba pericial en materia tributaria en el Ecuador es la comparecencia obligatoria del perito, ante los jueces y las partes, para sustentar su informe pericial y para responder el interrogatorio y contrainterrogatorio de las partes procesales, así como las aclaraciones que le puedan solicitar los juzgadores.

Esta comparecencia del perito permite una verdadera evaluación del informe pericial como de los conocimientos del perito, tanto por las partes en litigio como por los juzgadores que pueden solicitar todas las aclaraciones que estimen pertinentes sobre el informe pericial. Además, las partes pueden evidenciar ante los juzgadores la idoneidad e imparcialidad del perito.

También resulta de mucha utilidad que la prueba pericial (al igual que el resto de medios de prueba) sea acompañada a la demanda y a la contestación a la demanda, ya que así se ejercita de manera más diáfana el derecho a la prueba y el derecho a contradecir la prueba que se presenta, además que permite apreciar de manera más completa los hechos controvertidos a los juzgadores.

Podemos mencionar como otro beneficio el informe pericial para mejor resolver, que ayudaría a solucionar los casos de informes periciales recíprocamente contradictorios o esencialmente divergentes sobre un mismo hecho. No obstante, la norma legal no aclara quién debe sufragar los gastos de este nuevo informe pericial y allí tenemos una tarea por resolver.

Al informe pericial para mejor resolver resulta también aplicable lo señalado en el art. 168 del COGEP, que señala que la prueba para mejor resolver debe ser excepcional y dejando expresa constancia de las razones que tiene el juzgador para ordenarla.

La admisibilidad de la prueba pericial representa algunos desafíos, ya que las normas generales de conducencia, pertinencia, utilidad y oportunidad deberían ser complementadas con otras normas que permitan verificar la necesidad de la prueba pericial, pues muchas veces se presentan informes periciales sin mayor utilidad para dilucidar los hechos en controversia.

Para una óptima práctica de la prueba pericial y para obtener los mejores resultados de la misma, las partes procesales tienen el desafío de estudiar con antelación y a profundidad el informe pericial y preparar el respectivo interrogatorio y contrainterrogatorio; y los juzgadores también deben estudiar el informe pericial para preparar sus preguntas aclaratorias.

Pero es en la valoración de la prueba pericial donde se presentan los mayores desafíos, ya que la instrucción dada por el legislador (art. 164 del COGEP) que "la prueba deberá ser apreciada en conjunto, de acuerdo a las reglas de la sana crítica", resulta muy escueta.

La valoración de la prueba pericial requiere ir más allá de las reglas de la sana crítica y apreciar las credenciales del experto, sus estudios y la profundidad del análisis pericial que presenta y que sustenta en la audiencia.

Como recomienda el maestro Jordi Nieva Fenoll[2], "sería bueno que el juez recibiera una mínima formación sobre los dictámenes más habituales", "debe controlarse (…) que el perito posea los conocimientos necesarios para poder dictaminar sobre la materia de que se trate" y, en relación a los requisitos internos del dictamen, debe verificarse: la coherencia interna y la razonabilidad del dictamen pericial, el seguimiento de parámetros científicos de calidad en la elaboración del dictamen, el uso de resultados estadísticos y debe valorarse la declaración del perito.

Resulta plenamente aplicable a la prueba pericial lo que dice el maestro Michelle Taruffo[3] con relación a la actitud del juez ante la prueba testifical: "a) es necesario que el juez sea activo en la búsqueda de la verdad; b) que cuente con hipótesis adecuadas acerca de los hechos que se trata de determinar; c) que compruebe efectivamente la credibilidad del testigo {perito} y la fiabilidad de sus declaraciones; d) que profundice el examen del testigo {perito} más allá de las indicaciones proporcionadas por las partes, y e) que obtenga en el curso del interrogatorio, todos los elementos que luego necesitara para determinar el valor probatorio del testimonio {informe pericial}", lo que consta entre corchetes y en *itálica* no aparece en el texto original.

La valoración de la prueba pericial representa un gran desafío para los juzgadores, que deben adquirir los conocimientos que les ayuden a lograr una mejor comprensión acerca de los hechos en los casos concretos que deciden y en la etapa de valoración de criterios adecuados para conocer la fiabilidad de la prueba pericial[4].

2   *La valoración de la prueba*. Madrid: Marcial Pons, 2010, pp. 286-308.
3   *Simplemente la verdad*. Madrid: Marcial Pons, 2010, p. 178.
4   VÁSQUEZ, C.: *op. cit.*, p. 285.

DIREITO DE RETENÇÃO– AMBIVALÊNCIAS PROCESSUAIS

CARLOS MANUEL RODRIGUES CARNEIRO
Doutorando da Universidade de Salamanca

I. INTRODUÇÃO

O tema a que vamos dedicar atenção, prende-se com o regime do direito de retenção, com particular incidência para as ambivalências processuais e as incongruências que o mesmo aporta, gerando inúmeras incertezas na aplicação do direito.

O estudo em concreto não pretende versar sobre os aspetos resultantes da aplicação do regime na sua forma mais primitiva que se encontra prevista no ordenamento jurídico português[1], mas especificamente no que concerne à aplicação do regime especial do direito de retenção previsto no n°2 do artigo 759° do Código Civil, conjugado com as disposições dos artigos 755°, n°1, alínea f) e 442°, n°2 do mesmo código.

---

[1] Código Civil, artigos 754° a 761°.

A forma como o legislador pensou o regime, não acautelou, de forma equilibrada a posição de todos os intervenientes processuais, nem compatibilizou o regime com a legislação em vigor, gerando as ambivalências e incongruências a que nos dedicaremos ao longo do estudo.

Como veremos nos temas desenvolvidos, a ausência de registo do direito de retenção sobre imóveis e a prevalência que lhe é conferida sobre outros ónus sujeitos a registo, nomeadamente no que diz respeito à hipoteca, gera incongruências face ao nosso regime registral e que tem implicações na certeza do direito, desde logo se considerarmos que a hipoteca é a principal garantia dos créditos concedidos pelas instituições bancárias.

Como bem defende Luís Carvalho Fernandes[2], relativamente à necessidade do registo "a função essencial do registo predial é a de dar publicidade à situação jurídica dos prédios" de modo a garantir "(...) a segurança do comércio jurídico imobiliário."

Ao conceber-se um direito "oculto" com a força, como aquela, que é atribuída ao direito de retenção sobre imóveis, cujo beneficiário da promessa obteve a *traditio* da coisa, está-se a gerar uma incerteza enorme na verificação e graduação de créditos, quando se encontram em confronto vários interesses concorrentes e para a qual se exigem certezas e não dúvidas. Com a ausência do registo e das regras que lhe estão subjacentes, abriu-se a "porta" para que nem os próprios beneficiários de garantias hipotecárias tenham garantido o recebimento dos montantes mutuados e que serviram na maioria das vezes para financiar a construção do imóvel, que por sua vez é objeto de direito de retenção, aumentando ainda mais a incongruência deste regime.

Como adiante veremos, o entendimento do legislador e que vem merecendo acolhimento por parte da jurisprudência, tem resultado nas últimas décadas numa clara preterição de dois princípios gerais do direito português, o princípio da igualdade entre credores[3] e o princípio da prioridade do registo[4]. Tal preterição resulta de forma bem clara no momento do chamamento dos credores, prescrita no

---

2   CARVALHO FERNANDES, L.: "Lições de Direitos Reais", 6º Ed., Quid iuris, 2009, p. 100.
3   Código Civil, artigo 604º, nº1.
4   Código Civil, artigo 686º.

nº1 do artigo 786º do Código de Processo Civil, que conclui pela convocação dos credores, cuja garantia se afira pela consulta à situação registral dos bens, o que, como se percebe não se verifica com o direito de retenção, que opera e até se sobrepõe, no caso de haver tradição da coisa, apesar de ser meramente obrigacional e não estar sujeito a registo, redundando assim no efeito surpresa em relação aos demais credores, concluindo-se pela total incerteza da posição dos credores na sentença de verificação e graduação de créditos e consequentemente no recebimento dos seus créditos.

Abordaremos igualmente algumas das incongruências legislativas que resultam da aplicação do direito especial de retenção face aos atos registados ou sujeitos a registo, que ao atribuir uma proteção "exagerada" ao promitente-comprador que obteve a *traditio* da coisa, está a permitir que fiquem desprotegidos outros interesses merecedores da tutela jurídica que veem os seus direitos preteridos face a este, como é o caso do credor hipotecário, do adquirente e do promitente-adquirente com promessa com eficácia real.

II. O DIREITO DE RETENÇÃO – CARACTERIZAÇÃO

O direito de retenção é uma garantia especial das obrigações que se encontra previsto entre os artigos 754.º e 761.º do Código Civil. Determina-se, assim, que o direito de retenção tem lugar quando o devedor pode reter uma coisa face a um crédito que se verifique em relação ao seu credor e se o crédito resultar de despesas ou danos feitas em virtude dessa coisa.

III. O CASO ESPECIAL DO DIREITO DE RETENÇÃO PREVISTO NO ARTIGO 755, Nº1, F) DO CÓDIGO CIVIL

A aplicação do artigo 759.º, n.º 2, do código civil, conjugado com as disposições dos artigos 755.º, n.º 1, alínea f) e 442.º, n.º 2 do mesmo código, têm demonstrado uma flutuação significativa entre a doutrina e a jurisprudência. De facto, o regime vem regular a posição do beneficiário da promessa de transmissão ou constituição de direito real que obteve a tradição da coisa objeto do contrato prometido, que passou a ter prevalência face ao credor hipotecário, ainda que a hipoteca tenha sido registada anteriormente. Trata-se de um reforço da posição do promitente-comprador em detrimento do encolhimento dos direitos dos credores hipotecários.

IV. A FUNÇÃO DO DIREITO DE RETENÇÃO E A AUSÊNCIA DE REGISTO

Como se constata do que atrás ficou dito, o direito de retenção assume uma função muito particular no contexto do direito, que acabou por criar um avultado número de conflitos nas últimas décadas, fruto das incongruências a que o mesmo se resume e que o legislador "teimosamente" não resolve.

Tal situação gera incongruências face ao nosso regime registral e que tem implicações na certeza e aplicação do direito. Como temos vindo a abordar, da conjugação do nº2 do artigo 759º e da alínea f) do nº1 do artigo 755º ambos do CC, resulta que os beneficiários de promessas de transmissão ou constituição de direito real, que tenham obtido a tradição da coisa, são pagos com prevalência sob o credor hipotecário, ainda que como vimos se encontre registada anteriormente. Esta prevalência do direito de retenção sobre a hipoteca, põe em causa uma das garantias principais das instituições de crédito, que passaram a estar numa situação de fragilidade e de total incerteza quanto à satisfação do seu crédito.

V. A NECESSIDADE DE REGISTO PARA UMA CERTEZA DO DIREITO

Como é sabido, sendo a hipoteca, a par do penhor, uma das principais garantias de financiamento, quando as constituem têm que proceder ao seu registo obrigatório, nos termos do nº1 do artigo 2º do Código de Registo Predial que nos diz que "estão sujeitos a registo: h) A hipoteca, a sua cessão ou modificação, a cessão do grau de prioridade do respetivo registo e a consignação de rendimentos"[5] com

---

[5]   Código de Registo Predial.

o intuito de dar publicidade a terceiros em relação à sua situação jurídica sobre o imóvel, em nome da certeza do direito, na expetativa de verem a sua posição devidamente tutelada, como afirma Luís de Carvalho Fernandes ao referir-se à necessidade de registo, dizendo que "Nos termos do n°1 do CRPredial, a função essencial do registo predial é a "da publicidade à situação jurídica dos prédios"; através dela realiza-se o fim a que o registo predial primeiramente está votado: "a segurança do comércio jurídico imobiliário" segundo consta do mesmo preceito"[6].

A criação de um direito como este, com condições tão especiais, como é o direito de retenção, abalou irremediavelmente as garantias que o registo de hipoteca visava tutelar, porquanto, o credor hipotecário, não tem forma de impedir a celebração de contratos-promessa por parte do seu devedor, vendo-se confrontado, normalmente quando se verifica o incumprimento deste, com o risco de aparecimento de um terceiro retentor do bem hipotecado que tem prevalência de pagamento em relação ao crédito com garantia hipotecária, mesmo que a *traditio* tenha ocorrido após o registo de hipoteca, o que ainda aumenta a incerteza e "perversidade" do regime tal qual ele está desenhado.

VI. A GARANTIA HIPOTECÁRIA, A SUA FUNÇÃO OU A PERCA DELA

O aparecimento de regimes como o do direito de retenção, põe em perigo a função primordial das garantias reais tipificadas, com especial relevância para a hipoteca e as implicações que assume para o devedor, mas essencialmente para o credor, que como prescreve o n°1 do artigo 686° CC "A hipoteca confere ao credor o direito de ser pago pelo valor de certas coisas imóveis, ou equiparadas, pertencentes ao devedor ou a terceiro, com preferência sobre os demais credores que não gozem de privilégio especial ou de prioridade de registo".

Se retirar a função principal de prevalência do direito de garantia, perante os demais credores, podendo fazer perigar todo o seu

---

[6] CARVALHO FERNANDES, L., op. cit., p. 100.

crédito, independentemente do mesmo resultar de obras efetuadas sobre o imóvel ou fração, mas antes porque o legislador entendeu que o
promitente-comprador, assume nesta relação uma posição mais frágil
e que como tal deve ser protegida, mesmo que isso retire por completo
em muitos dos casos a função da hipoteca, não valendo rigorosamen-
te nada, a sua constituição e a sua prioridade de registo.

Resulta do artigo 754º do Código Civil, a concessão ao empreitei-
ro do direito de retenção do objeto da empreitada enquanto o dono
da obra não pagar o preço da obra, quer esta tenha sido acabada,
quer não, e, consequentemente, o artigo 759º, nº 2 do mesmo código,
atribui a este direito real de garantia prevalência sobre a hipoteca,
ainda que esta tenha sido registada anteriormente, introduzindo, deste modo, uma exceção quer à hierarquia dos credores, quer ao princípio da prioridade de registo (acórdão do STJ, de 16 de maio de 2019,
processo n.º 61/11.7TBAVVB.G1.S1).

VII. A INCERTEZA NA VERIFICAÇÃO E GRADUAÇÃO DE CRÉDITOS

Pretende-se com o direito acautelar posições justas e conferir certeza aos seus diversos intervenientes. Situação que não está assegurada
quanto à sentença de verificação e graduação de créditos, comprome-
tendo as regras de registo, com o aparecimento de garantias "ocultas"
que subvertem por completo o princípio da prioridade do registo,
como é o caso do direito de retenção.

Como bem afirma Órfão Gonçalves quando refere que "estaria
em desacordo com os dados mais básicos do nosso sistema jurídico, a saber, a relevância que o registo tem no direito patrimonial
imobiliário"[7]. Está aqui subjacente a defesa de um princípio "hibrido"
de que a retenção só preferirá à hipoteca se a tradição do imóvel objeto do contrato-promessa ocorrer antes do registo da hipoteca, em-
bora a retenção se dê em momento posterior, como aliás e bem afirma
(Andrade e Patrão) "a retenção só preferirá à hipoteca se a *traditio*

---

[7]   ORFÃO GONÇALVES, G.: "Temas da ação executiva, Themis" – Revista da
        Faculdade da Universidade Nova de Lisboa, Ano V, nº9, pp. 253-302, p. 280.

que pressupõe for anterior e esta garantia, a retenção constituindo-se posteriormente"[8].

Como bem se compreende a ambiguidade do regime reside pois na conciliação dos interesses do credor hipotecário e do promitente-comprador que goza do direito de retenção sem qualquer condição, nomeadamente naqueles casos em que a constituição e registo de hipoteca ocorre antes da tradição do imóvel e que mesmo assim prevalece sobre este, o que em nosso entender não devia acontecer, neste mesmo sentido se pronunciaram os mesmos autores em relação à posição de Órfão Gonçalves ao referirem que "se o prédio que é objeto de contrato-promessa já estiver onerado com uma hipoteca no momento da tradição, então uma retenção que posteriormente se constitua não prevalece sobre aquela hipoteca"[9]. Tal como defendem os autores citados também nós entendemos que a posição defendida é uma daquelas que sem dúvida melhor soluciona este problema de compatibilização dos interesses em "jogo", uma vez que na primeira hipótese aventada, o promitente-comprador sempre estaria protegido contra uma hipoteca que não conhecia à data da *traditio* da coisa e como tal garantia a prevalência do seu direito, enquanto na segunda hipótese, já tal não se justificaria na medida em que existindo o registo da hipoteca, o promitente-comprador já não poderia invocar o desconhecimento dessa garantia e nessa caso sem dúvida alguma que teria que assumir as consequências que daí adviessem, da promessa de aquisição do imóvel hipotecado e adiantamento de dinheiro ao promitente-vendedor.

Não foi, contudo, este o entendimento do legislador, quando no nº2 do artigo 759º CC (Código Civil) entendeu dar inteira prevalência ao direito de retenção, como se afere da sua redação "O direito de retenção prevalece... sobre a hipoteca, ainda que esta tenha sido registada anteriormente". Tal desiderato, tem originado quase unanimemente decisões a favor do promitente-comprador. Porquanto as graduações de crédito, têm acolhido incondicionalmente este entendimento, não considerando qualquer limitação de interpretação do

---

[8]   COSTA ANDRADE, M. e PATRÃO, A.: "Comentário ao Acórdão Uniformizador de Jurisprudência" nº4/2014. Julgar Online. Setembro de 2016. p. 35
[9]   COSTA ANDRADE, M. e PATRÃO, A.: op. cit., p. 35

preceito legal citado, deixando que a questão se discuta em sede de impugnação questionando a existência do próprio direito de retenção e consequentemente a ordenação dos créditos em sede de verificação e graduação de créditos.

Neste sentido, se pronunciou o Supremo Tribunal de Justiça[10] negando revista e confirmando o douto acórdão do Tribunal da Relação de Guimarães, que deu razão ao exequente que goza do direito de retenção, em detrimento do crédito reclamado pelo credor hipotecário, alterando a posição do Tribunal de primeira instância, revelando bem as divergências de entendimento e as ambiguidades que a aplicação do regime gera.

Sendo certo que, o entendimento plasmado, acolhido pelo legislador e pela jurisprudência, resulta numa clara preterição de dois princípios gerais do direito português: o princípio da igualdade entre credores (*par conditio creditorum*), previsto no artigo 604º, nº1 do Código Civil e o princípio da prioridade do registo, previsto no artigo 686º do Código Civil, que permitiria colocar o promitente-comprador retentor em igual posição processual à do credor hipotecário, no concurso de credores aquando da sentença de verificação e graduação de créditos, quer seja no âmbito do processo de insolvência, artigo 130º do Código de Insolvência e Recuperação de Empresa, quer seja no âmbito da execução, artigo 791º do Código de Processo Civil.

O legislador colocou assim, em confronto dois interesses que não compatibilizou e que pelo contrário, vieram alimentar conflitos que o processo não resolve e se tem limitado a aplicar sem questionar. Perante o confronto entre a hipoteca que se encontra registada e como tal em condições de conferir publicidade e o Direito de retenção que encontra a sua guarida, num regime pouco consensual e de difícil objetivação a que o legislador, escudando-se numa hipotética proteção do consumidor veio dar prevalência.

O Tribunal da Relação de Guimarães[11], veio confirmar a prevalência oferecida ao Promitente-comprador, ao afirmar que "O direito de

---

[10] Acórdão do Tribunal do Supremo Tribunal de Justiça, de 16 de maio de 2019 (processo n.º 61/11.7TBAVV-B.G1.S1).
[11] Acórdão do Tribunal da Relação de Guimarães, de 8 de março de 2018 (processo n.º 1551/12.0TBBRG-E.G1).

retenção em benefício do promitente-comprador, no caso de ter havido tradição da coisa, objecto do contrato promessa, decorrente do crédito pelo incumprimento, foi consagrado pelo legislador no artigo 442.º, n.º 3 CC através do Dec.-Lei n.º 236/80 de 18.07 por se ter entendido, na altura, que os interessados em habitação própria mereciam, face à conjuntura da época, uma tutela diferente e acrescida." acrescentando que se "ponderou o conflito de interesses resultante do direito de retenção concedido ao promitente-comprador *prejudicar* o reembolso dos empréstimos concedidos pelas instituições bancárias às empresas construtoras e optou-se por atribuir prioridade à tutela dos particulares, na lógica da *defesa do consumidor*".

VIII. AS INCONGRUÊNCIAS PROCESSUAIS DO REGIME DO DIREITO DE RETENÇÃO FACE AO REGISTO

Prescreve o nº1 do artigo 786º do CPC que "Concluída a fase da penhora e apurada, pelo agente de execução, a situação registral dos bens, são citados para a execução", como se vê ganha especial relevância o registo para efeitos de chamamento dos credores à execução e consequente reclamação dos seus créditos, o que se compreende, uma vez que o mesmo se destina a dar publicidade ao ato registado. Continuando por convocar "b) Os credores que sejam titulares de direito real de garantia, registado ou conhecido, sobre os bens penhorados, incluindo penhor cuja constituição conste do registo informático de execuções, para reclamarem o pagamento dos seus créditos" bem como "2–O agente de execução cita ainda a Fazenda Nacional e o Instituto de Gestão Financeira da Segurança Social, I. P., exclusivamente por meios eletrónicos, nos termos a regulamentar por portaria dos membros do Governo responsáveis pelas áreas das finanças, da justiça e da segurança social".

Como se percebe, não consta do elenco, o direito de retenção, o que se compreende, uma vez que não está sujeito a registo. Tal situação resulta na incerteza jurídica que vimos falando, uma vez que os credores conhecidos ficam sujeitos ao efeito surpresa de credores que podem vir a posicionar-se com preferência e prevalência sobre os seus créditos e que pode vir a defraudar a legitima expetativa de ver ressarcido o seu crédito.

A incoerência e estranheza deste regime está bem patente no concurso de credores, previsto no artigo 788º CPC, que prevê que a reclamação de créditos, seja conferida somente ao "credor que goze de garantia real sobre os bens penhorados pode reclamar, pelo produto destes, o pagamento dos respetivos créditos".

É neste contexto que o registo do contrato-promessa em conjugação com o âmbito legal da prioridade do registo, tem sido apontado pela doutrina (Campos[12]; Freitas[13]; Vasconcelos[14]; Proença[15]), como solução de compatibilização dos regimes em confronto, sendo certo que esta posição não tem merecido acolhimento da jurisprudência, como atrás tivemos oportunidade de constatar.

A evolução que se verificou ao longo do tempo em relação aos três interesses em confronto, promitente-vendedor, promitente-comprador e Instituições Bancárias, tornou este regime profundamente desatualizado, porquanto, a caraterização do regime tal como o conhecemos hoje, de proteção ao promitente-comprador, perdeu relevância face à necessidade de igual proteção das Instituições Bancárias, exigindo-se assim uma reforma urgente do pensamento legislativo.

Logo, como se sabe a constituição de uma hipoteca sobre determinado bem, não impede que se constituam novos ónus ou se verifique mesmo a alienação do imóvel, na medida em que tais atos não são oponíveis ao credor hipotecário, que apenas goza de uma garantia preferencial e sujeita à prioridade do registo.

Sendo certo, que da conjugação do artigo 755º, nº1, alínea f) e do artigo 759º, nº2, ambos do CC, resulta que a situação do credor hipo-

---

[12]   MENERES CAMPOS, I.: Concurso de credores e acção executiva. Scientia Jurídica. N.º 298, 2003, pp. 130-140.
[13]   LEBRE FREITAS, J.: "Sobre a prevalência, no apenso de reclamação de créditos, do direito de retenção reconhecido por sentença", 2006. Disponível em https://portal.oa.pt/publicacoes/revista/ano-2006/ano-66-vol-ii-set-2006/doutrina/jose-lebre-de-freitas-sobre-a-prevalencia-no-apenso-de-reclamacao-de-creditos-do-direito-de-retencao-reconhecido-por-setenca/ consultado em 31 de janeiro de 2022
[14]   PESTANA VASCONCELOS, L. "Direito de retenção, contrato-promessa e insolvência", CDP, n.º 33, Janeiro/Março, 2009.
[15]   PROENÇA, J.: "Para a necessidade de uma melhor tutela dos promitentes adquirentes de bens imóveis (maxime, com fim habitacional)", CDP, n.º 22, Abril/Junho, 2008.

tecário é defraudada. A força atribuída à hipoteca, fica grandemente limitada com a aparição de um direito de retenção, mesmo que resulte de uma constituição posterior, como habitualmente acontece.

Razão pela qual, a doutrina e a jurisprudência têm procurado, ao longo dos tempos, encontrar soluções para resolver as incoerências do regime, fazendo interpretações quanto à aplicação do mesmo.

No entender de Menezes Leitão[16] a forma de diminuir os efeitos do artigo 759º, nº2 CC é interpretar restritivamente o artigo 755º, nº1, al. f) do CC, considerando que a existência de sinal, é pressuposto necessário para a existência do direito de retenção especial previsto no citado artigo 755º CC, acrescentado que tirando esses casos, o que se verifica é uma simples tolerância que não justifica a atribuição de qualificação de garantia real, para todos os efeitos e em concreto para efeitos de graduação de créditos. Posição que também não é consensual, no entender de Cláudia Madaleno "a existência ou não de sinal não implica quaisquer consequências para o direito de retenção, que ao invés, se funda no contacto material existente entre o detentor e a própria coisa (...)"[17].

Já para L. Pestana Vasconcelos[18], o direito de retenção especial, previsto no artigo 755º, nº1, al. f) CC, só é reconhecido quando o promitente-comprador tenha a qualidade de consumidor.

De forma ainda mais restritiva é a posição assumida por Carlos Pereira de Abreu[19] ao defender que a forma de evitar os riscos resultantes da conjugação dos artigos 759º, nº2 e 755º, nº1, al. f) do CC, é considerar que a lei quis impor uma condição para o exercício deste direito especial de retenção, quando conjugado com a hipoteca registada anteriormente, impondo ao titular do direito de retenção a iniciativa de execução, ou seja, conforme da própria lei "recaindo o direito de retenção sobre coisa imóvel, o respetivo titular (...) tem a

---

16   TELES DE MENEZES LEITÃO, L. M.: Direito das obrigações, 4ª ed., Almedina, 2012, pp. 251 e ss.
17   MADALENO, C.: A vulnerabilidade das garantias reais, a hipoteca voluntária face ao direito de retenção e ao direito de arrendamento, Coimbra, 2008.
18   PESTANA VASCONCELOS, L.: Direito das Garantias, 2º ed, Almedina, Coimbra, 2013.
19   PEREIRA ABREU, C.: "O direito de retenção como garantia imobiliária das obrigações", ELCLA Porto, 1998, pp. 36 e ss.

faculdade de a executar" e acrescenta "o direito de retenção prevalece nesse caso sobre a hipoteca, ainda que esta tenha sido registada anteriormente".

Não é, contudo, esta posição que tem sido assumida maioritariamente pela jurisprudência, uma vez que o promitente-comprador, aguarda serenamente que a situação lhe seja resolvida, quando se verifica, seja uma execução de terceiros, quer seja, a insolvência do promitente-vendedor, o beneficiário do contrato-promessa, vai reclamar os seus créditos, para daí poder ganhar a vantagem proveniente do contrato-promessa celebrado com o devedor hipotecário.

Sendo certo que o regime da forma como está concebido, tem dado origem a inúmeras fraudes resultantes de contratos-promessa simulados, com o intuito de enganar terceiros e daí retirar vantagem de um regime que não acautela este tipo de situações, dando a possibilidade a que se verifiquem situações de conluio entre o promitente comprador e o devedor hipotecário.

IX. INCONGRUÊNCIAS LEGISLATIVAS RESULTANTES DO DIREITO DE RETENÇÃO FACE AO REGISTO

Resulta do que ficou dito que o regime do direito de retenção, não é consensual, nem na sua conceção, nem na sua aplicação e tem gerado enormes incongruências legislativas, às quais a seguir nos dedicaremos.

A primeira resulta do confronto entre a posição do promitente-comprador com tradição da coisa com o adquirente da coisa.

A proteção que o legislador atribuiu ao promitente-comprador é de tal ordem exagerada que consegue ser maior do que a do próprio adquirente, que se vê obrigado a respeitar a ordenação conferida pelo registo, enquanto, que o promitente adquirente que obteve a tradição da coisa não necessita tão pouco de registo, para ver o seu direito ter prevalência em relação aqueles que estão sujeitos a registo, cfr. refere Cláudia Madaleno[20] "a prevalência do direito do promitente adquirente que obteve a *traditio* da coisa, face ao adquirente da coi-

---

[20]   MADALENO, C.: op. cit., pp. 185 e ss.

sa, é prova dos riscos que resultam da prevalência deste direito face à hipoteca anteriormente registada" e acrescenta que "enquanto na primeira situação (beneficiário da promessa), estamos perante uma simples expetativa de aquisição. No segundo caso (adquirente), existe um efetivo direito sobre a coisa adquirida, mais concretamente, um direito de propriedade de coisa onerada com uma hipoteca" que o adquirente tem que respeitar, que como a mesma autora refere "por existir um direito especial de retenção resulta que, aquele que compra a coisa hipotecada dispõe de menos meios de tutela do seu direito do que o simples promitente-adquirente, que pode já invocar face a um credor hipotecário a sua posição de prevalência".

A segunda incongruência prende-se com a posição do promitente-adquirente num contrato-promessa (com simples eficácia obrigacional) e com *traditio* da coisa em confronto com a do promitente-adquirente com promessa com eficácia real.

Seria expetável, face à configuração do regime do registo, que qualquer ato registado conferisse ao seu titular uma maior proteção, mas, na realidade não é o que se verifica quando temos em confronto dois direitos com prorrogativas completamente distintas, em que aquele direito meramente obrigacional com *traditio* da coisa, tem maior proteção que o direito real. Neste sentido se pronunciou Cláudia Madaleno[21] ao referir que "apesar de ser atribuída eficácia *erga omnes* a uma promessa (com eficácia real), isso não significa, por estranho que parece, que o beneficiário dessa promessa se encontra numa posição de superioridade" pois, como vimos resulta da alínea f) do nº 1 do artigo 755º CC que o direito de retenção com tradição da coisa e sem eficácia real prevalece sobre a hipoteca, do qual se pode fazer valer perante o credor hipotecário, mas como acrescenta a mesma autora "(...) Pelo contrário aquele que escolhe dar publicidade à promessa que celebrou, mas que não obteve a tradição da coisa, perante um credor hipotecário não pode invocar qualquer posição sujeitando-se a ficar sem o bem prometido vender". Referindo-se ainda a esta incongruência afirmando que "ironicamente, a promessa com *traditio* e sem eficácia real apresenta-se como mais vantajosa do que a promessa real".

---

[21]   MADALENO, C.: op. cit., pp. 185 e ss.

Por último vamos analisar a situação do promitente-comprador com tradição da coisa em confronto com o promitente-comprador com eficácia real anterior à tradição.

Numa primeira análise, mais uma vez de uma forma lógica, se não se verificassem incongruências legislativas, seria fácil de supor que aquele que deu publicidade à promessa de aquisição conferindo-lhe eficácia real, devia gozar de maior proteção, face aquele que apenas estabeleceu relações obrigacionais, a que acresce no caso, o facto do registo da promessa ter ocorrido antes da *traditio* contudo não tem sido este o entendimento, como refere Cláudia Madaleno[22] "estamos perante outra situação em que a posição jurídica que aparentemente seria a mais forte – a do promitente-adquirente num contrato-promessa com eficácia real – acaba por se revelar a mais frágil" que concretiza afirmando "uma vez confrontado com um credor hipotecário, titular de hipoteca registada anteriormente, este beneficiário da promessa nada pode fazer" sendo que em posição distinta e bem mais favorável, encontra-se o promitente adquirente titular de um contrato com eficácia meramente obrigacional que obteve a *traditio* da coisa, que como refere a mesma autora "aquele que se apresentaria com uma posição mais frágil – o promitente adquirente num contrato-promessa com eficácia meramente obrigacional, mas com *traditio* da coisa – apresenta-se numa situação de superioridade, visto poder este beneficiário invocar perante um credor hipotecário com hipoteca registada anteriormente, o seu direito de retenção".

X. CONSIDERAÇÕES FINAIS

Resulta do estudo realizado, que o objetivo pretendido foi alcançado, uma vez que aquilo a que nos propusemos, pretendeu demonstrar as implicações resultantes das ambivalências processuais originadas pela aplicação do regime especial do direito de retenção, bem como as incongruências que resultam da aplicação do mesmo.

Tal desiderato foi amplamente conseguido, porquanto, foi possível questionar a ausência de registo do direito de retenção e a incerteza

---

22   MADALENO, C.: op. cit., pp. 185 e ss.

que esta ausência representa. Conduzindo-nos à necessidade evidente de registo de modo a garantir a certeza do direito e a permitir que as garantias reais, como é o caso da hipoteca cumpram integralmente a sua função, no que concerne à prioridade e prevalência quantos aos demais credores[23].

Ficou igualmente demonstrada, a incerteza que é gerada, pelo aparecimento do direito especial de retenção com *traditio* da coisa, na sentença de verificação e graduação de créditos, subvertendo as regras de registo, uma vez que no caso, de forma quase unanime, a jurisprudência vem dando prevalência ao direito de retenção, face aos demais créditos, inclusive em relação aos que são condição de registo para obtenção da prioridade de pagamento.

De igual modo, foi possível compreender que o direito de retenção gera inúmeras incongruências processuais, ao desconsiderar a função do registo (uma vez que não está sujeito), não só na hierarquização dos direitos, mas para efeitos de chamamento dos credores à execução para aí reclamarem os seus créditos[24], o que traz incertezas para o normal desenrolar do processo executivo, defraudando as expetativas dos credores com direitos registados.

As ambivalências do regime ficaram igualmente demonstradas nas incongruências legislativas, que resultam da prevalência do mesmo, e que ficaram bem patentes na forma como tem implicações, com outros direitos que por princípio conferem aos seus titulares uma maior proteção, mas que em confronto com o direito especial de retenção de imóveis com tradição da coisa, acabam por ceder em relação a este, como são os casos do adquirente e do promitente-adquirente com promessa com eficácia real.

Fica assim bem patente do estudo realizado que o objetivo pretendido foi alcançado, o da demonstração clara de que o regime é imperfeito e que a não sujeição do mesmo ao registo obrigatório para efeitos de prevalência do direito é gerador de inúmeras ambivalências e incongruências processuais e legislativas, que o registo obrigatório do direito de retenção de imóveis, com tradição da coisa, viria corrigir e que defendemos.

---

[23]   Código Civil. Artigo 686º, nº1.
[24]   Código Processo Civil. Artigo 786º, nº1.

ACCESO A LA JUSTICIA CON UNA VISIÓN DE INNOVACIÓN TECNOLÓGICA, CONVIVIENDO CON LA INTELIGENCIA ARTIFICIAL (IA)

JUAN GUAÑO-COSTALES
Docente, investigador y Fiscal en Ecuador
Doctorando en Derecho en la Universidad de Salamanca (España)

Sumario: I. Acerca del acceso a la justicia y su importancia. II. La justicia y su necesidad de mejora. III. La inteligencia artificial aplicada al derecho

I. ACERCA DEL ACCESO A LA JUSTICIA Y SU IMPORTANCIA

Los seres humanos, desde siempre, hemos estado constantemente inmersos en conflictos de toda índole, situación que nos ha obligado a que, permanentemente fijemos nuestra mirada a la búsqueda del mecanismo más adecuado para solucionarlos, unas veces se lo ha hecho empleando métodos violentos, mientras que, en otras ocasiones, se lo ha hecho por medio de formas humanamente razonables y pacíficas, como se diría en tiempos del Imperio Romano "dar a quien lo que le corresponde" aplicando el derecho.

Es así que, enfocándonos en aquellas formas humanamente razonables, observamos que durante el tiempo, estas se han ido adecuando a las realidades de cada sociedad, de tal forma que, se han implementado mecanismos dirigidos a regular la forma, el lugar y el tiempo dentro de los cuales se puede llegar a someter un conflicto ante un tercero, para que éste sea quien otorgue la solución real al mismo.

En el trascurso del tiempo, han aparecido formas civilizadas para solucionar las controversias; esto ha significado que, el estado haciendo uso de sus facultades, establezca órganos judiciales que son los encargados de solucionar tales diferencias; para ello, ha sido imprescindible normar la forma mediante la cual se puede acceder a dichos órganos.

De esta forma, tanto en la normativa nacional como en el derecho internacional, se ha catalogado como un derecho humano, poder acudir a los órganos de justicia de una manera reglada, con el objetivo de resolver los conflictos.

Dentro de este contexto, en cuanto a la basta normativa internacional generada para reglar distintos aspectos, en lo que respecta al acceso a la justicia, podemos citar las siguientes normas:

La Declaración Universal de Derechos Humanos, adoptada por la Asamblea General de las Naciones Unidas, en Resolución 217 A (III), del 10 de diciembre de 1948 en París, que en lo referente al acceso a la justicia es explícita en sus artículos 8 y 10, al indicar que "toda persona tiene derecho a un recurso efectivo ante los tribunales nacionales competentes, que la ampare contra actos que violen sus derechos fundamentales reconocidos por la constitución o por la ley" (artículo 8) y que "toda persona tiene derecho, en condiciones de plena igualdad, a ser oída públicamente y con justicia por un tribunal independiente e imparcial, para la determinación de sus derechos y obligaciones o para el examen de cualquier acusación contra ella en materia penal" (artículo 10).

De lo anotado, destaquemos en primer lugar que, se establece el derecho que toda persona tiene a "ser oída públicamente" por un tribunal competente, pero para que este derecho sea efectivo, inicialmente se necesita establecer que existe la factibilidad reglada, de que esa persona pueda o esté facultada para exponer la problemática en la que se encuentra inmerso.

La persona al buscar que se le escuche, ingresa en el segundo aspecto que es, buscar la "determinación de sus derechos" o buscar que no se lesionen sus "derechos fundamentales reconocidos por la constitución o por la ley", con lo cual, desde esta perspectiva de la Declaración Universal de los Derechos Humanos, se enfatiza internacionalmente el amparo, la protección y recobrar los derechos que la persona tiene, visto desde una perspectiva en la que se encuentra un proceso normado y efectivo.

Del mismo modo, la Convención Americana sobre Derechos Humanos (Pacto de San José de Costa Rica) suscrita, tras la Conferencia Especializada Interamericana de Derechos Humanos, el 22 de noviembre de 1969 en la ciudad de San José en Costa Rica, que entró en vigencia el 18 de julio de 1978, establece en el artículo 8, numeral 1, que "toda persona tiene derecho a ser oída con las debidas garantías y dentro de un plazo razonable, por un juez o tribunal competente, independiente e imparcial, establecido con anterioridad por la ley, en la sustanciación de cualquier acusación penal formulada contra ella, o para la determinación de sus derechos y obligaciones de orden civil, laboral, fiscal o de cualquier otro carácter".

En esta Convención, apreciamos que la facultad de las personas para ser oídas, se amplía en el sentido de que, se lo debe hacer mediante las *debidas garantías*, lo que principalmente refleja tener normas procesales, que estén enfocadas a una regulación adecuada y eficaz de los mecanismos de acceso a la justicia. Es así que, se vuelve una obligación para los países parte de esta convención, el concretar un sistema legal procesal que dote de una normativa adjetiva eficaz, con las particularidades propias de cada realidad en la que se pretendan aplicar.

Por otra parte, continuando con el análisis de la normativa internacional, también tenemos el Pacto Internacional de Derechos Civiles y Políticos, que fue adoptado por la Asamblea General de las Naciones Unidas mediante la Resolución 2200 A (XXI), de 16 de diciembre de 1966, instrumento internacional que es más claro al contemplar que "todas las personas son iguales ante los tribunales y cortes de justicia. Toda persona tendrá derecho a ser oída públicamente y con las debidas garantías por un tribunal competente, independiente e imparcial, establecido por la ley, en la substanciación de cualquier acusación de carácter penal formulada contra ella o para la determinación de sus derechos u obligaciones de carácter civil" (artículo 14).

En este artículo citado, encontramos un enfoque que condensa lo referido en las disposiciones invocadas anteriormente, e inclusive se vuelve más enfático, al establecerse el derecho que ampara a las personas a que, se sustancien correctamente sus peticiones judiciales entorno a la determinación de derechos, obligaciones o responsabilidades de índole penal.

Adicionalmente en la disposición en mención, se aprecia que nuevamente se centra en las implicaciones procesales, como son los instrumentos que prestan las debidas garantías, para quienes buscan acceder a la justicia, lo hagan con reglas claras y precisas, de modo que, se llegue a la principal finalidad, que es buscar el reconocimiento de un derecho, de una obligación o de una responsabilidad.

A lo dicho, se suma un concepto de igualdad o también conocido como de no discriminación, por medio del cual, todas las personas independientemente de su condición social, sexo, edad, religión, etc., están sujetas a las mismas condiciones que les impongan las normas en la presentación de requerimientos ante la justicia, de tal forma que, todos los seres humanos en igualdad de condiciones, podamos acceder a una justicia para que luego del trámite correspondiente, se nos dote una solución efectiva para nuestras diferencias.

Respecto de la igualdad, se emitió la Opinión Consultiva No. 11/90 de la Corte Interamericana de Derechos Humanos ("OC-11/90") mediante la cual, se manifiesta la necesidad y consecuentemente obligación de los estados, de eliminar cualquier tipo de obstáculo en el acceso a la justicia, particularmente, aquellos con los cuales se pudiera originar algún tipo de discriminación, que tenga como parámetro, la condición económica de las personas que buscan acceder al sistema de justicia del estado.

Del mismo modo, respecto a lo aludido anteriormente en lo inherente a la normativa internacional, encontramos también, la Declaración Principal de la VII Cumbre Iberoamericana de Presidentes de Cortes Supremas y Tribunales Supremos de Justicia celebrada en Cancún México en el 2002, documento en el que se estableció que el acceso a la justicia "es el derecho fundamental que tiene toda persona para acudir y promover la actividad de los órganos encargados de prestar el servicio público de impartición de justicia, con la finalidad de obtener la tutela jurídica de sus intereses a través de una resolución pronta, completa e imparcial".

Esta concepción, claramente se encuentra mejor distribuida, en cuanto a lineamientos concretos de lo que implica el acceso a la justicia, muestra inicialmente, el sitio en el que se lo ubica a este derecho, esto es, como un derecho fundamental, es decir, un derecho básico que tenemos los seres humanos, o como en las palabras claras de Prieto Sanchis, refiere que es la estipulación de "ciertos valores o bienes morales que se consideraban innatos, inalienables y universales"[1] para los seres humanos.

En esta perspectiva relativa a los derechos fundamentales, Ferrajoli profundizando su contenido, considera que:

> "(…) son «derechos fundamentales» todos aquellos derechos subjetivos que corresponden universalmente a «todos» los seres humanos en cuanto dotados del status de personas, de ciudadanos o personas con capacidad de obrar; entendiendo por «derecho subjetivo» cualquier expectativa positiva (de prestaciones) o negativa (de no sufrir lesiones) adscrita a un sujeto por una norma jurídica; y por «status» la condición de un sujeto, prevista asimismo por una norma jurídica positiva, como presupuesto de su idoneidad para ser titular de situaciones jurídicas y/o autor de los actos que son ejercicio de éstas"[2].

Con Ferrajoli, apreciamos una concepción bastante amplia, en la que se ligan "derechos subjetivos", que les corresponden a todos los seres humanos por ser tales, es decir que, al trasladar a nuestro objeto de análisis, el derecho al acceso a la justicia, comprende un derecho humano, básico de todas las personas, que es propio de los seres humanos por el hecho de ser personas, y que, se ejerce o se hace efectivo de forma igualitaria para todos los individuos, al momento en el cual se necesite resolver un conflicto.

Teniendo como base, esta aproximación contextualizada tanto de la norma como de la doctrina, estimo conveniente indicar que el derecho al acceso a la justicia, es un derecho fundamental de los seres humanos, mediante el cual, las personas accionan el aparato estatal, particularmente la Administración de Justicia, con la finalidad de someter un conflicto, que no fue posible solucionarlo entre los involucrados, para que sea el administrador de justicia, en este caso el juez, quien lo resuelva y de esta manera ponga fin a un litigio.

---

[1] CARBONELL, Miguel, y PARCERO, Juan Cruz, *Derechos sociales y derechos de las minorías*. México: Universidad Nacional Autónoma de México, 2000, p. 15.
[2] FERRAJOLI, Luigi, BACCELLI, Luca, y DE CABO, Antonio (eds.), *Los fundamentos de los derechos fundamentales*. Madrid: Trotta, 2001.

El carácter indefectible del derecho al acceso a la justicia en nuestras sociedades organizadas es evidente, no puede faltar para alcanzar un nivel de armonía social, puesto que, la forma mediante la cual se puedan llegar a solucionar las diferencias que surjan entre las personas en un lugar determinado, va también a marcar siempre el nivel de desarrollo y bienestar de los ciudadanos de aquel territorio.

Garantizar a las personas el acceso a la justicia, no tiene que ser visto únicamente desde la perspectiva de *deber*, que deviene de las obligaciones contraídas internacionalmente con los convenios y tratados internacionales como *estado,* dentro de cualquier sociedad, sino que, debe ser vista como un elemento trascendental para alcanzar un desarrollo social.

La ausencia de mecanismos de acceso a la justicia claros y efectivos, genera un problema social muy grave, que se enfoca en una incertidumbre generalizada, aumenta la falta de credibilidad en la justicia, y finalmente, se motiva a que las personas busquen formas violentas o poco éticas para la solución de los conflictos.

La importancia es indiscutible, es por ello que las normas procesales se han centrado en fortalecer y sobre todo agilizar los mecanismos de solución de conflictos, para hacer efectivo ese derecho fundamental de los seres humanos, como es el acceso a la justicia.

Dada la trascendencia del derecho al acceso a la justicia, se ha motivado a que la Asamblea General de las Naciones unidas en diciembre de 2012, apruebe por unanimidad los Principios y Directrices de las Naciones Unidas sobre el Acceso a la Asistencia Jurídica en los Sistemas de Justicia Penal (Resolución 67/187), constituyéndose en un instrumento internacional sobre el derecho a la asistencia jurídica.

Con este instrumento se refuerza aún más la importancia de este derecho, de tal forma que, se ha fijado adicionalmente que, para garantizarlo se requiere también la prestación de asistencia jurídica, que les permita a los ciudadanos hacer efectivo ese derecho.

En suma, el acceso a la justicia, como se ha recalcado en el transcurso de este texto, proporciona a las sociedades esencialmente paz, igualdad y oportunidades.

II. LA JUSTICIA Y SU NECESIDAD DE MEJORA

Partiendo de este primer acercamiento que, ha resultado bastante interesante con respecto o a lo que abarca el derecho fundamental del acceso a la justicia, en el que, se ha podido apreciar la forma en la cual la concepción de este derecho ha ido cambiando y ha ido perfeccionándose, es importante que nos situemos en los aspectos puntuales alrededor de los cuales vamos a tratar la temática de este trabajo.

Este análisis va dirigido al acceso a la justicia visto desde dos parámetros.

i) El primero contemplado como mecanismo para activar el aparato de justicia; y,

ii) El segundo como mecanismo para seguir alimentando el proceso en curso, esto es para presentar escritos, pruebas, pedidos, recursos, etc. ya que por obvias razones también es acceso a la justicia.

Como queda claro, acceder a la justicia en primer término, al activar el aparato estatal es la naturaleza misma de este derecho, bajo tal circunstancia, nos vendría a la mente que este derecho visto desde este parámetro se encontraría plenamente satisfecho al presentar el requerimiento judicial, pero desde mi perspectiva, quiero resaltar que, seguir actuando dentro de un proceso que se encuentra en curso, al que se le sigue aportando información y requerimientos, también es parte del derecho al acceso a la justicia, de modo que, el estado debe garantizar en las diferentes etapas, que los usuarios tengan acceso expedito e inmediato al proceso, para seguirlo alimentando hasta llegar a la resolución.

Actualmente, se ofertan las soluciones alternativas a los conflictos judiciales, pero esto entraña dentro de sí una serie de valoraciones que parten del hecho de que la justicia está colapsada y que, si se quiere solucionar ágilmente un conflicto, es necesario ceder en las pretensiones, ya que, el camino más largo y tedioso (el de la justicia), implica gastos y no necesariamente se obtiene el resultado anhelado.

Quiero hacer ver que, mi posición no está en contra de los métodos alternativos de solución de diferencias, ya que los mismos, en nuestros tiempos, han dado excelentes resultados para la solución de litigios, puesto que, en la mayoría de los casos, se han logrado resolver las diferencias en tiempo récord, con buenos resultados, evitando gastos para el estado y sobre todo evitando el desgaste de la gente.

Mi planteamiento va encaminado en el sentido de que, sigan coexistiendo estas dos formas de solución de controversias sociales, pero teniendo en cuenta que lo importante es fortalecer y mejorar el sistema de justicia tradicional, tomando en consideración que, los métodos alternativos de solución de conflictos al funcionar esencialmente de forma privada, por sí mismos han logrado desarrollarse y encontraron excelente cabida dentro de la sociedad.

El World Justice Project WJP ha elaborado un reporte del "Índice de Estado de Derecho 2020", por medio de un equipo de investigación, en el que se presenta un panorama del Estado de Derecho en 128 países, asignando puntajes y rankings. Estos puntajes son obtenidos al aplicar más de 130 mil encuestas a población en general, además, alrededor de 4.000 cuestionarios aplicados a expertos en justicia alrededor del mundo, para lo cual se miden ocho factores que son: límites al poder gubernamental, ausencia de corrupción, gobierno abierto, derechos fundamentales, orden y seguridad, cumplimiento regulatorio, justicia civil y justicia penal.

Este Índice cataloga a todos los estados, encabezando la lista con el número uno Dinamarca con un porcentaje global de 0.90 sobre 1, mientras que España se encuentra en el sitial 19 nada mal con un puntaje de 0.73, encontrándose por encima de Estados Unidos que se encuentra en el lugar 21 con una puntuación de 0.72, mientras que Ecuador se encuentra en el lugar 86 con un puntaje de 0.49.[3]

El World Justice Project realiza esta medición a nivel mundial concibiendo la importancia del estado del derecho en estos términos:

> "Estado de Derecho efectivo reduce la corrupción, protege a las personas de injusticias, y combate la pobreza. El Estado de Derecho es el sustento de comunidades de igualdad, oportunidades, y paz, además de

---

[3]   Datos obtenidos de la página web del World Justice Project https://worldjustice-project.org/sites/default/files/documents/WJP-Global-ROLI-Spanish.pdf   (fecha de revisión: 28/11/2021)

que funge como la base del desarrollo, de gobiernos transparentes que rinden cuentas, y del respeto a los derechos fundamentales. Tradicionalmente, el Estado de Derecho ha sido visto como el ámbito de abogados y jueces. Pero los problemas cotidianos de seguridad, derechos, justicia y gobernanza nos afectan a todos; de forma que el Estado de Derecho es un tema que nos involucra a todos"[4].

Cuatro principios fundamentales en los que se asienta el estado de derecho según el WJP son: 1. Rendición de cuentas, 2. Leyes justas 3. Gobierno abierto y 4. Mecanismos accesibles e imparciales para resolver disputas. Es en este último en el que la justicia debe aplicarse de forma oportuna por jueces competentes, éticos, independientes, y neutrales. Que la justicia sea accesible es una meta importante para todos los estados, para lo cual debe estar dotada de recursos suficientes.

De este interesante estudio se reafirma la importancia del acceso a la justicia en las perspectivas anotadas, siendo imperioso potenciar en cada región de acuerdo a las realidades propias aplicables a cada caso en concreto.

Con lo manifestado anteriormente, desde esta perspectiva, considero necesario pensar en mejorar los sistemas de justicia, partiendo de una reingeniería del derecho procesal, que conlleve a la automatización de ciertos procesos en búsqueda de la eficiencia y la anhelada agilidad judicial.

Basta con apreciar como, en cientos de actividades, la inteligencia artificial ha cambiado radicalmente el desarrollo de aquellas acciones, por ejemplo el caso de la producción de vehículos en la industria automotriz, recordemos como se lo hacía antes de la invención de la línea de fábrica de Ford, y como posterior a ella, las personas se sentían desplazadas laboralmente, pero lo que dio paso es a la aparición de nuevos empleos mucho más técnicos, en los que se aplicaban nuevos conocimientos y se hacía más uso de la inteligencia en actividades más complejas, desplazándose a los empleos manuales que no requerían de mayor razonamiento, sino principalmente de fuerza por lo que, podían hacerlo las máquinas sin tanto desgaste para el ser humano; otro ejemplo, es lo ocurrido

---

[4]   Ibidem.

en la industria de la mensajería, antes se realizaban de manera manual la selección de paquetes y el envío a sus destinatarios, ahora esa actividad se encuentra bastante automatizada, gracias a la ayuda de robots que cumplen muchas funciones inteligentes, que por medio de códigos de barras identifican al destinatario y el lugar en el que se encuentra, actividades que antes las realizaban los seres humanos manualmente, llegando incluso únicamente al empleo de mano de obra solamente para cargar bultos, mientras que en la actualidad, se emplean personas capacitadas técnicamente en el manejo adecuado y corrección de ciertos errores, que se podrían presentar en el funcionamiento de la maquinaria que se utiliza.

De la misma manera, como en estas actividades ha resultado beneficioso, por qué no pensar que, en el área de la justicia se puedan aplicar ciertos mecanismos que nos permitan a los operadores, librarnos de varias acciones repetitivas y tediosas, que desgastan a los trabajadores, provocando que realicen actividades de menor dificultad, que no son precisamente las actividades principales que deben desarrollar las personas, para de esta manera, poder concentrarnos en actividades que sean mucho más complejas, optimizando de esta manera necesariamente el recurso humano en aspectos en los que se vuelve necesaria la aplicación de un ser humano para desarrollar una determinada tarea.

Desde luego que, esta innovación no es tarea fácil. La innovación muchas veces implica rechazo, recordemos lo sucedido con el ludismo en el siglo XIX cuando se desarrollaba la revolución industrial, en la que un grupo de trabajadores al sentirse desplazados por las máquinas se asociaron con la intención de formar un frente en contra de dichos artefactos, llegando al extremo de destruir máquinas en las nacientes industrias para intentar frenar este desarrollo, ventajosamente estos movimientos con el tiempo fueron desapareciendo, ya que las personas se percataban de la importancia de emplear herramientas, que permitan al ser humano emplearlas para hacer más fácil la producción y también evitar el trabajo fuerte, desgastante e innecesario de las personas.

Everett Rogers en su teoría sociológica de la difusión de las innovaciones, establece un ciclo identificando cinco tipos de personas que en porcentajes se establecen en los siguientes valores: los pione-

ros, primeros seguidores, mayoría precoz, mayoría tardía y los reza-
gados, exponiendo Rogers que los pioneros son apenas un 2.5 %[5].

Pretender buscar un cambio en la función judicial es necesario,
pero lo importante es realizarlo desde la educación universitaria,
de tal forma que, se puedan formar incluso abogados globales que
ejerzan la actividad en cualquier parte del mundo, e esta forma se va
alcanzando un cambio generacional del que veremos un resultado
en algunos años.

Dentro de la aplicación de la inteligencia artificial a la Justicia,
debemos considerar los múltiples beneficios que se lograrían alcanzar, por mencionar unos pocos tendríamos: Certeza en la identidad-
seguridad, reducción de costos, automatización de los procesos, eliminar el soporte de papel, mejorar el servicio, e incluso, mejorar el
acceso a la justicia habilitando las plataformas informáticas judiciales las 24 horas los 7 días a la semana.

III. LA INTELIGENCIA ARTIFICIAL APLICADA AL DERECHO

El objetivo que deberíamos plantearnos inicialmente, es evidenciar lo importante que resulta aplicar la tecnología adecuadamente,
esta perspectiva se refleja en múltiples situaciones, como es el caso
de no seguir haciendo lo mismo con computadores de última tecnología, puesto que estamos acostumbrados a que nos entreguen
un computador, con una amplia memoria del disco duro y RAM
comparados con los anteriores, que les vuelven extremadamente
rápidos, cuando lo único que logramos utilizar, y a medias, es un
procesador de texto que lo único que hace es plasmar en papel lo
que decimos en palabras, y digo que es a medias, cuando este mismo
procesador de texto nos proporciona una infinidad de herramientas,
que nos suministrarían mayores facilidades para ejecutar el trabajo
o mejorar notablemente el mismo, de las cuales ni siquiera nos hemos molestado en investigarlas. Del mismo modo, en la actualidad

_____

[5]   ROGERS, Everett M. *Diffusion of innovations*. Nueva York: Simon and Schus-
      ter, 1962.

encontramos nuevos programas que facilitan las acciones en una infinidad de campos, los cuales, en la mayoría de los casos, accedemos por obligación y no por iniciativa propia.

Es así que, lastimosamente las autoridades en la mayoría de los casos han pensado de forma similar, creyendo que es cuestión de comprar computadores con una gran capacidad de procesamiento de datos y que con eso se soluciona todo, cuando el tema como lo hemos visto, es mucho más profundo que aquello.

La clave de la innovación en la justicia en estos momentos, en mi criterio, se centra en volcar la mirada a la necesidad de emplear programas *disruptivos*, aquellos sean ideados para facilitar notablemente la actividad de los operadores de justicia, pero entendiendo que deben ser programas que sean amigables con el usuario, que sean ágiles, bien diseñados, llamativos y eficientes. En la función pública, muchas veces hemos podido apreciar que, se adquieren programas que no funcionan bien, y lo que es peor, obstaculizan el trabajo de los funcionarios, al punto de que prefieran hacerlo de la misma forma que lo hacían antes a emplear los nuevos sistemas.

En este punto, con lo manifestado se puede identificar dos grandes ventajas que se lograrían alcanzar con el empleo de los programas disruptivos, es así que mencionamos:

i) La eliminación de las actividades repetitivas y tediosas que quitan tiempo. En aquello podemos mencionar como ejemplo, el generar resoluciones o dictámenes que luego deben ser transcritos, copiados, formateados, etc. en nuevos textos para ser enviados o notificados. Actividades manuales que, en la mayoría de los casos los hace el mismo funcionario o deriva esta tarea a otro de menor jerarquía, para que los realice, como es el caso de los ayudantes y secretarios.

ii) Derivado del beneficio anterior, el tiempo que se desperdiciaba en aquellas actividades manuales, se lo emplearía en el uso del intelecto y experiencia en las actividades que realmente lo requieren, como sentenciar o dictaminar una causa.

De momento se puede apreciar que, en efecto la inteligencia artificial ha contribuido al acceso a la justicia puesto que se ha permitido, por ejemplo, acceder a audiencias de forma distante y sin colapsar los espacios físicos, con motivo de la pandemia provocada por el COVID-19.

Partiendo de las ventajas del empleo de la tecnología en la justicia, lo que deberíamos plantearnos, es una *cobotización* en la que pueda generarse una convivencia o coworking entre humanos y robots[6], de tal manera que, la inteligencia artificial potencialice enormemente las capacidades del ser humano que labora en la administración de justicia, de modo que, se pueda mejorar todo el sistema judicial incidiendo en lo propuesto en un inicio, mejorar para las personas el acceso a la justicia de forma expedita, procurando cambiar la idea de una justicia arcaica, lenta e ineficiente.

Esta *cobotización* entre el funcionario judicial y los ordenadores, inicialmente se puede emplear para eliminar aquellas actividades tediosas y repetitivas de menor importancia, que hemos detallado anteriormente, pero en lo posterior, luego de un trabajo más profundo en aquellos sistemas, se puede emplear en actividades mucho más complejas que, nos van abriendo paso a soñar, que en un futuro no muy lejano, nos atrevamos a pensar que se pueda mejorar la justicia, empleando sistemas informáticos que ejecuten varias actividades, encaminadas a evitar la discrecionalidad de los juzgadores en tomar ciertas decisiones, principalmente en lo inherente al debido proceso.

Recalquemos que, en esta etapa la inteligencia artificial no es un fin por sí misma, sino que, por el contrario, es un medio para la búsqueda de una justicia que sea eficiente, rápida y oportuna, por lo que, para alcanzar aquello, debemos fijarnos en la fiabilidad que proporcionen estos sistemas informáticos.

Recordemos que todos los sistemas informáticos dependen del ser humano, la persona es quien lo crea, lo programa y establece los parámetros dentro de los cuales se ejecutará dicho programa, esto es, la creación de algoritmos y lenguajes de programación para resolver problemas o tomar decisiones, por lo que, en cierta forma, la mentalidad del creador del sistema informático se ve reflejada en dicho programa. Al respecto hay un ejercicio que ya se desarrolló en

---

[6]　TÚÑEZ LÓPEZ, José Miguel, «Tendencias e impacto de la inteligencia artificial en comunicación: cobotización, gig economy, co-creación y gobernanza». Fonseca, *Journal of Communication*, núm. 22, 2021, p 13.

los Estados Unidos que es el proyecto COMPAS, el mismo que fue el encargado de resolver dentro del caso Tribunal Supremo de *Winsconsin State vs. Loomis*, 2016, en el que el sistema realizó un análisis del procesado *Loomis*, quien pretendía que se le otorgue la suspensión de la condena, pedido que el juez resuelve negar, considerando la gravedad del crimen sumado al historial en materia de supervisiones judiciales del sistema COMPAS, sistema informático que habría determinado que no se le debía aceptar el pedido[7]. Luego de varios incidentes de la defensa, se solicitó saber cómo funciona aquel algoritmo, a lo cual no se dio paso, en razón de estar protegido por los derechos de propiedad intelectual, es así que, se cuestionó sobre un posible sesgo ideológico que tenía este programa, que le volvía discriminador y, por tanto, vulneraba el debido proceso del procesado.

En la aplicación de sistemas de inteligencia artificial, Latinoamérica no ha pasado inadvertida, existe el proyecto PROMETEA aplicado dentro de las competencias del Ministerio Público Fiscal de la CABA en Argentina, mediante el cual se logró predecir y automatizar dictámenes legales con una tasa de acierto que según sus creadores fue superior al 96%[8], aplicada a ciertos casos judiciales.

Otro ejemplo que encontramos en Latinoamérica es el proyecto PretorIA, que se aplica en la Corte Constitucional de Colombia, programa que está encaminado a ser una herramienta de selección de sentencias para establecer líneas de decisiones que se han emitido con anticipación, además se va creando un sistema que puede predecir, frente un caso concreto, como podría llegarse a adoptar una decisión que tenga el mismo problema jurídico a resolverse, como otros similares ya resueltos[9].

Asia no podía quedarse atrás, es así que China ha implementado el Sistema 206, considerado una herramienta novedosa en el año de 2019, se conoce que este programa puede evaluar el grado de peligro-

---

[7]   ROMEO CASABONA, Carlos María, «Riesgo, procedimientos actuariales basados en inteligencia artificial y medidas de seguridad». *Revista Penal*, núm. 42, 2018, p. 48.

[8]   CORVALÁN, Juan Gustavo. «Inteligencia Artificial GPT-3, PretorIA y oráculos algorítmicos en el Derecho». *International Journal of Digital Law*, núm. 1 (abril de 2020), p. 42.

[9]   Ibidem, p 44.

sidad de un sospechoso, analizando su conducta anterior al cometimiento de un delito, con acciones cotidianas como podrían ser la conducta vial de un individuo, aunque se comenta que este sistema, puede también analizar la solidez de las pruebas. Pero China ha ido más allá y ha implementado en la Fiscalía Popular de Shanghai Pudong, un sistema informático capaz de elaborar escritos de acusación y también presentar cargos contra sospechosos, es decir que va al punto de realizar ciertas actividades del Fiscal para reducir su carga laboral.

En esencia todos estos ejemplos de programación de sistemas por medio de algoritmos, dependerán de la información con la que se les abastezca, pero lo fundamental son las instrucciones que deban cumplir y esto a su vez depende exclusivamente de los programadores que establecen lo que deben ejecutar los ordenadores, por tal razón, la nueva visión que se dé a la inteligencia artificial (IA) aplicada a la justicia, se centra en la fiabilidad de un sistema informático, es decir, i) hasta qué punto podemos confiar en la forma con la cual ha programado el sistema para cumplir con un objetivo, ii) los criterios con los cuales se les haya alimentado el sistema, y finalmente, iii) la vulneración que podría adolecer el sistema.

Estos tres aspectos nos muestran los desafíos que en los próximos años debe afrontar la inteligencia artificial (IA), para poder seguir ganando espacio dentro de la justicia. En este camino, ya se han propuesto varios temas a analizar, en primer lugar, se menciona el respeto a los derechos fundamentales en el momento en el cual la persona proporciona información al sistema y, en segundo lugar, el uso que se dé a aquella información. En aquello, Europa va marcando el camino con la presentación del proyecto de Reglamento del Parlamento Europeo y del Consejo, por el que se establecen normas armonizadas en materia de inteligencia artificial (ley de inteligencia artificial) y se modifican determinados actos legislativos de la Unión Europea, así también, se ha generado la Carta ética europea sobre el uso de la inteligencia artificial en los sistemas judiciales y su entorno[10], que está ampliando la mirada hacia la necesidad de reglar estos ámbitos para

---

[10]   DE ASIS PULIDO, Miguel, «La incidencia de las nuevas tecnologías en el debido proceso», *Ius et Scientia*, núm. 2, 2020, p. 190.

el respeto de los derechos de las personas, de tal forma que, doten de cierta certidumbre hacia la *innovación*.

Si bien es cierto que la inteligencia artificial está ocupando desde ya, varios caminos de la justicia, es necesario que los esfuerzos de los abogados vayan centrados hacia el respeto de los derechos fundamentales de las personas con estos sistemas informáticos, enfocándonos en robustecer esos derechos, no únicamente en facilitar el trabajo, puesto que a pretexto de agilidad en los procesos judiciales, se pueden llegar a vulnerar los derechos, pasarse por encima de las mismas personas y menoscabar la normativa jurídica, por ello la labor no resulta únicamente de un ingeniero en programación de sistemas, sino que estaríamos frente a un nuevo profesional que tenga bastos conocimientos de sistemas y programación y a la par de derecho, de tal forma que, su trabajo sea global en pro de la evolución favorable del derecho.

Como corolario de todo lo manifestado, considero que es necesario trabajar, de hecho me comprometo a hacerlo, en el estudio de formas de inteligencia artificial que estén centradas en mejorar el acceso a la justicia de los ciudadanos, con la finalidad de que los usuarios se vayan familiarizando con los sistemas informáticos, generando una cultura de acceso a nuevas tecnologías para facilitar la vida de las personas, fortaleciendo firmemente el derecho del acceso a la justicia, como un derecho fundamental de los seres humanos protegido nacional e internacionalmente, sin dejar de lado los otros derechos de esa misma categoría.

JUSTICIA ALGORÍTMICA. UN PARADIGMA DE COMBATE AL BLANQUEO DE CAPITALES DENTRO DE LA REALIDAD VIRTUAL ACTUAL

SILVA LEMUS CRISTHIAN IVAN
Doctorando en Derecho
Universidad de Salamanca (España)

I. UN ENEMIGO PÚBLICO DE MUCHA PELIGROSIDAD PARA EL ESTADO DE DERECHO

El concepto de Estado de Derecho tal y como von Mohl y algunos otros exponentes de la doctrina alemana le concibieran en aquel lejano año 1832 dentro de la obra *Die deutsche Polizeiwissenschaft nach den Grundsätzen des Rechtsstaates*[1], hoy en día ha sufrido un sin número de variaciones; todo con la intención de poderse adecuar a los tiempos que durante estos ya casi dos siglos de su existencia se han venido presentando.

Aunado de su vetusta edad, la esencia de sus principios fundamentales se sigue aferrando a no sucumbir ante las tomas de decisiones que el *zoon politikon* en pro de su ansiado progreso tiene que ejercer.

---

[1]   Se traduce al español como *La ciencia de política alemana en conformidad con los principios de los Estados de Derecho*.

Es el *Rechtsstaat* una conformación racional, fundada en la exigencia de libertad, que regula la vida humana no de manera ilimitada sino eliminado los obstáculos para el libre desarrollo de las fuerzas del individuo, lo cual implica una amplia actividad de apoyo y fomento (Abellan Joaquin, 1983).

En consecuencia, el argumento anterior posiciona a ese animal político como el objeto principal de la existencia del *Rechtsstaat*, ya que es por este, y de su afán por vivir en un entorno en el que su rol social se logre sin entorpecimientos, como se materializa la conformación racional a la que el autor refiere. Bien sabido es que la aspiración máxima de un individuo en sociedad es vivir sin restricción alguna, sin embargo, la propia naturaleza humana ha demostrado que Thomas Hobbes tuvo toda la razón cuando calificó al individuo como *homo homini lupus*.

Debido al apetito voraz del ser humano por situarse como esa única especie dominante, inclusive con respecto de sus símiles, es que al libre albedrío se le ha de contemplar una delimitación dentro de la amplitud de su ejercicio. Para tales efectos se echa mano del binomio de actuaciones que conforman los alcances y los límites; cuya finalidad principal es la de permitir el ejercicio pleno de los derechos, fijando a su vez también, una serie de constricciones que fungen cual elementos restringentes de esa desenvoltura.

Al precisar sobre el hacer y el no hacer del individuo como eje central de cada sociedad organizada se determina una dinámica de permisibilidad, pero por consiguiente un condicionamiento, que en el argot de la Ciencia Jurídica se traduce como reglas coercitivas. Con miras encaminadas a mantener un orden social dentro de todo Estado de derecho es que se fija este equilibrio; toda vez que esa ambición intrínseca del ser humano necesita una contención para que no se entorpezcan aquellas finalidades primarias.

No obstante que la materialización de esta encomienda se vea reflejada en los compendios legales de esas estructuras humanas, el pasar de los años ha mostrado que pueden sucumbir ante los arrebatos de esas generaciones y sin importar la época de que se trate. Es en la búsqueda por ese encumbramiento que pueden existir comportamientos individuales y colectivos con los que la función de las reglas de convivencia social se ve alterada, a un grado de ponerles en duda, y con ello parte del cometido que guarda ese ideal de ordenación.

Ahora bien, la unificación de personas puede traer consigo beneficios para su desarrollo como agrupaciones sociales, pero de igual manera ello llega a significarles su propia decadencia. Lo anterior porque en la medida en que esa unión lleva a cabo el ejercicio de sus actividades cotidianas por el marco de lo que jurídicamente no es aceptado, se van trastornando los esfuerzos de quienes buscan alcanzar mejoras graduales. De modo que un gremio puede volverse una célula cancerígena, que, si no se trata, puede contaminar todas las estructuras de dicha Sociedad. El ejemplar que se ha tomado de referencia para el estudio presente es el blanqueo de capitales, cuyos efectos nocivos, históricamente le han generado a todos los colectivos humanos organizados un sin fin de problemáticas; inclusive en ocasiones ellas lograron poner en una situación prácticamente de sumisión, al Sistema normativo que en aras de tomar acciones punitivistas en su contra se había institucionalizado.

El "(…) conjunto de mecanismos o procedimientos orientados a dar apariencia de legitimidad o legalidad a bienes o activos de origen delictivo"[2] es la manera con la que dentro de la Doctrina jurídica internacional se le conoce a esta actividad delictiva. La conceptualización universal de esta actividad delictiva permite hacer una determinación de esta actividad; entendiendo como primicia fundamental de la misma la necesidad de recurrir a una sistematización para así poder presumir una consumación.

Por lo que respecta al procedimiento a través del cual se ve perfeccionado el blanqueo de capitales se tiene en primer momento la fase de Colocación *(placement stage)*; le precede la fase de Estratificación *(layering stage)*; y de lograrse las etapas mencionadas, habrá de concluir con la fase de Integración *(integration stage)*. Otro factor para destacarle es que ha de requerir *sine qua non* la intervención de todas aquellas actividades delictivas que dentro de sus efectos nocivos se observe la concentración de cuantiosos recursos monetarios.

A la existencia de esta metodología le condicionan hechos previos que justo son el combustible con el cual se le da rienda a la misma.

---

2   MARTÍN, J.: "El reto de la prevención del blanqueo de capitales en un mundo globalizado/the challenge of money laundering prevention in a global world", en *Revista de Derecho UNED*, núm. 12, 2013, pp. 463-493.

Con el pasar de los años diversas figuras delictivas han servido de precursoras y al mismo tiempo le han convertido en el financiador de otras actividades delictivas. Tráfico de armas de uso exclusivo de las Fuerzas Armadas, Delitos de explotación sexual comercial, Contrabando, Delitos Financieros y contra de la seguridad jurídica de los medios electrónicos son una constante dentro de esta criminalidad.

Dentro de este listado se pueden apreciar actividades que con su *iter criminis* han de vulnerar bienes jurídicos como lo es la Vida, la Seguridad y la Libertad. No conforme con esos detrimentos, la simbiosis criminal que se crea desde el momento en el que esas actividades delictivas y el blanqueo de capitales se encuentran se convierten, además, en un equipo sofisticado que lacera la esencia del *Rechtsstaat*. Conculcación de lo que dispone el Sistema Financiero, la Libre competencia y el Patrimonio económico social es lo que deriva de esa unión.

II. BLANQUEO DE CAPITALES. UN BREVE RELATO DE SU HISTORIA

Más de medio siglo de historia normativa respaldan los actos de gallardía global que en contra de este delito se han emprendido, sin embargo, esas pretensiones, materialmente hablando no han sido del todo alcanzadas, incluso, con el pasar de los años mayores son los retos que este arte delictivo le genera al bloque jurídico legal. Aunado de que el punto de partida de este combate sea el año 1980, la realidad actual les ha dado desventaja a las leyes combatientes.

En otras palabras, lo anterior, la era de las Tecnologías de la Información y Comunicación, la masificación del uso de la Internet, la proliferación de la Inteligencia Artificial, la latente transición hacia una cotidianeidad virtual, y los abruptos cambios que trajo consigo la inesperada aparición de la pandemia de la SARS-CoV-2, fueron los escenarios idóneos para que los artífices de esas malas artes las llevasen a otro nivel, y con ello sus efectos fueron aún más nocivos.

El nuevo milenio sería otro antecedente relevante dentro de este ya tradicional combate mundial puesto que las estrategias de blanqueo empleadas fueron matizadas con una profesionalidad acorde a las ventajas que los tiempos modernos vienen brindando. Además, las ganancias derivadas de estas actividades vienen *in crescendo* de manera desproporcionada. "(…) se estima que en el ámbito internacional se blanquean 600.000 millones de dólares de procedencia ilícita"[3].

Globalmente, "según cálculos del Fondo Monetario Internacional, el 2% y el 5% de la economía mundial procede del lavado de dinero"[4]; lo que genera un profundo desasosiego no sólo dentro de ese bloque, sino también en el de cada nación en particular. Los menoscabos a ese rubro se agudizan, toda vez que a partir de la colocación de las ganancias negras dentro de esas estructuras es casi imposible que *a posteriori* se ubiquen, y por consiguiente quedan impunes al no podérseles aplicar sanción alguna.

Se puede apreciar de lo anterior que la tendencia mundial actual ofrece una dinámica un tanto desalentadora para el combate de esta tendencia delictuosa porque conforme se logra un progreso o desarrollo social, se abren panoramas para que quienes echan mano del blanqueo para subsistencia diaria continúen produciendo ingresos. Todo ello ha llevado a la Doctrina especializada en la temática a categorizarla como un delito con alto grado sofisticación en su praxis.

En tanto, esa cualidad narrada es la que hoy día le facilita a la metodología del proceso por el cual se logra que las riquezas de procedencia criminal se mimeticen dentro del sistema financiero legal y por tanto alcancen esa ansiada finalidad, que es la de subvencionar la semántica delictiva existente. De tal suerte que,

> Hoy el blanqueo de capitales se constituye como una empresa del crimen organizado que funciona utilizando todos los mecanismos que la sociedad pone a su alcance, incluso adelantándose a esta. La globalización faculta el campo de operaciones para el blanqueo de capitales y dificulta su persecución, dando a estas organizaciones capacidad sobre el orden económico y social[5].

De la opinión doctrinal que se observa llama la atención la referencia que hace para esa ventaja que el blanqueo de capitales ha tomado con respecto de los Sistemas jurídicos existentes en el mundo.

---

[3] BERMEJO FERNÁNDEZ, D.: "En torno al concepto del blanqueo de capitales. Evolución normativa y análisis del fenómeno desde el Derecho penal", en *Proyecto I+D+I del Plan Nacional: «Ciberlaundry»* ADPCP, vol. LXIX, 2016, pp. 214-218.

[4] Ibid.

[5] MARTÍN, J.: "El reto de la…", *op. cit.*, p. 463.

Precisamente es gracias al dinamismo social, y a la lenta e inefectiva concepción normativa sobre la materia que, en esta Aldea global, se vuelve más atractivo y redituable ejercer el blanqueamiento de dinero; inclusive por encima de cualquier otra profesión o negocio legitimo.

Ahora bien, el Grupo de Acción Financiera Internacional (FAFT por sus siglas en inglés) quien es el órgano eje y antípoda de los blanqueadores de capitales, desde su creación (año 1989) se le designó la tarea de generar, institucionalizar y modernizar, a través de evaluaciones realizadas por su especialistas, las políticas de identificación, sanción y mitigación recabadas en su Documento cumbre, Las 40 recomendaciones del FAFT, para que mediante ello se pueda ir acorde al contexto que en determinado tiempo se viva.

Amén de los trabajos de estos especialistas, y de que los impactos del blanqueo de capitales no excluyen a ningún Sistema económico, no se ha logrado la unificación de criterios para combatirle. La razón principal de esta raquítica concordancia global es que las 40 recomendaciones del FAFT al ser erigidas bajo la calidad del *soft law*, algunas naciones se excluyen de toda obligación para la adopción de estas, amparándose bajo el argumento de que no son normas con un rigor que les haga vinculárseles.

Sin importar lo relevante que dentro de la Globalización se han vuelto ya estas normas de derecho dúctil, aún hay territorios que les desconocen. Por lo que al blanqueo de capitales se refiere, esto ha sido como una especie de trastabillo en la búsqueda de la Justicia, por ejemplo; debido a que los países que les han reconocido (37 países y dos organizaciones regionales) encuentran dificultades porque en aquellos en los que la jurisdicción del FAFT no tiene efectos se realizan a placer blanqueos de capitales.

> (…) efectivamente, las Recomendaciones del GAFI (*soft law*) ostentan capacidad de dirigir, y no solo de influenciar el sentir de los ordenamientos jurídicos nacionales, hasta el punto de que, en virtud de su contenido, se expande al Derecho penal con la inclusión de nuevas figuras penales, como el auto-blanqueo, lo que, demás, puede implicar quiebras de principios esenciales como el *non bis in idem*[6].

---

[6]   DE LA CUERDA, M.: "La incidencia del "soft law" en la expansión del Derecho penal", en *Anales de la Cátedra Francisco Suárez*, Protocolo I, 2021, pp. 211-234.

Resulta una verdadera paradoja este escenario porque desde la delegación de la titularidad de esta actividad a dicho organismo internacional se ha avanzado en el combate a todos esos actos antijurídicos; tanto que se le pudo dar una tipificación a dicha sistematización, dejando de lado la visión sesgada de antaño, la misma que acusaba a aquellas prácticas relativas al tráfico de sustancias narcóticas ser las únicas y potenciales precursores del delito de blanqueo de capitales.

La alusión encontrada en el argumento que antecede es la ejemplificación de algunos de los avances cuya existencia no hubiese podido ser parte de los anales históricos de esta disputa, sino fuese por los estudios evaluativos que periódicamente realiza el FAFT a su Documento cumbre. Siguiendo la misma línea discursiva se tiene que:

> En los últimos 30 años, el alcance y la cobertura de la "ley blanda" del GAFI se ha expandido considerablemente. Las 40 Recomendaciones, formuladas en 1990, fueron revisadas por primera vez en 1996 para adaptarse al fenómeno cambiante del blanqueo de capitales. Entre las mejoras introducidos está la extensión del blanqueo de capitales para incluir delitos graves, mucho más allá de los delitos relacionados con el tráfico estupefacientes. Una revisión más exhaustiva tuvo lugar en el 2003, que combinaba las 40 Recomendaciones revisadas con 9 recomendaciones especiales sobre el financiamiento del terrorismo; tales modificaciones tenían como objetivo fortalecer las medidas AML/CFT (...)[7].

Así entonces, tal y como se ha venido insistiendo, es a través de estos trabajos como el FAFT intenta concordar a los contratiempos que han de surgir en cada época vivida, las labores que le dan razón de ser. Es claro que estas recomendaciones sí, no han sido las medidas más efectivas, puesto que como ya se ha comentado, las cifras de dinero blanqueado dentro del tráfico legal son cada vez más exorbitantes; pero han podido ejercer la función, para nada sencilla, de guiar por una vía menos incierta la contraofensiva mundial.

Determinar pautas menos dispersas de combate y mitigación al blanqueo de capitales es una especie de credo para el FAFT puesto

---

[7]   Ibidem, p. 225.

que de ellas depende en gran medida que este fenómeno no se salga de las manos a los Gobiernos del mundo justo en este momento, en el que se viven escenarios en los que la realidad está superando la ficción, en los que, por cierto, no son más que la exteriorización del proceso de transición del mundo real hacia uno completamente virtual.

Por lo que ocurre en los tiempos modernos, y en concreto por la metamorfosis que el blanqueo de capitales ha adquirido, la Comunidad internacional urge de echar mano también, de los avances que el mundo digital pone al alcance. Y bueno, al existir una necesidad de socorro dentro del seno de los centinelas de los Sistemas económicos de la mayor parte del mundo, que más bien se traduce en un llamado para innovar en alternativas mucho más sofisticadas; es momento de emplear su metodología para así restarle fuerza a este complejo delito.

III. JUSTICIA ALGORÍTMICA. UN PARADIGMA DE COMBATE AL BLANQUEO DE CAPITALES

La era de las tecnologías de la información y comunicación en muchos sentidos ha rebasado las expectativas de quienes las han creado, o bien, de quienes continuamente y en aras de ayudar al progreso de la humanidad, invierten su tiempo y esfuerzo para remozarles. Por fortuna para los hilos estructurales que sostienen a las civilizaciones, estas labores científicas han rendido frutos muy provechosos; esfuerzos conjuntos que les ha valido el considerarles ya como un auténtico *aggiornamento*.

En lo que a la Ciencia del Derecho respecta, ella, al fungir como el medio por el cual se determina si la convivencia humana en sociedad puede ser pacífica o un completo caos, no debe ser la excepción en esta modernización. En este sentido, todo el conocimiento jurídico aplicado para el combate al blanqueo de capitales debe tecnologizar, tanto sus principios Dogmáticos, como también el pliego de actuaciones que conforma su Pragmática; de lo contrario, se corre el riesgo de que dentro de este tiempo, toda esa historia de lucha, se vuelva simple letra muerta.

Dentro de los avances tecnológicos de mayor relevancia que se han alcanzado en esta segunda década del milenio en curso es la

Inteligencia Artificial (A.I en adelante). Quiere decir que es mediante "(...) el desarrollo de máquinas capaces de pensar o dotadas de algunas capacidades humanas (...)"[8] se ha intentado facilitar la actividad de los individuos. De modo que la A.I lo que busca es que mediante algoritmos o logaritmos se tengan los instrumentos para que las labores humanas de mayor complejidad sean realizadas con un margen de error mínimo.

Blanquear dinero es por sí una actividad mucho muy compleja de sancionar porque su metodología está sacando partido de cada etapa de desarrollo humano; ya que han utilizado las rendijas dejadas por las normas tan laxas destinadas a su combate. Es de esta forma la cual los delincuentes siguen vigentes en los sistemas económicos. Conforme lo anterior, y si la I.A. busca resolver básicamente los problemas humanos de mayor complejidad, surge la interrogante de ¿Es el blanqueo de capitales una de esas actividades en las que la I.A. debe tomar partido?

En suma, se debe de institucionalizar de una vez por todas, dentro de los Sistemas jurídicos, una justicia algorítmica; puesto que los tiempos de ahora muestran que no sólo el ser humano puede ser la única potestad capaz de asumir y resolver problemáticas, como en este caso lo es el blanqueo de capitales; sino que debe permitirse ampliar la visión y echar mano de los provechos que el mundo virtual está ofreciendo. En concreto, la Inteligencia Artificial tiene que fungir el rol de antagonista del combate a este delito, y auxiliarle a la Ciencia jurídica.

No se debe dejar de lado el hecho de que en un Estado de derecho lo que debe primar es la Justicia, sin importar las circunstancias que intervienen. Y cuando se hace referencia a una justicia algorítmica para el combate al blanqueo de capitales, conlleva toda una preparación y profesionalización por parte de quienes la ejercen. "(...) Subrayar que expertos y expertas de distintos campos– incluyendo el derecho, la economía, la ética, la informática, la filosofía, y las ciencias políticas–

---

[8]   OLIVER; N.: "Inteligencia artificial, naturalmente Un manual de convivencia entre humanos y máquinas para que la tecnología nos beneficie a todos" en *Los nativos digitales no existen*. España, Observatorio Nacional de las Telecomunicaciones y de la Sociedad de la Información ONTSI, 2020, pp. 21-25.

inventen, evalúen y validen en el mundo real diferentes métricas de justicia algorítmica para diferentes tareas (...)"[9].

La lucha contra del blanqueo de capitales requiere una compleja logística cuya función no debe ser aislada, porque no se concretarían los objetivos presupuestos. Por eso la Justicia algorítmica, además del involucramiento de otras ciencias con las disciplinas jurídicas requiere, "(...) también incluir el de cooperación. Debido a la transversalidad de la inteligencia Artificial deberíamos fomentar y desarrollar un intercambio constructivo de recursos y conocimientos entre los sectores privado, público y la sociedad en general, para conseguir el máximo potencial de aplicación y competitividad (...)"[10].

IV. CONCLUSIÓN

Dadas las sumas estratosféricas de capitales blanqueados es que se advierte que, si bien las medidas de antaño ayudaron en su momento a trazar una línea que llevaría a la criminalización de este actuar delictivo, hoy se requiere una reinvención de esta tendencia surgida hace algunos ayeres. Con la meta de enfrentar en una misma igualdad de condiciones el dinamismo acelerado del blanqueo de capitales, es que se sugiere echar mano de las bondades que la era tecnológica brinda.

Aquellos quienes deliberan el rumbo que ha de tomar esta actividad delictiva, y sobre todo su incidencia dentro de los Estados de derecho, se les debe arropar mediante el otorgamiento de protocolos de alto grado de sofisticación tecnológica, como en este caso lo es la A.I.; puesto que este medio puede servir de respuesta más contundente al crecimiento del blanqueo de capitales. Correspondería facultar entonces, mediante las normas que tutelan dicho combate, a las Unidades de Inteligencia Financiera para emplear tecnologías de esta vanguardia.

Se propone echar mano de inteligencias no sólo humanas, sino que también de todas aquellas que resultan de programaciones; tal es el caso de las redes neuronales, algoritmos o logaritmos que puedan ubicar de manera natural e inmediata cualquier actividad relacionada

---

[9]   Ibidem, p. 122.
[10]   Ibidem, pp. 125-127.

con el blanqueo de capitales; o bien, movimientos inusuales que a la postre puedan significar un blanqueamiento de ganancias espurias. La unificación de criterios debe de ir en ese sentido, en trabajar en conjunto para incorporar esta clase de potestades

Se suele comentar coloquialmente que dos cabezas siempre pensarán mejor que una, por lo que en este caso ya se tendrían no sólo las mentes humanas que generan las normas de combate al blanqueo de capitales, sino que por igual, se tendrían mentes que de forma operacional sean el primer bloque de defensa de los sistemas económicos en el mundo. Por ello es por lo que es una necesidad que el frente opositor a esta actividad institucionalice la justicia algorítmica, y la vuelva un elemento a salvaguardar dentro de ese Estado de derecho virtual.

La tendencia mundial está marcando que la transición hacía ese metaverso está en un abrir y cerrar de ojos, y por esa razón es que se le debe de dar una atención jurídica a las circunstancias antijurídicas surgidas en ese universo paralelo al real, puesto que cual efecto domino, al no ser tratadas las consecuencias repercuten en el plano material también. Un enfoque previsor es el que se busca generar con la adopción de las A.I.; por lo tanto, es que con ellas se busca evitar el comienzo de su etapa primaria, la que es el parteaguas de todo ese mal.

Ya no se vale sancionar estas actividades delictivas basándose en la vetusta política del *follow the money*, lo que se tiene que hacer es evitar que entre ese dinero; y ¿cómo se pretende ello? Pues justamente se quiere evitar, mediante el uso de la A.I. que toda gestión que sea catalogada como la precursora de la etapa conocida como *placement stage* sea sometida a una evaluación en tiempo real por parte de estas inteligencias, y a través de su análisis puedan determinar si existen los elementos para determinar que se trata de un potencial blanqueo.

Puede ser esta una de las medidas que mejores dividendos le deje a la localización y sanción del blanqueo de capitales, puesto que no sería una mente humana la que se encargue de este primer paso, sino una mente artificial; y que dicho sea de paso, en ellas, al no median criterios subjetivos en su toma de decisiones, como si sucede con la mente humana, en las que las pasiones o ambiciones, por ejemplo, determinan el quehacer.

LA VALORACIÓN PROBATORIA POR MEDIO DE HERRAMIENTAS DE INTELIGENCIA ARTIFICIAL

ANA TERESA INTRIAGO CEBALLOS

Magistrada en la Corte Provincial de Justicia de Pichincha (Ecuador)
Doctoranda en Derecho en la Universidad de Salamanca (España)

I. INTRODUCCIÓN

La utilización de las herramientas digitales y los productos de inteligencia artificial en la administración de justicia no es nueva, la pregunta de Allan Turing en 1950 respecto que si las máquinas pueden pensar y su famoso test, fueron trascendidos a lo largo del siglo anterior y a principios de éste podemos decir que en casi todas las judicaturas se utiliza de un modo u otro medios digitales y software desarrollado para búsqueda de contenidos jurídicos y para auxiliar en la redacción de memoriales judiciales.

Las máquinas inteligentes han invadido nuestro espacio humano, de lo cual no podía escapar ni siquiera el ámbito público, hemos visto como las entidades de ese sector han implementado páginas webs, consultas y pago en línea de las contribuciones económicas de los ciudadanos, pero ¿qué sucede con una de las actividades creadas por la humanidad para impedir que se tome justicia por mano propia? Sí la administración de justicia, servicio exclusivo de la potestad estatal para dilucidar conflictos, sancionar infracciones y tutelar derechos de los ciudadanos.

La primera corte virtual de China se creó en 2017 en Hangzhou, la que es una ciudad en donde radican muchas empresas de tecnología, los sistemas de Prometea en Argentina, de Pretoria en Colombia, Compas que es un auxiliar para las autoridades carcelarias en los EEUU, los expedientes electrónicos y en general el software desarrollado para la valoración probatoria, el reconocimiento de patrones que permitirían elaborar resoluciones judiciales con celeridad y eficacia.

En el artículo "Robot Justice: The Rise of China's Internet Courts" de Bryan Lynn[1] da cuenta que en entre los meses de marzo y octubre de 2019, se realizaron más de 3.1 millones de actividades, más de un millón de ciudadanos se registraron en el sistema y aproximadamente 730.000 abogados, que entrevistados los usuarios, manifestaron estar satisfechos con la actividad de este Tribunal que se dedica a asuntos de comercio por internet, derechos de autor y ventas en línea, funciona todos los días del año, a horario completo, que el objetivo principal es aliviar la carga a los jueces humanos.

Patrick Susskind escribió sobre este tema en el 2019, en su obra Tribunales online y la justicia del futuro, relata sobre la resistencia inicial a sus investigaciones desde los ochenta y su libro publicado en 1996 sobre la aplicación de la tecnología en la actividad jurídica de abogados y jueces, y ello ocurre porque "se encuentran imbuidos de tradición y constreñidos por el precedente" lo cual significa una actitud conservadora y cauta respecto a temas desconocidos.

La propuesta de Susskind sobre los tribunales *online*, se define como judicaturas virtuales pero integradas por jueces humanos, quienes dictan sus decisiones *online* y no en audiencia ante la presencia física de las partes procesales, esta posibilidad dice Susskind al habilitar el funcionamiento de tribunales extendidos mejorando la gestión judicial.

[1]　　BRIAN, L.: Robot Justice: The Rise of China's Internet Courts. Disponible en: https://learningenglish.voanews.com/a/robot-justice-the-rise-of-china-s-internet-courts-/5201677.html
Fecha de recuperación: 13 de enero de 2022.

Como se puede concluir, a lo largo de la obra, el autor augura que los jueces sean sustituidos sino que los productos de inteligencia artificial resolverán algunos de los problemas más comunes y graves de la administración de justicia que es la congestión de causas por resolver más la demora en el despacho y resolución, que la implementación de los tribunales *online* significarán también el ahorro de recursos para el Estado y una mejor calidad del servicio de administración de justicia.

Yuval Noah Harari, en cambio no es tan optimista, en su libro "21 Lecciones para el siglo XXI" hace la siguiente reflexión:

> "En el futuro cercano, los algoritmos podrían completar este proceso, haciendo imposible que la gente observe la realidad sobre sí misma. Serán los algoritmos los que decidan por nosotros quiénes somos y lo que deberíamos saber sobre nosotros."

El advenimiento de la pandemia en el año 2020 lanzó aceleradamente al mundo al uso de tecnologías de la comunicación, así pudimos comprobar que la administración de justicia tuvo que adecuarse a marchas forzadas a estas nuevas formas de trabajo, las garantías del debido proceso y los principios procesales se pusieron a prueba y fueron objeto de muchas discusiones.

Pero, ¿qué ha pasado con la actividad judicial reservada exclusivamente a los juzgadores, de la que depende en gran medida la estimación o no de una pretensión o de la ratificación del estado de inocencia de un procesado? Nos referimos a la valoración probatoria, proceso mental reservado hasta hace poco a los seres humanos.

Debemos señalar que existen y son aceptados los productos de inteligencia artificial que reconocen patrones y que ayudan al juez, que van más allá de la simple búsqueda de términos y de doctrina jurídica, del uso del *blockchain* como una herramienta para la segura ordenación de los actos procesales por ejemplo, presentan una ventaja comparativa que ya pocos discuten.

Sin embargo, la actividad humana que permite apreciar, analizar y concluir una vez producida la evacuación probatoria, es decir la valoración probatoria la que proverbialmente ha sido manejada con las reglas de la sana crítica, entre las que se cuenta la experiencia del juez, ¿el que se le confíe enteramente a una herramienta de inteligencia artificial podría vulnerar algún derecho? O bien, ¿su repetida utilización podría contribuir más bien a eternizar sesgos y conceptos dañinos? ¿O estaríamos regalando nuestro conocimiento humano a los algoritmos como dice Harari o indudablemente caeremos en la concepción Orwelliana de la sociedad?

Son muchas preguntas de las cuales seguramente nadie tiene una respuesta concluyente, y que tal vez nuestra generación no alcance a conocerlas, hasta tanto, es deber de la administración de justicia trabajar como siempre lo ha hecho, lo mejor posible con lo que tiene disponible.

II. BREVÍSIMOS ANTECEDENTES

Allan Touring es conocido hoy como el padre de la Inteligencia Artificial IA, son reconocidos sus aportes a la ciencia, el premio que le concedió la Gran Bretaña por lograr descifrar los mensajes encriptados nazis mediante la máquina Bombe, fue superado por sus conceptos e invenciones como la Máquina Touring, la Máquina Universal de Touring que después evolucionaría a la Pilot Model ACE, el concepto de hipercomputación, el algoritmo y su famoso test sobre la inteligencia de una máquina, el cual fue propuesto en una publicación en la Revista Mind, "*Computing Machinery and Intelligence*" en el que la pregunta central fue: ¿piensan las máquinas?

La prueba consistía en que una persona que actúa como juez se coloca en una habitación y en otras separadas estarán otra persona y una máquina, a partir de las respuestas de cada uno, el juez deberá identificar el autor, si no existe diferencia, significa que el interlocutor "no humano" ha superado la prueba.

Sin embargo, el término como tal, definido como "la ciencia e ingenio de hacer máquinas inteligentes, especialmente programas de cálculo inteligente" fue utilizado por primera vez por John McCarty, Marvin Misky y Claude Shannon, en Darmouth en la conferencia financiada por la Fundación Rockefeller, Dartmouth Summer Research Project on Artificial Intelligence[2].

---

[2]   https://www.cesce.es/es/w/asesores-de-pymes/breve-historia-la-inteligencia-artificial-camino-hacia-la-empresa (fecha de la última consulta: 15 de febrero de 2022).

Joshua Bengio, informático francés, ganador del premio Turing por su investigación sobre el aprendizaje profundo (*deep learning*) ha señalado que la promesa realizada en los 50's que las máquinas pudieran imitar y superar el cerebro humano, que se vio limitada por la capacidad de las computadoras y por el desarrollo incipiente de los algoritmos, pero desde el 2005, se desarrolló el aprendizaje por redes neuronales complejas las que "aprenden" gradualmente sobre la base de principios matemáticos generales a reconocer imágenes, a identificar patrones, en el 2012 aparecieron los primeros productos que entendían el habla humana, y poco después los que identificaban imágenes, con lo que concluye que se ha producido un crecimiento exponencial de la Inteligencia Artificial[3].

En una entrevista realizada por Microsoft, para la cual ha colaborado como asesor, Bengio ejemplificó el aprendizaje profundo de la siguiente manera:

"La forma más común de utilizar aprendizaje profundo es el denominada aprendizaje supervisado, que es cuando le damos muchos ejemplos a la computadora de lo que debe hacer en una gran variedad de contextos. Por ejemplo, le damos millones de ejemplos de personas pronunciando oraciones, luego le damos la transcripción de esas oraciones, y después le pedimos a la computadora que pase de los sonidos a las palabras. Entonces, la computadora recibe los datos que observaría en el mundo real, así como lo que un humano haría con esos datos, y trata de imitar al humano en muchísimos ejemplos de la tarea"[4] y añade que el progreso del lenguaje natural hará que la máquina pueda entender nuestras preguntas y necesidades.

Lo que nos da una idea aproximada de cómo es que las máquinas han aprendido tanto y tan perfectamente que hoy forman parte de la vida humana, desde nuestro teléfono móvil, a nuestro asistente Alexa o Siri, quienes conocen nuestros horarios, hábitos y necesidades, hasta

---

[3] https://www.investigacionyciencia.es/revistas/investigacion-y-ciencia/el-auge-de-los-mamferos-678/aprendizaje-profundo-14415 (fecha de la última consulta: 15 de febrero de 2022).

[4] https://blogs.microsoft.com/latino/2017/12/18/entrevista-con-el-pionero-en-inteligencia-artificial-yoshua-bengio/ (fecha de la última consulta: 15 de febrero de 2022).

ahora por programación propia e información que hemos entregado voluntariamente.

La cuarta revolución industrial 4.0, la implementación de los algoritmos de IA, la nanotecnología, la velocidad y el procesamiento de los datos han provocado un crecimiento exponencial de lo que pueden hacer hoy las máquinas.

Desde hace ya muchos años, los abogados fuimos testigos de cómo la máquina de escribir manual fue reemplazada por el procesador de palabras, después por el computador y sus diferentes programas que permitían buscar información sobre leyes y jurisprudencia, con las limitaciones que el material con que se alimentaba estas herramientas informáticas permitían, el fax que hacía posible enviar rápidamente información a un lugar distante; ya se hablaba de una digitalización de expedientes judiciales y de la posibilidad de consultas electrónicas como valiosas herramientas que ahorrarían no sólo papel junto con los males de ese soporte (almacenamiento, deterioro, accesibilidad) sino también descongestión de la presencia de los usuarios en las judicaturas y el acceso sin barreras de horario.

Parte de aquello se ha hecho realidad, en el Ecuador, las páginas web de la Función Judicial que recogen las actuaciones de las Unidades Judiciales y Cortes, permiten hoy consultar las actividades realizadas o las que vendrán, sin embargo hace falta un tramo largo para el prometido expediente judicial que en letras ya existe, pues el Código Orgánico General de Procesos, así lo ha ordenado.

Pero, la IA ha recorrido muchos pasos adelante, rompiendo fronteras de las actividades reservadas a los humanos, ejemplos como Watson y Deep Blue, han sido superados ampliamente. Ya hay robots que realizan intervenciones médicas delicadísimas, otros que participan con éxito en actividades riesgosas como la minería y la exploración submarina, que realizan cálculos imposibles para la mente humana.

La Resolución aprobada por la Asamblea General de las Naciones Unidas el 22 de diciembre de 2015 reconoce la importancia de las nuevas tecnologías de la información TIC; la Declaración de Principios de la Sociedad de la Información de Ginebra en 2003 reconocen que las TIC contribuyen a superar los obstáculos de tiempo y distancia y tienen el potencial de beneficiar a millones de personas, promoviendo el desarrollo económico sostenido y acelerando el desarrollo de los países menos favorecidos; la Agenda Conectar para el 2030 para el desarrollo de las telecomunicaciones y TIC propone a la tecnología como una herramienta para alcanzar los Objetivos de Desarrollo Sostenible ODS para el 2030[5].

Pero, ¿qué hay de la actividad de la administración de justicia? La valoración de la información que se aporta en un proceso judicial corresponde a una actividad humana sobre un asunto que ha dañado a otro, es algo que se reclama sobre la base de lo que entendemos por reglas pre establecidas por los seres humanos las que nos permiten vivir en paz confiando que un tercero no involucrado va a resolver aplicando la normativa que son las reglas del juego conocidas y vinculantes, por lo tanto juzgar es un producto humano, el aprendizaje automatizado que realiza predicciones sobre el análisis de una gran cantidad de datos, lo está haciendo posible en algunos lugares, en algunos ámbitos.

Sin embargo se oyen voces autorizadas desde la gobernanza de datos como la mexicana Paola Villarreal, que ponen al descubierto los peligros de los sesgos de los algoritmos que incrementan la discriminación, la elección de los programadores que consideran qué información es relevante y cuál no y por lo tanto la permisión del acceso al público, en sus charlas destaca la necesidad de involucramiento de los gobiernos y de las personas en esta actividad, pues la ciencia y los algoritmos no son perfectos, y que la tecnología aplicada al interés público es asunto de todos[6].

---

5   https://undocs.org/es/A/RES/71/212 (fecha de la última consulta: 15 de febrero de 2022).
6   https://www.youtube.com/watch?v=MpRS8qGKTec (fecha de la última consulta: 20 de febrero de 2022).
     http://dataforjustice.github.io/warondrugs/ (fecha de la última consulta: 20 de febrero de 2022).
     https://www.youtube.com/watch?v=IP3JtOJCqFg (fecha de la última consulta: 20 de febrero de 2022).
     https://www.youtube.com/watch?v=l2W5pp4mUBE (fecha de la última consulta: 20 de febrero de 2022).

III. CUANDO LA INTELIGENCIA ARTIFICIAL LLEGA A LOS TRIBUNALES

Los abogados procesalistas conocemos a los procesos judiciales como una serie de fases que forman el procedimiento, las que tienen un punto de inicio y un final, este procedimiento tiene por objetivo la resolución de un conflicto que deberá decidirse por la normativa legal, es un concepto tradicional sencillo, común a casi todas las legislaciones, la Real Academia Española en su diccionario define al algoritmo como "un conjunto ordenado y finito de operaciones que permite hallar la solución de un problema".

Corvalán hace notar que este sistema opera de forma similar a un algoritmo, ya que estos pasos son lógicos y ordenados y ese es el punto de conexión entre la IA y el proceso judicial[7], si bien IA se desarrolla sobre el concepto teleológico o finalista, ya que por medios artificiales llega a los mismos resultados o superiores al del cerebro humano, pero que esa operación no significa que ha realizado el proceso de "comprensión" de las personas, que por ahora las máquinas no pueden reproducir ciertos rasgos humanos como el sentido común y la inteligencia general que puede abarcar muchos ámbitos al mismo tiempo, ni que realmente tengan conciencia de sus actividades[8].

Quienes nacimos en el siglo pasado, hemos sido testigos de cómo las máquinas han ido ocupando espacios en nuestra vida y cómo han ido mejorando cada vez, al punto que hoy no somos capaces de salir

---

[7]   CORVALÁN, J. G.: "En estos términos, si se trata de un sistema de reglas y órdenes concatenadas y coherentes para lograr un fin, entonces operan con una lógica muy similar a los algoritmos. Es decir, instrucciones a seguir basadas en reglas para lograr un objetivo. Aquí es donde surge el punto de conexión entre la inteligencia artificial (en adelante IA) y el derecho procesal: diseñar y entrenar a los algoritmos para que aprendan y ejecuten las reglas procesales, en la medida en que se den diversas condiciones vinculadas a los datos y al ecosistema digital que se presente en determinado proceso" En *Inteligencia artificial y proceso judicial*. Disponible en: https://dpicuantico.com/2019/09/09/el-impacto-de-la-ia-en-el-derecho-procesal/ (fecha de la última consulta: 20 de febrero de 2022).

[8]   CORVALÁN, J. G.; DÍAZ ÁVILA, L.; SIMARI, I. G.: *Inteligencia Artificial: Tratado de Inteligencia artificial y Derecho, Inteligencia Artificial: bases conceptuales para entender la revolución de las revoluciones*. Disponible en: http://ecommercearg.thomsonreuters.com.ar/978-987-03-4150-5.pdf (fecha de la última consulta: 20 de febrero de 2022).

de casa sin nuestro teléfono celular, ya no llevamos un libro sino un kindle que almacena muchos libros, si viajamos al extranjero disponemos de un aparato al que podemos hablar en nuestro idioma mientras hace la traducción por voz a fin de que nuestro interlocutor nos entienda, nuestro hogar puede estar domotizado y ahorrarnos tiempo y dinero; esto por dar unos pocos ejemplos.

En la administración de justicia, la implementación de la IA tiene un "lado luminoso" y un "lado oscuro" como la ha llamado Corvalán[9]; en el primer grupo incluye a iniciativas que son un "salto cualitativo" en la administración de justicia y garantizan la tutela de los derechos de las personas usuarias de la administración de justicia.

IV. EL LADO LUMINOSO DE LA INTELIGENCIA ARTIFICIAL EN LA JUSTICIA

En el primer grupo, el lado luminoso incluye a Prometea, una herramienta de IA con la que se puede interactuar por voz, ha optimizado el trabajo de la Fiscalía de Buenos Aires, no sólo ha ahorrado tiempo y esfuerzos para realizar adecuadamente los dictámenes, sino también se extiende a otras áreas que optimizan las relaciones del Estado y la ciudadanía, enfatizando en la protección de los derechos de las personas en situación de vulnerabilidad.

El ejemplo de Prometea, puede replicarse en los servicios estatales que pueden ser chatbots, ya que el entrenamiento de la IA simplifica las operaciones y puede obtener resultados sustancialmente mejores que los realizados por seres humanos.

En China, funcionan las Cortes en Línea las que se ocupan de litigios mercantiles, derechos de autor, pequeños préstamos y asuntos administrativos relacionados con internet en las ciudades de Hangzhou, Beijing y Guangzhou, el primero fue abierto en 2017 y los demás al año siguiente; noticias sobre estos Tribunales de Justicia afirman que los procesos han reducido en un 75% la duración de un litigio,

---

[9]   CORVALÁN, J. G.: *Revista de Investigaçoes Constitucionais*, vol. 5, n. 1, 2018, p.301. Disponible en: https://www.scielo.br/j/rinc/a/gCXJghPTyFXt9rfxH6Pw9 9C/?format=pdf&lang=es (fecha de la última consulta: 20 de febrero de 2022).

significa que la presentación de demandas, mediación, intercambio de evidencia, audiencias y anuncios de fallos se realizan en línea, excepcionalmente podría convocarse a una reunión fuera de línea si los jueces lo consideran necesario[10].

¿De qué se trata? El Tribunal inteligente incluye a jueces no humanos que funcionan mediante IA, las personas registran su petición en internet y concurren a una audiencia digital, en la que los ciudadanos pueden comunicarse por mensajes de audio y video con estos jueces virtuales, se interroga en principio a las partes procesales si tienen algún inconveniente con ello y generalmente la respuesta es negativa[11] sin embargo jueces humanos observan el proceso y pueden tomar decisiones; el sistema ha sido ideado para aliviar el trabajo judicial y reducir los tiempos de decisión, pues los tribunales funcionan las 24 horas del día, siete días a la semana, las personas pueden comunicarse por WeChat (app china que hace las veces de Whatsapp) el que integra una microaplicación llamada "Guangzhou Micro Court" y conectarse desde cualquier lugar a la audiencia.

La propuesta que realiza Susskind[12] quien además de relievar las ventajas de disminución de costos y la celeridad en el despacho judicial de los tribunales *online*, como les denomina, menciona que en un principio las cortes *online*, cuyo funcionamiento también debería ser ininterrumpido, en principio sería para causas de menor cuantía, por jueces humanos los que posteriormente serían sustituidos por máquinas inteligentes, menciona experiencias exitosas en Gales que son dignas de replicar; es importante señalar que su obra comprende algo más que la incorporación de las máquinas inteligentes en la administración de justicia, ya que abarca todo un cambio estructural del

---

[10]   http://spanish.xinhuanet.com/2020-10/16/c_139443364.htm (fecha de la última consulta: 20 de febrero de 2022).
[11]   "Tiene el demandado alguna objeción a la naturaleza de la evidencia judicial de blockchain presentada por el demandante?", preguntó un juez virtual durante una reunión previa al juicio. El juez no humano estaba representado en el sistema por la imagen de un hombre vestido con una túnica negra. "Sin objeciones", respondió el demandante humano". Disponible en https://learningenglish.voanews.com/a/robot-justice-the-rise-of-china-s-internet-courts-/5201677.html fecha de la última consulta: 20 de febrero de 2022).
[12]   SUSSKIND, R.: *Tribunales on line y la justiciar del futuro*, Wolters Kluwer España, 2020.

Poder Judicial y en la forma cómo los ciudadanos podrían acceder a los tribunales.

V. VALORACIÓN PROBATORIA Y MÁQUINAS INTELIGENTES

Sin embargo, uno de los temas procesales que aún no se ven totalmente esclarecidos es el de la valoración probatoria mediante las herramientas de IA.

Corvalán se refiere a los "oráculos digitales" y el problema de su diseño en las llamadas "cajas negras" por la que no es posible transparentar su funcionamiento al contrario de las "cajas blancas", para ilustrar el concepto pone el ejemplo del traductor de Google del que no se sabe exactamente el proceso por el cual llega al resultado, que si bien es cierto que sus técnicas se asientan sobre el estudio de millones de patrones de información que recibe segundo a segundo, en cambio no explica por qué eligió una frase determinada y no otra en el idioma que ha traducido, en cambio, un ser humano que realiza esta actividad puede explicar perfectamente porqué lo hizo y cuál fue el motivo para elegir la palabra y su contexto[13].

Destaca la necesidad de procurar la exactitud de los datos con los que se alimenta a la neurona artificial, para así obtener resultados más confiables, pues el *machine learning* se relaciona con la detección automatizada de patrones significativos de datos, las cajas negras (que algunos llaman también cajas grises) o aprendizaje profundo (*deep learning*) funcionan bien hasta con información no estructurada, entendida como la que no tiene un formato pre definido y para entender el concepto dice que una tabla de Excel tiene información estructurada y en cambio lo que las personas publican en redes sociales es un ejemplo de información no estructurada, por ello reflexiona en la calidad de la muestra, lo cual nos puede llevar a un resultado que no ofrece explicaciones, tal como en la antigüedad sucedía con el oráculo

---

[13]   CORVALÁN, J. G.: "Inteligencia Artificial GPT-3, Pretoria y oráculos algorítmicos en el Derecho", en *International Journal of Digital Law,* ano 1, n. 1, 2020, pp. 11-52. Disponible en https://journal.nuped.com.br/index.php/revista/article/view/corvalanv1n1 (fecha de la última consulta: 20 de febrero de 2022).

chino o el griego, este es uno de los rasgos que ubica en lo que llama " el lado oscuro".

Claro que este proceso de identificación de patrones, en su inicio, tuvo varios inconvenientes que desembocaron en acusaciones de racismo ya que la elección de *dataset* que realizaron los ingenieros encargados del proceso evidenciaron sesgos raciales[14], no por eso se ha detenido sino que ha ido en aumento, ¿quién no ha utilizado Google Lens para identificar imágenes o texto? ¿O la aplicación Shazam para identificar una melodía? y así una multitud de aplicaciones que hoy tenemos en el teléfono móvil; los algoritmos de caja negra o gris, son los que deciden qué vemos en nuestro muro de Facebook por ejemplo, o porqué Netflix nos dice que hay un film que nos gustaría.

Corvalán señala que el principal obstáculo de utilizar los "oráculos" que funcionan con IA es esta opacidad que impide cumplir con el deber estatal de motivar y explicar las razones de la decisión, ya que no es posible explicar la correlación de datos, su procesamiento y resultados, con lo que claramente desde la mayoría de nuestras legislaciones tendríamos un inconveniente, pues el juez debe dar razones de su decisión y no solamente proferirla y decidir la controversia. Esto es lo que ocurriría para el caso que la actividad de valorar la prueba en un juicio sea un proceso totalmente automatizado, de caja negra.

Por lo tanto, propone que estos sistemas de IA deberán ser utilizados como complemento del razonamiento humano[15].

---

[14]   https://www.elmundo.es/f5/comparte/2018/01/16/5a5dff50468aeb81638b45e7.html (fecha de la última consulta: 20 de febrero de 2022).

[15]   CORVALÁN, J. G.: *op. cit.,* p. 28: "Por ejemplo, supongamos que diseñamos y entrenamos el modelo predictivo con 400 sentencias emitidas por diez juezas y jueces para que una IA como Prometea o PretorIA correlacione datos y patrones de información en sentencias. En estas sentencias, con matices, se resolvieron casos de personas hemofílicas que han sido abofeteadas. La máquina podría aprender a detectar con una alta tasa de acierto, la inexistencia de dolo o la interrupción del nexo causal, según la teoría que se aplique para resolver estos casos. Sin embargo, en este proceso no ejecuta técnicas de argumentación vinculadas a la teoría del delito. La IA, no sabe nada de derecho. Reconoce patrones y correlaciones de palabras, frases o símbolos, para luego agruparlos en función de criterios estadísticos o según un índice de pesos o reglas de inferencia, que no son jurídicas, aunque luego pueden ser útiles para realizar argumentaciones racionales".

Otro escenario es el que propone el "Juez Inteligente" de Orión Vargas Vélez, colombiano jurista y catedrático de la Universidad de Medellín, que ha desarrollado un software auxiliar del juez, que sobre la base de pesos estimados de la prueba evacuada y mediante el proceso de inferencia nos da una probabilidad mayor o menor de la viabilidad de la premisa fáctica que se propone acreditar.

En su obra[16], sostiene que hay varios resultados en la valoración de la prueba mediante IA:

La corroboración probatoria que se produce cuando dos o más medios probatorios señalan el mismo hecho, la conconvergencia probatoria ocurre si cuando dos o más medios de prueba apuntan en la dirección de dos o más hechos diferentes, y, a su vez estos hechos, siendo ciertos, apuntan en la misma dirección de una hipótesis que confirma o hace más probable un hecho, la contradicción probatoria en cambio se suscita el evento que dos o más medios de prueba apunten en direcciones opuestas cuando un hecho es cierto y el otro no lo es.

También existe el conflicto probatorio cuando dos o más medios de prueba apuntan en la dirección de dos o más hechos diferentes y estos hechos, a su vez, hacia hipótesis opuestas, y la redundancia probatoria, cuando dos o más medios de prueba señalan distintas direcciones que sirven para corroborar hechos creíbles determinados así anteriormente, por lo que no prestan utilidad.

El modelo construido permite entonces al juez tomar decisiones de forma más rápida y con un alto índice de probabilidad en que el juez podrá justificar la atribución del peso con el que ha calificado a cada prueba.

Sin embargo, aún quedan preguntas flotando: el peso no podrá ser igual, pensemos en un momento en la determinación de hechos por presunciones, caso que franquea el Código General de Procesos del Ecuador, el que dispone que se podrá resolver por presunciones siempre que éstas sean graves, precisas y concordantes, ¿es verdad que entonces podrá la máquina inteligente elaborar patrones identificables y con ello proceder automáticamente como propone Corvalán?

---

[16]   VARGAS VÉLEZ, O.: *El razonamiento inductivo en la valoración de la prueba judicial*. Ediciones Universidad Salamanca, 2019, p. 95.

¿O siempre será un auxiliar que realice los cálculos para la inferencia? Entiendo que el modelo se está probando en Colombia con jueces en procesos reales[17], habrá que esperar por los resultados.

Susskind propone utilizar la tecnología de la realidad aumentada[18], lo cual sería una herramienta útil para el caso de las inspecciones judiciales por ejemplo, diligencias que en la actualidad consumen el tiempo de los jueces tanto por el traslado como para la observación de algunas cosas que en ocasiones no resultan relevantes para el caso, con lo que se abre la posibilidad de evacuar la prueba en mejores condiciones.

VI. EL LADO OSCURO DE LA INTELIGENCIA ARTIFICIAL

Susskind menciona los llamados procesos complejos en cuanto a valoración probatoria, Corvalán refiere a la falta de transparencia en la elección del *dataset* para alimentar la información que construirá los patrones y la explicación del procedimiento de selección de la decisión, o que simplemente se "burocratice" el proceso, es decir que se traslade lo escrito a lo digital sin mejora alguna.

Paola Villarreal, reconocida científica mexicana, nos advierte sobre los sesgos que pueden trasladarse a los algoritmos, menoscabando la garantía de los derechos humanos si se desarrollan productos de IA sin sustento ético, el proyecto Dataforjustice (http://dataforjustice. github.io/warondrugs/) llevado por su equipo así lo ha demostrado, advierte que los algoritmos que se alimentan de sesgos producen un bucle de inequidades que se reproduce hasta el infinito pues la desigualdad resulta hereditaria gracias a estos parámetros, que si bien la tecnología y el análisis de datos le llevó a descubrir que las funcionarias profesionales químicas del laboratorio de la policía de Massachusetts coludían con la Policía para la falsa incriminación de una persona etiquetada previamente por datos obtenidos mediante IA co-

---

[17] https://twitter.com/orionvargas/status/1452717683070341121/photo/1(fecha de la última consulta: 20 de febrero de 2022).
[18] SUSSKIND, R.: *op. cit.*, Capítulo 27.

mo "mala"[19], el hecho cierto es que las máquinas inteligentes deciden muchas cosas desde calificar como idóneo a un candidato para un trabajo, o para determinar si una persona puede cometer o no un delito, entonces resulta imprescindible la detección, medición y eliminación de todo tipo de sesgos mediante la educación a los científicos de datos[20], podríamos añadir más bien, que la solución pasa por equipos multidisciplinares y que no sólo es un asunto de orden tecnológico o de instruir separadamente a los tecnólogos.

Eric Sadin[21] nos advierte sobre la "siliconización" de la sociedad y los peligros de la hiperconexión y la algoritmización, pues concluye que se pierde el poder de elección y de decisión, que si hoy hay robots que realizan actividades humanas, los seres humanos nos estamos convirtiendo en autómatas por la aceptación pasiva de lo que el sistema sugiere, que las tecnologías enuncian lo que aceptamos por verdad, lo cual nos ha llevado a vivir la era del giro inductivo de la tecnología.

En su obra "La Inteligencia Artificial o el desafío del siglo. Anatomía de un antihumanismo radical" nos habla de la verdad construida por la IA a la que le hemos dado esa facultad enunciativa, se pregunta si la razón es otra: "¿Aspiramos a satisfacer para siempre nuestra propensión a la pereza, nuestra necesidad de seguridad y de confort, remitiéndonos a tal efecto a fuerzas que están dotadas día tras día de capacidades crecientes para satisfacerlas?"[22] compara a la omnipresencia y a la omnipotencia del algoritmo con una suerte de Leviathan, el que coincide con el modelo hobbesiano con la soberanía absoluta y lo diferencia por los fines, ya que en el primero se le reconocía la potestad sobre todos para garantizar la paz, hoy el Leviathan algorítmico busca la imposición de un modelo de gobernanza que sólo persigue fines utilitaristas.

---

[19]   https://www.youtube.com/watch?v=Iif_bt9kK8E&t=10s (fecha de la última consulta: 26 de febrero de 2022).

[20]   https://www.youtube.com/watch?v=MpRS8qGKTec&t=46s (fecha de la última consulta: 26 de febrero de 2022).

[21]   https://www.youtube.com/watch?v=fL_qKXSayEA&t=1076s (fecha de la última consulta: 26 de febrero de 2022).

[22]   SADIN, É.: *La Inteligencia Artificial o el desafío del siglo. Anatomía de un antihumanismo radical*. Editorial Caja Negra, Buenos Aires, 2020, pp. 153 y 243.

Trasladado el concepto a la administración de justicia y de sus actividades a la valoración de la prueba, podríamos caer en lo que teme, la falta de libertad, que no nos atrevamos a contradecir los resultados, a pensar que no es una buena conclusión por ejemplo, no es muy fantasioso suponerlo, a quién no le ha sucedido que en las oficinas administrativas, el funcionario administrativo tercamente afirma: eso dice el sistema, por más que uno explique que esos datos no corresponden a la realidad, la máquina lo afirma y por ello hay que tenerlo como cierto, esta historia no es infrecuente por lo menos en Latinoamérica.

Nos maravillamos ante posibilidades de impedir la manipulación de la prueba mediante el sistema de *blockchain*, como se hace en China, que los jueces virtuales están solucionando muchos casos con celeridad y eficacia, que es verdad que Susskind sostiene que lo que las personas que acuden a la administración de justicia quieren es que se los atienda y se solucione su asunto, que no es buena idea preguntarles qué quieren y para ello cita a Henry Ford y a Steeve Jobs, el primero quien afirmó que si hubiera preguntado a los posibles compradores que necesitaban para transportarse mejor, en lugar de decir un vehículo impulsado por vapor, habrían dicho que querían caballos más rápidos, y Jobs por su parte afirmó que la gente no sabe qué necesita hasta que Apple lo inventa y se lo vende, así mismo invertir más dinero en un sistema ineficiente de administración de justicia es como pedir caballos más veloces en lugar de un cambio sustancial.

En este punto, vale recordar aquel film de Tom Cruise (Minority Report) sobre los oráculos que podían predecir un crimen antes que suceda, y ahora, en la realidad las fallas reportadas en el sistema de IA Compas utilizado en los EEUU, que se ha utilizado para predecir mediante algoritmos la posibilidad de reincidencia de un sentenciado que aspira a la sustitución de medidas privativas de libertad, ha sido acusada de sesgo racial y de género, lo que le ha llevado a que los funcionarios que aplican esta tecnología a equivocaciones al vedarle las posibilidades de libertad condicional en los EEUU, por ejemplo a personas afroamericanas.

También es cierto que confiar enteramente el concepto de verdad como denuncia Sadin a una máquina inteligente, representa un riesgo muy grande de deshumanización de una actividad eminentemente humana como es la de administrar justicia, como anota Paola Villarreal los algoritmos son perfectibles, lo ideal es que quienes lo modelan y alimentan tengan como norte la defensa de los derechos humanos, el diseño ético al comprender las implicaciones que tendrá.

En suma, pese a la predicción pesimista de Harari, las máquinas inteligentes están llamadas aún a servir de complemento para la actividad judicial de valorar las pruebas evacuadas en un proceso judicial, es de desear entonces que estos asistentes sean lo más confiables posibles y que los jueces aprendamos a utilizarlos como lo que son, una herramienta, no un oráculo infalible.